SKELET

JONATHAN KELLERMAN

Skelet

SIJTHOFF

© 2008 by Jonathan Kellerman
This translation published by arrangement with Ballantine Books, an im-
print of Random House Publishing Group, a division of Random House,
Inc.
All Rights Reserved
© 2009 Nederlandse vertaling
Uitgeverij Luitingh ~ Sijthoff B.V., Amsterdam
Alle rechten voorbehouden
Oorspronkelijke titel: *Bones*
Vertaling: Harmien Robroch
Omslagontwerp: Pete Teboskins/Twizter.nl
Omslagfotografie: Etienne McVirn/Trevillion Images

ISBN 978 90 218 0293 0
NUR 332

www.boekenwereld.com & www.uitgeverijsijthoff.nl

Voor Lila

Bijzondere dank aan
Larry Malmberg en Bill Hodgman

Dat iedereen het doet, is nog geen excuus!
Fout.
Als iedereen het deed, was het toch gewoon? En sinds Chance
het een keer had onderzocht, wist hij dat hij niets verkeerd
had gedaan.
Hij had gegoogeld op *middelbare school* & *spieken*, omdat
hij voor straf een opstel moest schrijven.
Om vervolgens te ontdekken dat vier op de vijf leerlingen –
dat was verdomme táchtig procent – wel eens spiekte.
De meeste stemmen gelden. Net als hij bij maatschappijleer
had geleerd... maatschappelijke solidariteit.
*Maatschappelijke solidariteit is het cement waarmee de maat-
schappij bijeengehouden wordt.*
Zie je nou, hij bewees de maatschappij een dienst!
Toen hij er een grapje over maakte tegen de ouderlijke macht,
konden ze er niet om lachen.
Net als toen hij ze vertelde dat het om burgerrechten ging en
dat de school hem niet kon dwingen een taakstraf te vervul-
len buiten het terrein van de school. Dat was in strijd met de
grondwet. Tijd om burgerrechtenorganisaties in te schakelen.
Pa kneep zijn ogen samen, en Chance wendde zich tot zijn
moeder, maar die weigerde hem aan te kijken.
'Burgerrechtenorganisaties?' Pa schraapte zijn keel alsof
hij te veel sigaren had gerookt. 'Omdat we een substantië-
le donatie doen aan de burgerrechtenorganisaties?' Hij begon
zwaar te ademen. 'Elk godvergeten jaar. Wil je dat beweren?'
Chance gaf geen antwoord.
'Leuk, erg leuk. Dat wil je beweren? Laat mij je dan dit zeggen... Je hebt gespiekt. Punt. En daar zal geen enkele bur-
gerrechtenorganisatie ook maar een drol om geven.'
'Let op je woorden, Steve...' onderbrak ma hem.

'Schei uit, Susan. We hebben hier verdomme een serieus probleem en kennelijk ben ik de enige die dat ziet.'

Ma perste haar lippen op elkaar en begon aan haar nagels te pulken. Ze draaide zich om en rommelde met de borden op het aanrecht.

'Het is zíjn probleem, Susan. Niet dat van ons, en zolang hij dat niet toegeeft, kunnen we wel dag zeggen tegen Occidental en elke andere enigszins fatsoenlijke universiteit.'

Chance zei: 'Ik zal het wel toegeven dat ik het heb gedaan, pa.' Hij deed zijn best op wat Sarabeth zijn Oprechte Blik noemde.

Die lach van haar als ze haar beha losmaakte. *Iedereen trapt in die Oprechte Blik van jou, Chancy. Maar ik weet dat het een Bedriegersblik is.*

Pa staarde hem aan.

'Nou ja,' zei Chance, 'je moet toch toegeven dat ik een goede oog-handcoördinatie heb.'

Pa begon te vloeken en beende de keuken uit.

Ma zei: 'Het komt wel goed.' Maar ook zij liep de keuken uit.

Chance wachtte tot hij zeker wist dat ze niet zouden terugkomen en glimlachte toen.

Hij voelde zich lekker, want zijn oog-handcoördinatie was echt cool geweest.

Hij had zijn mobieltje in de trilstand gezet en hem in de broekzak van zijn weidste cargobroek gestopt, die hij had volgepropt zodat hij de telefoon erbovenop kon leggen.

Sarabeth, drie rijen verderop, had hem de antwoorden gesms't. Chance had heel cool gedaan omdat hij wist dat hij toch niet gesnapt zou worden. Shapiro was een stekeblinde sukkel die altijd achter zijn tafel bleef zitten en niks doorhad. Wie had kunnen bedenken dat Barclay binnen zou komen om Shapiro iets door te geven, achter in het lokaal zou kijken en net zou zien dat Chance in de zak van zijn broek tuurde?

De hele klas deed het, iedereen had trillende broekzakken. En iedereen had zich stiekem bescheurd toen het proefwerk begon omdat Shapiro zo'n achterlijke sukkel was. Het hele semester ging het al zo; die vent zou het nog niet doorhebben als Paris Hilton naakt langsliep en haar benen voor hem spreidde.

Dat iedereen het doet, is nog geen excuus!

Rumley keek langs zijn grote neus en sprak alsof hij op een begrafenis was. Chance wilde zeggen: *Dan zou het dat moeten zijn, man.*

In plaats daarvan zat hij op Rumleys kantoor tussen zijn ouders ingeklemd met gebogen hoofd en een spijtige blik te denken aan Sarabeths kontje in haar string, terwijl Rumley maar doorzeurde over eergevoel, normen en waarden en de geschiedenis van Windward Prep. Hij zei dat ze de mogelijkheid hadden om de toelatingscommissie van Occidental op de hoogte te stellen, wat ernstige gevolgen voor zijn toekomst zou kunnen hebben.

Daarop barstte ma in tranen uit.

Pa zat daar maar roerloos met een pissige uitdrukking op zijn gezicht, en hij deed geen enkele moeite om zijn vrouw een tissue uit de doos op Rumleys bureau te geven. Uiteindelijk moest Rumley overeind komen om het te doen, en hij wierp pa een nijdige blik toe.

Rumley ging zitten en begon weer te leuteren.

Chance deed alsof hij luisterde, ma snifte en pa zag eruit alsof hij iemand wilde slaan. Toen Rumley eindelijk uitgesproken was, noemde pa de donaties die het gezin had gedaan aan Windward, en begon hij over Chance' prestaties in de basketbalploeg en zijn eigen tijd vroeger in het rugbyteam.

Uiteindelijk bereikten de volwassenen een overeenkomst en hadden ze een tevreden glimlach rond hun mond. Chance voelde zich net een marionet, maar hij zorgde er wel voor dat hij serieus keek, want als hij nu grijnsde zou dat een slechte zet zijn.

Straf 1: Hij moest het proefwerk overdoen. Shapiro zou een nieuwe versie maken.

Straf 2: Geen mobiele telefoon meer op school.

'Misschien heeft dit betreurenswaardige incident nog positieve gevolgen, jongeman,' zei Rumley. 'We overwegen een algeheel verbod voor de hele school.'

Kijk eens aan, dacht Chance, ik heb jullie een dienst bewezen. Niet alleen zou je me niet moeten straffen, je zou me moeten betalen, een soort adviseurshonorarium.

Tot nu toe stelde het allemaal nog niet zoveel voor, en even dacht Chance dat hij er gemakkelijk van afkwam.

Straf 3: Het opstel. Chance had een hekel aan schrijven, en meestal maakte Sarabeth zijn opstellen voor hem, alleen bij deze kon dat niet want hij moest het op school, op de kamer van Rumley doen.

Maar goed, het stelde allemaal nog steeds niet veel voor.

Toen kwam Straf 4: 'Omdat directe aansprakelijkheid onderdeel van de straf moet zijn, jongeheer Brandt.'

Pa en ma waren het met hem eens. Met zijn drieën gedroegen ze zich compleet Al Qaida.

Chance deed of hij het met ze eens was.

Ja meneer, ik moet boete doen en dat zal ik met nijvere bereidwilligheid doen.

Hij gooide er een paar educatieve woorden tussendoor. Pa staarde hem aan alsof hij in de zeik werd genomen, maar ma en Rumley leken onder de indruk.

Rumley begon weer.

Een taakstraf. O, shit.

En hier zat hij nu.

Op het kantoor van Red het Moeras. De elfde avond van de dertig avonden straf. In een goor, kotskleurig hokje met foto's van eenden en insecten en weet ik veel aan de wand. Een smerig raam keek uit over de parkeerplaats waar alleen hij en Duboff stonden. Stapels bumperstickers in de hoek die hij aan iedereen die binnenkwam moest uitdelen.

Maar er kwam helemaal niemand, en Duboff liet hem meestal alleen om het broeikaseffect in een eendenreet te onderzoeken, of waar vogels van kotsten en of insecten een grote pik hadden, of zo.

Verdomme dertig van dit soort avonden en zijn zomer naar de klote.

Van vijf uur 's middags tot tien uur 's avonds, dus niet met Sarabeth en zijn vrienden uit na school, en allemaal omdat vier op de vijf mensen het uit maatschappelijke solidariteit doet.

Als de telefoon ging, nam hij meestal niet op. Als hij wel opnam, was het altijd zo'n loser die wilde weten hoe je bij het moeras kon komen.

Ga toch verdomme naar de website, sukkel, of zoek het op op MapQuest!

Hij mocht zelf geen telefoontjes plegen, maar sinds gisteren had hij zo nu en dan telefoonseks met Sarabeth. Ze was nu helemaal gek op hem omdat hij haar niet bij Rumley had verlinkt.

Hij zat daar maar. Dronk een blikje Jolt dat inmiddels lauw was. Voelde aan het zakje in zijn broekzak en dacht: straks. Nog negentien avonden opgesloten zitten. Hij leek wel zo iemand van het Arische Broederschap.

Nog tweeënhalve godvergeten week tot hij eindelijk vrij was en hij zijn Martin Luther King-imitatie kon doen. Hij keek op zijn dure Zwitserse horloge: 21.24 uur. Nog zesendertig minuten en hij kon hier weg.

De telefoon ging.

Chance negeerde hem.

Hij ging zeker tien keer over.

Chance liet hem een natuurlijke dood sterven.

Een minuut later ging hij weer en Chance bedacht dat hij toch maar moest opnemen, omdat het misschien een test van Rumley was.

Hij schraapte zijn keel en nam met zijn Oprechte Toon op. 'Red het Moeras.'

Het was stil aan de andere kant van de lijn en hij begon te grijnzen.

Vast een van zijn vrienden die een geintje uithaalde, waarschijnlijk Ethan. Of Ben of Jared.

'Hé, man,' zei hij. 'Hoe hangt-ie?'

Een merkwaardige scherp fluisterende stem zei: 'Hoe hangtie?' Een enge lach. 'Er lígt iets. Begraven in dat moeras van je.'

'Best, man...'

'Kop dicht en luisteren.'

Chance begon rood aan te lopen, net als wanneer hij tijdens een wedstrijd met opzet een sukkel van de tegenpartij onderuit schoffelde, en de onschuld zelve speelde als de jongen begon te jammeren dat zijn ballen in de klem zaten.

'Flikker op, man,' zei hij.

De scherp fluisterende stem zei: 'Aan de oostkant van het moeras. Ga maar kijken, dan vind je het.'

'Alsof mij dat iets...'

'Dood,' zei Fluisterstem. 'Hartstikke morsdood.' Gelach. 'Mán.'

Hij hing op voordat Chance hem kon zeggen dat hij zijn opmerkingen in zijn reet kon...

Een stem in de deuropening zei: 'Hé jongen, hoe staat-ie.'

Chance had nog steeds een rood hoofd, maar hij zette zijn Oprechte Blik op en keek op.

Duboff stond in de deuropening in zijn RED HET MOERAS T-shirt, zijn veel te korte broek, met daaronder magere, witte dijen, plastic sandalen en die belachelijke grijze baard.

'O, hallo, meneer Duboff,' zei Chance.

'Hé, man.' Duboff groette hem met een gebalde vuist. 'Heb je onderweg hiernaartoe nog naar de reigers gekeken?'

'Nog niet, meneer.'

'Het zijn intelligente beesten, man. Waanzinnig. En zo'n spanwijdte.' Hij spreidde zijn schriele armpjes.

U verward mij duidelijk met iemand die het een reet kan schelen.

Duboff kwam dichterbij en stonk naar de biologische deodorant die hij Chance ook had geprobeerd aan te smeren. 'Net pterodactylus. Meestervissers.'

Chance had eerst gedacht dat een reiger een vis was, totdat Duboff het hem had uitgelegd.

Duboff kwam dichterbij en ontblootte die gore tanden van hem. 'Die rijkelui in Beverly Hills houden er niet van als reigers tijdens de broedperiode hun rijkeluiskoi opvreten. Koikarpers zijn een vergissing. Mutaties gecreëerd door mensen die met gewone karpers hebben zitten rotzooien en net zolang met het DNA hebben zitten klooien tot ze die kleuren hadden. Reigers zijn puur natuur, schitterende roofdieren. Ze voeden hun jongen en herstellen de ware balans in de natuur. Die Beverly Hillbillies kunnen de pot op, nietwaar?'

Chance glimlachte.

Misschien was de glimlach niet breed genoeg, want Duboff

keek opeens zenuwachtig. 'Je woont hier toch niet in de buurt, als ik het me goed herinner?'

'Nee, meneer.'

'Je woont in...'

'Brentwood.'

'Brentwood,' zei Duboff, alsof hij probeerde te bedenken wat dat betekende. 'Je ouders hebben toch geen koikarpers, hè?'

'Nee. We hebben niet eens een hond.'

'Goed zo,' zei Duboff, en hij gaf Chance een schouderklopje. 'Pure onderworpenheid. Huisdieren, bedoel ik. Allemaal een vorm van slavernij.'

Hij liet zijn hand op Chance' schouder liggen. Was die vent een flikker?

'Ja,' zei Chance, en hij schoof opzij.

Duboff krabde aan zijn knie. Hij fronste zijn wenkbrauwen en wreef over een roze pukkel. 'Ben langs het moeras geweest om te kijken of er nog rommel lag, ben zeker door iets gebeten.'

'Voedselverschaffing voor kleine beestjes,' zei Chance. 'Erg nobel van u, meneer.'

Duboff staarde hem aan om te zien of Chance hem in de zeik nam.

Chance schonk hem zijn Oprechte Blik en Duboff besloot dat Chance oprecht was en glimlachte. 'Zo zie je maar... Afijn, ik dacht, ik kom even langs om te zien hoe het gaat.'

'Prima, meneer.'

'Oké, dan zie ik je straks nog wel.'

Chance zei: 'Eh, meneer, het is al bijna tijd.'

Duboff glimlachte. 'Ach, ja. Om tien uur mag je afsluiten. Ik kom straks nog.' Hij liep naar de deur, bleef staan en wierp een blik over zijn schouder. 'Je doet hier mooi werk, Chance. Ongeacht de omstandigheden.'

'Absoluut, meneer.'

'Noem me toch Sil.'

'Prima, Sil.'

Duboff zei: 'Zijn er nog dingen die ik moet weten?'

'Zoals wat, meneer?'

'Telefoontjes, berichten.'

Chance grijnsde en liet zijn volmaakt witte tanden zien, met de complimenten van orthodontist Wasserman.

'Niets, Sil,' zei hij vol zelfvertrouwen.

2

Bob Hernandez had het geld nodig.

Alleen voor geld kwam hij zo vroeg zijn bed uit. Om vijf uur 's morgens was de Pacific Public Storage een in mist gehulde vervallen toestand – zo'n plek waar films worden opgenomen over seriemoordenaars en drugsbendes. Een vierentwintig-uursfaciliteit, maar de meeste lampen die de gangen met opslagboxen moesten verlichten waren stuk, en de veilingmeester had een zaklamp nodig.

Op dit tijdstip was alleen de Aziatische jongen wakker. Een waardeloze opkomst vergeleken met de andere veilingen waar Bob was geweest. Alleen hij en vier anderen, plus de veilingmeester, een grijze man die Petey heette en in een goedkoop bruin kostuum rondliep en een stropdas om had die wel wat viagra kon gebruiken. Hij deed Bob denken aan die ordinaire advocaten die bij de rechtbank in het centrum rondhingen en wachtten tot ze een zaak toegewezen kregen.

Het was wel L.A. maar in de verste verten geen *L.A. Law* of *Boston Legal*.

Bob zou maar wat graag een aantrekkelijke advocate uit een van die programma's aan de haak slaan, die hem hartstochtelijk zou verdedigen en ook heel ander dingen hartstochtelijk zou doen, als ze hem eenmaal had gered en ze met zijn tweeën...

In plaats daarvan had hij Mason Soto, een pro-Deoadvocaat, gekregen, die wel drie keer had laten vallen dat hij aan Berkeley had gestudeerd. Hij probeerde hem te lijmen alsof ze vrienden waren door met hem te praten over immigratie, La Raza, de Dag van het Ras.

Mason Soto was in San Francisco opgegroeid en vond dat het

land zijn grenzen voor iedereen moest opengooien. Bob was in West Covina opgevoed door zijn vader, een Mexicaans-Amerikaanse ex-marinier en brandweerman van de derde generatie, en zijn moeder, een Zweeds-Amerikaanse medewerkster van de politiemeldkamer van de vierde generatie. Zijn twee broers zaten bij de politie en de hele familie, Bob incluis, vond dat je je aan de regels moest houden en anders het land uitgeschopt moest worden.

'Vertel mij wat,' had hij tegen Soto gezegd, in de hoop dat zijn advocaat nog beter zijn best zou doen om hem af te helpen van zijn verkeersovertredingen en het feit dat hij verzaakt had voor de rechter te verschijnen.

Soto had de hele rechtszaak zitten gapen, en Bob had uiteindelijk een fikse boete gekregen, plus tien dagen cel, wat uiteindelijk was teruggebracht tot vijf. Vervolgens werd het één nachtje omdat ze vol zaten, maar, mán, één dag in die hel was meer dan genoeg.

De boete was een veel langduriger probleem. Vijfendertighonderd dollar die hij binnen zestig dagen moest ophoesten, en hij had nog geen tuinopdrachten weten binnen te halen en hij liep achter met de huur. Om nog maar te zwijgen van de kinderalimentatie. Als Kathy moeilijk wilde doen, was hij de lul.

Hij miste de kinderen die in Houston bij Kathy's ouders woonden.

Eerlijk gezegd miste hij Kathy ook.

Zijn eigen stomme schuld. Moest hij het maar niet aanleggen met vrouwen die hem niet eens interesseerden. Hij begreep nog steeds niet waarom hij het deed.

Hij had vijfhonderd dollar van zijn moeder geleend en gezegd dat hij daarmee een deel van de boete zou betalen. Maar omdat ze niet aan termijnbetalingen deden, moest hij op de een of andere manier aan inkomen zien te komen zodat hij zijn huur en de boete kon betalen.

Gisteren had het boomverzorgingsbedrijf in Saugus teruggebeld en gezegd dat hij langs kon komen om formulieren in te vullen, dus misschien dat dat nog iets werd.

Hij deed wat hij kon.

Hij was om vier uur opgestaan om ervoor te zorgen dat hij

in één keer door kon rijden van Alhambra naar Playa del Rey en bij het opslagbedrijf zou zijn zodra het openging.

Hij had een paar maanden geleden op internet gelezen over goederenveilingen en was het weer vergeten totdat hij die boete kreeg. Hij was niet zo dom om te denken dat hij hier een schat zou ontdekken – een honkbalkaartje van Honus Wagner of een bijzonder schilderij. Hij had zijn hoop op eBay gevestigd.

Want op eBay kochten mensen alles. Je zou nog ontlasting op eBay kunnen verkopen.

Hij was nu bij vier veilingen geweest, was zelfs helemaal in Goleta geweest – een complete flop. Maar vlak bij huis had hij goud gevonden – al was het eigenlijk zilver.

In een opslagbox van twee bij twee in Pasadena die tot de nok toe vol had gestaan met keurig opgestapelde dozen. In de meeste hadden oude beschimmelde kleren gezeten die hij in een doos voor liefdadigheid gooide, maar er zaten ook wat spijkerbroeken en een stapel t-shirts in van rockconcerten uit de jaren tachtig die op eBay goed verkochten.

Plus de tas. Een klein blauwfluwelen zakje met reclame van een whiskymerk erop, had vol met munten gezeten, inclusief vijfcentstukken en een paar zilveren dollars. Bob was ermee naar een muntenhandelaar in Santa Monica gegaan en het had hem tweehonderd dollar opgeleverd, een fantastische winst aangezien hij voor het hele veilingnummer maar vijfenzestig dollar had betaald.

Hij had overwogen zijn moeder terug te betalen, maar had besloten te wachten tot hij alles had afbetaald.

Hij gaapte en zijn blik werd wazig. Pete, de veilingmeester, kuchtte en zei: 'Goed, volgende nummer, veertien vijfenvijftig.' Iedereen sleepte zich door de hal, die meer op een tunnel leek, naar een van de deuren langs de muren van cementblokken waar een hangslot op zat.

Dunne deuren, ondeugdelijke sloten. Bob zou ze zo kunnen intrappen. Het opslagbedrijf rekende tweehonderd dollar per box, dat was nog eens een goeie zwendel.

'Veertien vijfenvijftig,' herhaalde Pete onnodig. Hij wreef over zijn rode neus en rammelde met een sleutelbos.

De andere bieders deden hun best om ongeïnteresseerd te kijken. Twee forse oude vrouwen met ingevlochten haar, die zussen konden zijn, misschien zelfs een tweeling. Ze hadden een verzegelde scheepskist gekocht voor achtenveertig dollar. Achter hen stond een lang, mager heavy-metaltype in een AC/DC-T-shirt, een nepleren broek en motorlaarzen, schriele armen met meer tatoeage-inkt dan blanke huid. Hij had net de laatste twee veilingnummers gewonnen: een box vol met smerige, beduimelde paperbacks voor honderdvijftig dollar en een hoop roestige rommel voor dertig.

De laatste deelnemer was een Aziatische man van halverwege de dertig, een sportief type met een smetteloos koningsblauw poloshirt, een gesteven zwarte broek en zwarte instappers zonder sokken. Hij had tot nu toe nergens op geboden.

Keurig geschoren en met een lekker luchtje op zag de man er net zo strak uit als de BMW cabrio waarin hij was gearriveerd. Bob vroeg zich af of hij een kunsthandelaar was met een neus voor dit soort zaken.

Die moest hij in de gaten houden.

Pete vond de sleutel voor 1455, maakte het slot open en deed de deur open.

'Achteruit mensen, privé-eigendom,' zei hij. Elke keer dezelfde stomme opmerking.

Door een of andere achterlijke staatswet, waren opgegeven goederen bezit van de eigenaar tot het moment waarop ze werden verkocht. Met andere woorden, je mocht er niet bij komen, ze niet aanraken totdat je ze gekocht had. En dan opeens waren de rechten van de eigenaar als een scheet verdwenen.

Bob had het juridische systeem nooit begrepen. Als advocaten met hem praatten, was het net of ze van Mars kwamen. Pete scheen met zijn zaklamp over de inhoud van de box die meer op een cel leek. Bob had wel eens gehoord dat mensen elektriciteit aftapten en illegaal in opslagboxen woonden, maar hij kon het niet geloven. Daar werd je toch gestoord van.

'Goed,' zei Pete. 'We beginnen met de biedingen.'

De Aziatische vent zei: 'Kunt u de box nogmaals verlichten?'
Pete fronste zijn wenkbrauwen, maar deed wat hem was gevraagd. De ruimte was bijna helemaal leeg op een half fiets-
frame en twee grote zwarte vuilniszakken na.
Pete kuchte weer. 'Gezien?'
De Aziaat knikte en draaide zich om. Misschien een schijn-
beweging om op het laatst toch nog een bod uit te brengen.
Of misschien was hij echt niet geïnteresseerd.
Bob had geen zin om hierop te bieden. Hij had geleerd dat
in vuilniszakken meestal vuilnis zat. Maar hij had íéts nodig
om op eBay te verkopen, dus als niemand bood en het be-
drag laag genoeg was...
'Laat maar horen,' zei Pete, en hij voegde er direct aan toe:
'Vijftig, hoor ik vijftig dollar, vijftig, vijftig dollar.'
Stilte.
'Veertig, veertig dollar, een koopje voor veertig dollar, het
metaal van de fiets is al veertig dollar waard.' Hij raffelde zijn
verkooppraatje af, maar zonder enthousiasme. Tot nu toe had
hij amper iets aan commissie binnengehaald.
'Veertig? Niemand voor veertig? Hoor ik vijfendertig...'
Zonder zich om te draaien, zei de Aziaat: 'Twintig.' Bob hoor-
de iets in zijn stem. Niet slinks, maar eerder... berekenend.
Kennelijk dacht hij dat het metaal van de fiets iets waard was
– misschien waren de pedalen waardevol voor iemand die pe-
dalen nodig had. Bob zei: 'Vijfentwintig.'
Stilte.
Pete zei: 'Vijfentwintig, hoor ik dertig, laat me dertig horen,
dertig dollar...'
'Best,' zei de Aziaat. Hij haalde zijn schouders op alsof het
hem niets kon schelen.
Bob liet Pete zijn verkooppraatje verder houden en bood toen
vijfendertig.
De Aziaat draaide zich half om. 'Veertig.'
Bob zei: 'Vijfenveertig.'
De oude dames begonnen geïnteresseerd te kijken. O-o.
Maar ze bleven zwijgend staan.
De heavy-metalman liep naar de ingang van de box. 'Vijftig,'
fluisterde hij.

'Zestig,' zei de Aziaat.

De stemming in de gang werd alert en gespannen alsof bij iedereen de sterke koffie begon te werken.

De Aziaat pakte een BlackBerry, las iets op het schermpje en zette hem uit.

Misschien was de fiets hartstikke zeldzaam en zou zelfs een frame goed geld opleveren. Bob had wel eens gehoord van oude Schwinns – zoals die die hij had weggedaan toen hij zestien werd en zijn rijbewijs had gehaald – die absurde bedragen opleverden.

'Vijfenzestig,' zei Heavy Metal.

De Aziaat aarzelde.

Bob zei: 'Zeventig.'

De Aziaat zei: 'Vijfenzeventig.'

'Tachtig,' zei een overslaande stem die verdacht veel op die van Bob leek.

Iedereen staarde hem aan.

De Aziaat haalde zijn schouders op.

Pete keek naar Heavy Metal die al was weggelopen en over een van zijn tatoeages wreef.

'Tachtig dollar voor deze schat,' zei Pete. 'Vijfentachtig, iemand? Vijfentachtig dollar, nog altijd een koopje voor vijfentachtig dollar.'

Hij raffelde zijn verhaal af, drong niet aan. 'Eenmaal, andermaal... verkocht voor tachtig dollar.'

Hij sloeg met het plastic hamertje op zijn klembord. Vervolgens schreef hij iets op en zei tegen Bob: 'Jij bent de gelukkige winnaar van de schat. Tachtig dollar, handje contantje.'

Hij stak zijn vlekkerige hand uit.

Iedereen glimlachte. Alsof het een grap was en Bob het mikpunt. Hij voelde een kil gevoel door zijn lijf gaan.

'Contant, graag,' zei Pete.

Bob stak zijn hand in zijn zak.

Toen hij enige tijd later de vuilniszakken en de halve fiets in zijn truck zette, zag hij de Aziaat die net in zijn BMW wilde stappen.

'Doe je dit vaak?'

'Ik?' De man glimlachte vriendelijk. 'Voor het eerst, toevallig. Ik ben anesthesioloog, moet om zes uur in het Marina Mercy zijn. Ik dacht dat ik hier misschien een beetje wakker van zou worden. Dat is wel gelukt.'
'Waarom bood je op veertien vijfenvijftig?'
De man keek verbaasd op. 'Dat wilde ik jou ook net vragen.'

Om zeven uur was hij thuis, waar de vliegen rond de yuccaplant bij de ingang van de flat gonsden. Een hete zon scheen door zijn stoffige ramen, toen Bob de vuilniszakken op de groezelige vloer van zijn kleine woonkamer zette.
Hij moest eerst maar eens slapen voordat hij aan de eerste bloody mary van de dag begon, daarna zijn buit bekijken en het boomverzorgingsbedrijf in Saugus bellen.
In zijn stoffige veilingkleren liet hij zich op bed vallen en deed zijn ogen dicht.
Hij dacht aan Kathy. De boete. Aan wat zijn broers achter zijn rug om over hem zeiden.
Hij stond op, pakte een keukenmes en sneed de eerste vuilniszak open.
Er zaten speldozen in: monopoly, scrabble, risk. Maar de dozen waren kapot, alles ontbrak, alleen de borden zelf zaten erin.
Geweldig.
In de tweede zak – de zwaardere – zaten verfrommelde kranten. Meer niet. Waarom zou iemand zulke bagger voor goed geld opslaan?
Met een akelig voorgevoel liet Bob zich op de grond zakken en graaide door de stapel L.A. Times. Niets antieks, geen historische krantenkoppen, gewoon artikelen en van die stomme reclamefolders die eruit vielen.
Godsamme, hij had beter in bed kunnen blijven liggen.
'Sukkel,' zei hij hardop, en hij bekeek de halve fiets.
Goedkope rotzooi. Een sticker met Made in China op de stang die Bob zo met zijn handen zou kunnen doorbuigen.
Vol afkeer liep hij naar het keukentje, waar hij een bloody mary maakte, waarna hij op de grond ging zitten en een slok nam. Als hij dacht aan de tachtig dollar die hij kwijt was,

voelde hij zich nog vermoeider, maar de aanblik van de vuil-niszakken gaf hem het gevoel dat hij een sukkel was.

Tijd om die lading in de vuilcontainer te gooien.

Hij dronk zijn bloody mary op, kwam moeizaam overeind, propte de kranten weer in de vuilniszak en tilde hem op. Er rammelde iets. Onder in de zak.

Vast zijn verbeelding. Hij schudde de zak hard heen en weer. Rammel, rammel, rammel – als de sambaballen die ze op Olvera Street verkochten. Kathy had van die dingen een keer voor hem gekocht toen ze nog verkering hadden. Waarom eigenlijk? Omdat hij half Mexicaans was en het dus misschien wel half leuk zou vinden?

Hij graaide door de kranten, kwam onderin en vond de bron van het lawaai.

Een houten doos, donker, glimmend. Lang als een schoenendoos, maar breder, en ingelegd met koperen krullen, een mooie laklaag en een koperen sluitinkje.

EBay, hou je vast! De doos zelf... hij zou hem exotisch, geïmporteerd noemen, er misschien bij verzinnen dat hij uit... Maleisië kwam? Nee, mysterieuzer, waar lag de Mount Everest ook alweer... Tibet... *Nepal.*

Een exotische sieradendoos, afkomstig uit de Nepalese bergen, gemaakt van degelijk, eersteklas... Het zag eruit als mahoniehout, daar kon hij wel iets moois van maken... *zeer zeldzaam Aziatisch mahoniehout.* Misschien met een *Nu Kopen*-label erbij voor honderd, honderddertig dollar. Eens kijken wat erin zat. En al waren het gedroogde bonen, het maakte niet uit. De doos op zich betekende al dat hij niet langer een sukkel was.

Hij maakte het koperen slotje los en tilde het deksel op. Er zat een met goudfluweel bekleed bakje in.

Leeg. Het geluid kwam daaronder vandaan.

Hij tilde het bakje op waardoor het vakje eronder zichtbaar werd. Er zaten... kleine witte knobbelige dingen in.

Hij pakte er eentje op. Glad en wit met een punt, en zonder dat iemand hem het ooit had verteld, wist Bob opeens wat het was.

Biologie was nooit zijn sterkste vak geweest, hij was er wel eens voor gezakt en had het met de hakken over de sloot alsnog gehaald.

Een botje.

Van een hand of voet. Of poot.

Een heleboel botjes, zoveel dat het vakje bijna vol zat en ze niet zoveel lawaai maakten.

Het waren er wel... dertig of veertig.

Bob telde ze.

Tweeënveertig.

Hij keek naar zijn eigen hand. Drie botjes in elk van de vier vingers, twee in de duim, dus... veertien per hand.

Genoeg voor drie handen... Of drie poten. Ze zouden net zo goed van een beest kunnen zijn. Toen bedacht hij iets – misschien kwamen ze wel van skeletten die ze voor medische opleidingen gebruikten, mensen die hun lichaam ter beschikking stelden van de wetenschap.

Die zich lieten opensnijden, onderzoeken en weer in elkaar zetten tot skeletten die met metaaldraad aan elkaar gehouden werden.

Vreemd.

Nee, geen van deze botten had een gat waar metaaldraad doorheen kon.

Bob pakte een van de kleinste botjes en hield het naast het bovenste kootje van zijn wijsvinger.

Niet zo groot als die van hem.

Misschien van een hond.

Of een vrouw.

Of een kind.

Nee, dat was te... Het was vast een hond. Hoeveel botten zaten er in een poot of klauw?

Te klein voor een kat.

Een middelgrote hond, zoals Alf. Ja, deze was ongeveer zo groot als Alf.

Hij miste Alf, die bij Kathy in Dallas was.

Hij deed het deksel weer dicht.

De doos rammelde.

Botten.

Hij zou het eens op internet opzoeken. Misschien kon hij het als antiek verkopen – als van een indiaanse archeologische opgraving. Ergens in... Utah. Of Colorado. Colorado klonk... exotischer.

Een antieke verzameling exotische botten.

Dat soort dingen liep hartstikke goed op eBay.

3

Milo had een chique functie met dank aan de nieuwe hoofdcommissaris: speciaal onderzoeker, rang inspecteur.

Of zoals hij het zelf noemde: 'Een hoop drukte om een weerloos doelwit.'

Waar het op neerkwam was dat hij alle administratie die bij zijn rang hoorde zo veel mogelijk ontliep, dat hij zijn minikantoortje op het bureau van West-L.A. aanhield en zijn eigen moordzaken onderzocht totdat ze van het hoofdbureau belden en hem ergens anders naartoe stuurden.

De afgelopen veertien maanden was hij twee keer gebeld, en in beide gevallen was het om schietpartijen tussen bendes gegaan in Rampart. In de verste verte geen speciale zaken, maar de hoofdcommissaris, die L.A. nog moest leren kennen, had geruchten gehoord dat er nieuwe corruptieschandalen binnen bureau-Rampart waren en wilde er zeker van zijn dat hij niet aansprakelijk zou worden gesteld.

De geruchten bleken ongefundeerd en Milo had zijn best gedaan om niemand in de weg te zitten. Toen beide zaken waren gesloten, had de hoofdcommissaris erop gestaan dat Milo's naam in de dossiers kwam.

'Ook al heb ik nog minder gescoord dan een stekeblinde kleiduivenschieter. Ik ben er echt populair mee geworden.'

Een voor de hand liggende metafoor; de ochtend dat hij ermee kwam, hadden we met zijn tweeën op kleiduiven staan schieten op een schietbaan in Simmi Valley.

Eind juni, een droge hitte, blauwe luchten en bruine heuvels. Milo had de vijf stages van de *voice-activated trap* afgewerkt en had zonder veel moeite tachtig procent weten te raken. Vorig jaar was hij zelf het doelwit van een psychopaat met een jachtgeweer geweest en hij had de hagelkorrels nog in zijn schouder zitten.

Ik had een complete doos hagelpatronen afgeschoten voordat ik een van de felgroene schijven had weten te raken. Terwijl ik de Browning wegzette en een slok lauwe frisdrank nam, zei hij: 'Als jij schiet, doe je je linkeroog dicht.'

'Nou en?'

'Misschien ben je rechtshandig, maar is je linkeroog dominant en raak je daardoor uit balans.'

Hij gaf me opdracht met beide handen een driehoek te vormen en mijn vingers zo te houden dat rechts een dode boom zichtbaar was.

'Doe je linkeroog eens dicht. En nu je rechter. Bij welk oog verspringt hij meer?'

De dominantietest was mij bekend, ik had hem jaren geleden als coassistent gebruikt toen ik onderzoek deed naar lateraliteit bij kinderen met leerproblemen.

Ik had het zelf nog nooit geprobeerd. Het resultaat was verrassend.

Milo lachte. 'Sinister. Nu weet je wat je moet doen. En wijs dat ding niet zo af.'

Ik zei: 'Waar heb je het over?' Maar ik wist precies wat hij bedoelde.

'Je houdt het vast alsof je niet weet hoe snel je het wilt weggooien.' Hij pakte het geweer en gaf het aan me. 'Omarm het – leun wat naar voren – zo, ja.'

In akelige situaties heb ik wel eens pistolen en geweren afgevuurd. Maar ik geniet van wapens net zoveel als van de tandarts, al weet ik ze beide op waarde te schatten.

Jachtgeweren, met hun elegante dodelijke eenvoud, waren een heel ander verhaal. Tot vandaag had ik ze altijd gemeden. Kaliber 12 Remingtons waren mijn vaders speelgoed geweest. In een hoek van pa's kast had een Wingmaster 870 gestaan die hij op een politieveiling had gekocht en die vrijwel altijd geladen was.

Net als pa.

's Zomers – eind juni – moest ik met hem mee om op eekhoorns en kleine vogels te jagen. Dan zat hij met absolute vuurkracht achter broze vogeltjes aan, alleen belust op vernietiging. En dan moest ik door het bloederige zand op zoek naar een botsplinter of een stukje van een bekje of poot, omdat ik gehoorzamer dan een hond was.

Doodsbang voor zijn stemmingswisselingen, zoals een hond dat niet kon zijn.

Mijn andere opdrachten waren om mijn kop te houden en zijn camouflagetas te dragen. Daarin zaten, naast zijn reinigingsset, dozen munitie en een oude beduimelde *Playboy*, ook de verzilverde heupfles voor zijn whisky, de geruite thermoskan voor zijn koffie en de blikjes Blue Ribbon die nat waren van de condens.

Zijn alcoholwalm werd op zo'n dag met het uur erger.

'Klaar, doodoog?' vroeg Milo. 'Je rechter dichtdoen, je linker openhouden, iets naar voren leunen, nog meer, alsof je deel uitmaakt van het geweer. Zo. Hou hem zo vast. En niet richten, gewoon wijzen.' Hij keek naar de gracht. '*Pull!*'

Een halfuur later: 'Je hebt er meer geraakt dan ik, man. Ik heb een monster gecreëerd.'

Om halfelf waren we de achterbak van mijn Seville aan het inladen toen Milo's mobiel de eerste zes noten van 'My Way' liet horen.

Hij luisterde terwijl hij naar de neerwaartse vlucht van een roodstaartbuizerd keek. Zijn grote, bleke gezicht verstrakte. 'Hoe laat... oké. Over een uur.' Klik. 'Tijd om ons weer naar de niet-beschaafde wereld te begeven. Rijden maar, *por favor.*'

Toen we de 118 in oostelijke richting opreden, zei hij: 'Er is een lichaam gedumpt in het Vogelmoeras in Playa. Een of andere vrijwilliger heeft het gisteren gevonden en het is een zaak van bureau-Pacific.'

'Maar,' zei ik.

'Bureau-Pacific is onderbemand vanwege de bendeproblematiek. De enige die vrij is, is een groentje waar volgens Zijne Heiligheid "aan gewerkt" moet worden.'

'Een probleemgeval?'
'Geen idee. Afijn, dat is dus de officiële versie.'
'Maar jij hebt zo je twijfels.'
Hij veegde een lok zwart haar van zijn voorhoofd, strekte zijn benen en haalde zijn hand over zijn gezicht, alsof hij het zonder water waste.
'Het moeras ligt politiek gevoelig. En de hoofdcommissaris is een politicus.'

Terwijl ik terugreed naar de stad, belde hij om meer details en kreeg een summier beeld.
Een recente moord, een blanke vrouw van in de twintig, tekenen van wurging.
De rechterhand was in zijn geheel met chirurgische precisie verwijderd.
'Het is er zo een,' zei hij. 'Tijd om beide ogen open te houden, dokter.'

Het Vogelmoeras is een driehoekig stuk land van ongeveer een hectare, zo'n achthonderd meter ten oosten van de oceaan waar de Culver en Jefferson en Lincoln Boulevards elkaar kruisen. Drie kanten van de driehoek grenzen aan drukke verkeerswegen met meerdere banen, er staan torenflats aan de zuidkant, en de start- en landingsbanen van het internationale vliegveld van Los Angeles brengen een mechanisch gerommel ten gehore.
Het grootste deel van het moerasland beslaat een komvormig gebied, onttrokken aan het zicht van passerende automobilisten, en toen ik de auto aan de andere kant van de straat zette, zag ik alleen wat zomers bruin gras en de toppen van wilgen en populieren in de verte. Alles wat niet kan worden bewonderd vanuit een voorbijrazende auto telt niet in L.A., en federale bescherming voor de flora en fauna die tussen al die vooruitgang in ligt geklemd was maar moeilijk te verkrijgen.
Vijf jaar geleden had een filmstudio, die werd geleid door een stelletje zogenaamde miljardairs, geprobeerd het land te kopen om het als 'milieuvriendelijk' filmterrein te gebruiken, ge-

financierd met het geld van de belastingbetaler. Afgeschermd voor media-aandacht verliep het proces gladjes, de gebruikelijke tongzoen tussen het grote geld en bekrompen geesten. Het werd ontdekt door een chagrijnige radiopresentator die zich als een hondsdolle wolf in deze 'samenzwering' vastbeet, waarop woordvoerders over elkaar struikelden om het toch vooral te ontkennen.

De groep vrijwilligers die zich kort daarop opwierp om het moeras te redden, verwierp de agressieve tactiek van de presentator en accepteerde twee Toyota's Prius van de miljardairs. Tot nu toe waren er nog geen bulldozers gesignaleerd. Ik zette de motor af, en Milo en ik namen de vergezichten enkele minuten in ons op. De schattige houten borden met daarop ingebrande teksten die aan zomerkampen deden denken, stonden te ver weg om te lezen. Ik was hier vorig jaar met Robin geweest en wist dat er stond dat je op straat mocht parkeren... een edelmoedig gebaar dat nu zinloos was door de gele politietape en de oranje pylonen.

Een groter wit bord verzocht voetgangers op het voetpad te blijven en de dieren met rust te laten. Robin en ik hadden een stevige wandeling willen maken, maar het pad liep maar over een vijfde deel van het hele moeras. Die dag had ik een magere man met een baard zien lopen met een RED HET MOERAS button, en ik had hem gevraagd waarom.

'Omdat de mens de vijand is.'

Milo zei: 'Daar gaan we dan.' We staken de weg over. Een agent in uniform die voor de tape stond stak zijn borst vooruit alsof hij een hitsige duif was en hield ons met zijn handpalm tegen. Toen Milo's penning in het zonlicht schitterde, zei de agent: 'Meneer.' Hij deed een stap opzij en keek alsof hij zich bedrogen voelde.

Twee voertuigen stonden tussen de pylonen: het witte busje van het gerechtelijk laboratorium en een ongemarkeerde grijze Ford Explorer.

Ik zei: 'Het lichaam is gisteravond weggehaald, maar de jongens van het gerechtelijk lab zijn er weer.'

'Tjonge.'

Dertig meter naar het noorden kwamen twee agenten in uniform uit de bosjes de stoep op lopen, gevolgd door een breedgeschouderde, gedrongen man in een blauwe blazer en kakikleurige broek die zijn revers afklopte.

De Blazer leek ons onderzoekend aan te kijken, maar Milo negeerde hem en tuurde naar de torenflats. 'Dat zijn minstens honderd wooneenheden, Alex. Al die mensen met vrij uitzicht, en dan dumpt iemand hier een lijk?'

'Al die mensen hebben vrij uitzicht op niets,' zei ik.

'Hoe bedoel je?'

'Er is geen straatverlichting rond het moeras. Na zonsondergang is het hier pikkedonker.'

'Ben jij hier 's avonds wel eens geweest?'

'Je hebt in Playa del Rey een gitaarwinkel waar zo nu en dan concerten worden gehouden. Ik ben een paar maanden geleden bij een flamencoconcert geweest. Om een uur of negen, halftien was het hier verlaten.'

'Pikkedonker,' zei hij. 'Bijna als een heus landelijk natuurgebied.'

Ik vertelde hem ook dat ik er overdag wel eens geweest was en dat het gebied maar beperkt toegankelijk was.

'Je hebt toen toevallig geen flikflooiende slechterik rond zien hangen met een naambordje die spontaan een DNA-monster aanbood?'

'Helaas, ik heb O.J. nog nooit ontmoet.'

Hij schoot in de lach en keek weer naar de hoge gebouwen. Toen draaide hij zich om en tuurde naar het uitgebreide gebied van het moeras. De agenten stonden er nog, maar de man in de blazer was verdwenen. 'Vogels en kikkers en weet ik wat nog meer, die er dwars doorheen hebben gepit.'

We doken onder de tape door en liepen naar een witte vlag die aan een hoge metalen paal wapperde. De paal stond zo'n anderhalve meter van het pad stevig in de aarde, maar nog geen twee meter verderop veranderde de aarde in algengroene modder.

Het pad liep een paar meter verder en vormde toen een scherpe bocht. Stemmen voorbij de bocht leidden ons naar drie mensen die in witte plastic overalls op hun hurken in ondiep water zaten, deels verborgen achter riet, mattenbies en lisdodden.

Onder water zou een lijk minder snel ontbinden, maar vocht in combinatie met blootstelling aan lucht kon het versnellen. Evenals warmte, en dit jaar voelde juni meer aan als juli. Ik vroeg me af in welke staat het lijk was.

Ik was er nog niet klaar voor om te bedenken wie het lijk eens was geweest.

De gedrongen man kwam uit een tweede bocht, en liep op ons af terwijl hij een zonnebril met spiegelglas afzette. Jong, blozend en met donkerblonde stekeltjes.

'Inspecteur? Moe Reed, bureau-Pacific.'

'Rechercheur Reed.'

'Noemt u me Moe.'

'Dit is dokter Alex Delaware, onze psychologisch adviseur.'

'Psychologisch,' zei Reed. 'Omdat die hand ontbreekt?'

'Omdat je maar nooit weet.'

Reed keek me lang aan en knikte toen. Zijn ogen waren helder, rond en babyblauw. De blazer was nogal vormeloos, waardoor hij er grover uitzag dan hij was. Plooien en omslagen in zijn broek, een felwit zelfstrijkend overhemd, een groen-met-blauwe stropdas en bruine veterschoenen.

Hij zag eruit als een bal van middelbare leeftijd, maar hij was achter in de twintig, zeker niet ouder, en had met zijn korte benen en brede bovenlijf de bouw van een worstelaar. Onder het strokleurige haar zat een glad, rond gezicht waar de zon geen medelijden mee had. Hij rook naar een dagje aan het strand: pas aangebrachte zonnebrandcrème. Op zijn linkerwang had hij een plekje vergeten en de huid begon al licht doorbakken te worden.

Onze aandacht werd getrokken door een autoportier dat werd dichtgeslagen. Twee mensen stapten uit het busje van het gerechtelijk laboratorium. De een stak een sigaret op en de ander keek toe. Milo keek naar de in het wit geklede vrouwen in het water.

Rechercheur Moe Reed zei: 'Forensisch antropologen, inspecteur.'

'Was het lijk begraven?'

'Nee, het lag op de oever, er was geen moeite gedaan om het te verbergen. Haar identiteitsbewijs had ze ook nog bij zich. Selena Bass, een adres in Venice. Ik ben er vanmorgen om zeven uur geweest. Het is een verbouwde garage, maar er was niemand thuis. Maar goed, die antropologen, dus. Het zicht was slecht, dus het leek me een goed idee om een honden-eenheid in te roepen, om er zeker van te zijn dat de hand niet ergens lag. Die lag er niet, maar de hond reageerde wel heel heftig.' Reed wreef over zijn linkerneusvleugel. 'Toen bleek er meer aan de hand te zijn.'

De Mechelse herder met de naam Edith ('Een speurhond, geen kadaverhond, maar dat schijnt niet altijd uit te maken, inspecteur.') was om halftwee 's morgens met haar africhter gearriveerd, had de dumpplaats besnuffeld en was toen het moeras in gerend. Negen meter ten zuiden van het lijk was ze blijven staan, had haar kop niet meer dan twee meter van de oever in een plas brak water geduwd.

Stokstijf was ze gaan zitten. En maar blaffen.

Toen de africhter niet snel genoeg reageerde, was ze hard gaan janken.

Weer aan de oever was de hond erbij gaan zitten. De africhter wilde zijn lieslaarzen, maar het duurde een halfuur voordat die werden gebracht. De hond was tien minuten blijven zitten en was toen ineens weggestoven.

Ze was een stuk verderop in het moeras gaan zitten hijgen.

'Alsof ze trots op zichzelf was,' zei Moe Reed. 'Tja, dat mag ook best.'

Om vijf uur 's morgens waren er nog drie lijken gevonden.

Moe Reed zei: 'Het zijn voornamelijk botten, inspecteur. Mogelijk gaat het om een indiaanse begraafplaats.'

Een van de chauffeurs van het gerechtelijk laboratorium was onze kant op gelopen. Hij zei: 'Het ruikt anders bepaald niet oud.'

'Misschien is het moerasgas.'

De chauffeur grijnsde. 'Of de chili die iemand gisteravond heeft gegeten. Of bonen die in het moeras groeien.'

Moe Reed zei: 'Ik laat je nog wel weten wanneer jullie weg kunnen.' Hij leidde ons naar het trio antropologen. Ze stonden tot aan hun kruis in bruingroene prut serieus te praten rond een in de grond gezette vlag die slap hing in de warme statische lucht. Ze reageerden niet op onze aanwezigheid. We liepen verder. Voorbij de volgende bocht stonden nog twee vlaggen. Als een rare golfbaan.

We keerden om. Twee van de wetenschappers waren jong, een zwart en een blank. Beiden hadden ze een flink kapsel onder hun wegwerpmutsen weggestopt. Een oudere vrouw met kort grijs haar zag Reed en wuifde.

'Dag dokter Hargrove. Hebt u nog nieuws?'

'Normaal gesproken zouden we de plek afzetten en hem uitgraven, maar dit is beschermd grondgebied en we weten niet goed wat de parameters zijn.'

'Ik zal mijn best doen dat op te zoeken.'

'We hebben al met de vrijwilligersorganisatie gesproken en er kan elk moment iemand komen. Maar wat veel belangrijker is, is dat de grond op sommige plaatsen heel zacht is – ongewoon zacht. Als we hier te rigoureus te werk gaan, vinden we misschien niet alles.' Ze glimlachte. 'Het is gelukkig geen drijfzand... geloof ik.'

De jonge vrouwen lachten. Klein, metaal gereedschap glom in hun handen.

Moe Reed zei: 'Wat is het plan, dokter Hargrove?'

'We hebben tijd nodig om hier onderzoek te doen. Mogelijk is de beste manier om er uiteindelijk iets onder te leggen en het langzaam op te hijsen in de hoop dat er niets afvalt. Eén ding kan ik u wel vertellen, we hebben het hier niet over paleontologie. Onder de onderkaak van dit lijk zit weefselmateriaal, mogelijk ook achter de knieën. De huid die we hebben aangetroffen is donker, maar dat kan door ontbinding komen.'

'Recent?' vroeg Reed.

'Niet zo recent als het lijk in de buitenlucht, maar ik kan u geen precieze tijd geven. Water kan doen rotten en conserveren, het is van veel factoren afhankelijk. Ondanks alle bezinksel hebben we een matige pH-waarde gemeten in de monsters uit de directe omgeving, maar misschien heeft de natuur als buffer opgetreden door specifieke vegetatie die invloed heeft op de gevolgen van zure regen, plantenrotting, dat soort dingen. Ik kan u echt pas meer vertellen als we alles hier weggehaald hebben.'

'Weefselmateriaal,' zei Reed. 'Dan is het dus vrij recent, of niet?'

'Mogelijk, maar niet noodzakelijkerwijs,' zei Hargrove. 'Een paar jaar geleden hebben ze een soldaat uit de burgeroorlog opgegraven uit een massagraf in Pennsylvania. Die arme kerel was toevallig terechtgekomen op een plek met een laag zuurstofgehalte en een lage vochtigheidsgraad in de buurt van een serie onderaardse grotten, en hij had nog huid en spierweefsel op zijn wangen. Het meeste was gemummificeerd, maar niet alles. Zijn baard zag er pas geschoren uit.'

'Ongelooflijk,' zei Reed. Hij keek de jonge zwarte antropologe even aan en wendde zijn blik af. 'Kunt u geen gokje wagen, dokter? Officieus?'

'Officieus durf ik wel te zeggen dat we het waarschijnlijk niet over tientallen jaren hebben. Nog wel één ding: bij allemaal ontbreekt de rechterhand. Maar we hebben ze nog niet goed onderzocht, dus misschien ontbreken er nog andere delen.'

'Door dieren verspreid?' vroeg Reed.

'Ik kan me niet voorstellen dat coyotes en wasberen hier het moeras in duiken, maar je weet het niet. Mogelijk hebben grotere vogels – reigers, pelikanen of meeuwen – hier en daar wat weggepikt. Of de mens als vijand – iemand die een trofee wilde. We zullen de weerberichten van de afgelopen periode nagaan om te onderzoeken of wind op water nog een factor is geweest als het gaat om afdrijven en temperatuursveranderingen in het oppervlaktewater.'

'Ingewikkeld,' zei Milo.

Hargrove grijnsde. 'Daar doen we het voor, maar ik heb wel medelijden met jullie, hoor.'

De jonge zwarte antropologe, een aantrekkelijke vrouw met een hartvormig gezicht en een volle mond, zei iets tegen Hargrove.

Hargrove zei: 'Dank je, Liz.' En tegen ons: 'Dokter Wilkinson wil dat u weet dat de drie lijken allemaal met hun gezicht naar het oosten lagen. Het lijk in de openlucht ook?'

Reed dacht na. 'Nu u het zegt, inderdaad. Interessant...'

Dokter Wilkinson nam het woord. 'Maar we hebben het nu wel over een kleine n... een klein aantal waaruit een significante conclusie wordt getrokken.'

Reed zei: 'Vier van de vier lijkt me significant, dokter.'

Wilkinson haalde haar schouders op. De andere jonge antropologe – met sproetjes en roze wangen – zei: 'Naar het oosten. Als in de dageraad? Een soort ritueel?'

'Mekka,' zei Hargrove, en ze grimaste. 'Laten we daar maar niet over beginnen.'

Reed had zijn blik op dokter Liz Wilkinson gericht gehouden. 'Dank u voor uw oplettendheid.'

Wilkinson gaf een rukje aan haar muts. 'Ik vond dat u het moest weten.'

4

Reed, Milo en ik liepen terug naar de ingang van het moeras. Het busje van het gerechtelijk lab was verdwenen. Twee agenten in uniform hielden nog altijd de wacht, en zagen eruit alsof ze zich verveelden. De een zei: 'De lijkenpikkers zijn even wat gaan eten.'

Reed zei: 'Hebt u nog ideeën, inspecteur?'

'Zo te horen heb je alles onder controle.'

De jonge rechercheur frunnikte aan zijn zonnebril. 'Ik kan u wel vertellen dat ik blij ben dat ik hulp heb.'

'Hoezo?'

'Het begint een echte teamzaak te worden, vindt u niet?'

Milo gaf geen antwoord en Reeds verbrande wang kleurde

bloedrood. 'Ik moet u eerlijk zeggen dat ik niet bepaald Sherlock Holmes ben, inspecteur.'

'Hoe lang doe je dit al?'

'Ik ben na mijn studie bij de politie gaan werken en ben twee jaar geleden rechercheur geworden. Ik ben begonnen bij Autodiefstal op het hoofdbureau. Afgelopen februari ben ik overgeplaatst naar Moordzaken.'

'Gefeliciteerd.'

Reed fronste zijn wenkbrauwen. 'Sindsdien heb ik twee zaken gedaan. Naast deze, bedoel ik. Eentje was in een week opgelost, maar dat had iedereen kunnen doen, dat stelde niks voor. De tweede is een oude vermissingszaak die misschien wel nooit opgelost wordt.'

'Sinds wanneer stuurt bureau-Pacific vermiste personen door naar Moordzaken?'

'Dat doen ze ook meestal niet,' zei Reed. 'Rijke connecties, zo iemand die je absoluut tevreden wilt stellen, maar...'

'Zaken hebben hun eigen ritme,' zei Milo. 'Het kost tijd om een zaak te doorgronden.'

In het verleden heb ik gezien hoe hij slaap tekortkwam, kilo's aankwam en een torenhoge bloeddruk had vanwege onopgeloste zaken.

Reed bestudeerde de zachte bruine aarde van het moeras. Een bruine pelikaan zweefde door de lucht, richtte zijn grote bek omlaag, veranderde van gedachten en vloog terug in de richting van de Grote Oceaan.

Milo zei: 'Laten we het eens over Selena Bass hebben.'

Reed haalde zijn notitieboekje tevoorschijn. 'Blanke vrouw, zesentwintig, een meter vijfenzestig, vijftig kilo, brunette, bruine ogen. Een voertuig op naam, een Nissan Sentra uit 2003 die nog bij haar flat stond, op het oog geen schade, dus ze is niet met geweld in haar auto ontvoerd. Geen sporen van braak. Misschien is ze met een bekende meegegaan en is de situatie uit de hand gelopen.'

'Waar in Venice?'

Reed noemde een adres aan Indiana Avenue, ten zuiden van Rose Avenue en ten westen van Lincoln Boulevard.

Milo zei: 'Daar opereren veel bendes, of niet?'

36

'Een aantal. Het is maar een klein stukje van daar naar de dumpplek als een bendelid haar te pakken heeft genomen, maar die andere lijken...'

'Het kunnen slachtoffers uit dezelfde buurt zijn.'

'Een bendeafrekening?'

'Of een of andere engerd,' zei Milo. 'Die ze volgt, stalkt en dan grijpt.'

Reed fronste zijn wenkbrauwen. 'Onbekenden.'

Iemand bulderde: 'Hé!' We keken alle drie om.

Een magere man met een baard en o-benen in een wit t-shirt, een groene korte broek en slippers beende, wild met zijn armen zwaaiend, op ons af.

Dezelfde man die drie maanden geleden van die nukkige opmerkingen over de mens had gemaakt.

'Hé,' herhaalde hij.

Niemand zei iets.

'Wat gebeurt hier?'

Moe Reed zei: 'En u bent...'

'Silford Duboff, Red het Moeras. Dit terrein is van mij. Ik ben hier om ervoor te zorgen dat alles volgens de regels gebeurt.'

'Uw regels,' zei Reed.

'Ik ben de enige die er iets om geeft.'

Reed stak zijn hand uit. Duboff schudde hem aarzelend de hand, alsof hij bang was ergens mee besmet te worden. 'Wat is hier aan de hand?'

'Wat hier aan de hand is, meneer, is dat we vanmorgen het lichaam van een jonge vrouw hebben weggehaald die is vermoord en op de oever van het moeras is achtergelaten. Tijdens het onderzoek van het terrein hebben we ten minste drie andere lichamen gevonden.'

Silford Duboff trok wit weg. 'Onderzoek? U hebt gegraven?'

'Niet uitgebreid...'

'Geen sprake van.' Duboff zag de vlag waarmee de dumpplaats van Selena Bass was gemarkeerd. 'Wat doet dát daar?'

'Daar hebben we het eerste slachtoffer gevonden, meneer Duboff. En, zoals ik al zei, zijn er nog drie vrouwen. Allemaal dood.'

Duboff wreef over zijn baard. 'Dit is een ramp.'

Reed zette zijn zonnebril af. Hij had zijn babyblauwe ogen samengeknepen. 'Ik zou vier lijken inderdaad een ramp noemen.'

'U zei ten mínste drie. Wilt u beweren dat er mogelijk meer zijn?'

'We hebben er tot nu toe drie gevonden, meneer Duboff.'

'O, shit... Waar liggen de anderen? Ik moet het zien.'

Duboff wilde in de richting van de vlag lopen, maar Milo's stevige arm hield hem tegen.

'Wat?' eiste Duboff.

'U hebt nog geen toegang, meneer.'

'Dat is absoluut onaanvaardbaar.'

Milo glimlachte. 'Meneer, het is zeer wel aanvaardbaar.'

Duboff zei: 'Om welke reden?'

'De politie is daar het terrein aan het onderzoeken.'

'Wat bedoelt u met onderzóéken?'

'Er wordt het een en ander bestudeerd.'

Duboff trok aan zijn baard. 'Dit is beschermd gebied, u kunt niet zomaar agenten met hun vieze hand...'

'Forensisch antropologen, meneer.'

'Antro... Ze zijn aan het opgraven? Ik moet ze spreken, nu meteen!'

'We stellen uw medeleven op prijs, meneer Duboff. Maar dit zijn specialisten en die hebben respect voor elk terrein.'

'Dit is niet zomaar een terrein, het is...'

'Een prachtige plek,' zei Milo. 'Het enige wat zal worden verwijderd is bewijsmateriaal.'

'Dit is schandelijk.'

'Moord ook, meneer Duboff.'

'Dit is erger,' zei Duboff.

'Erger dan vier doden?' vroeg Reed.

'Ik wil niet... Ik begrijp dat er mensen zijn overleden. Maar als puntje bij paaltje komt, is de mens degene die het evenwicht verschuift. Die moorden bewijzen het maar weer eens.'

'Wat bewijzen ze?'

'We vermoorden de aarde en vragen ons af waarom het leven zo wreed is.'

Ik zei: 'Zo te horen hebt u het niet zo op met de mens.'

Duboff staarde me aan. Geen enkele blijk van herkenning. 'Ik ben een rasmisantroop, maar ik vermoord niets wat zuurstof inademt.' Hij wees naar zijn slippers. 'Biologisch rubber.' Hij keek naar de witte vlag. 'Wat ik wil zeggen is dat we ervoor moeten zorgen dat dit schaarse stukje rust behouden blijft.'

'Volgens mij is het al verstoord,' zei Reed.

'Laten we het dan niet nog erger maken. Ik móét die greppelgravers spreken.'

Reed keek Milo aan.

Milo zei: 'Als u eerst een paar vragen beantwoordt.'

Hij torende boven Duboff uit en begon een serie relevante en ogenschijnlijk irrelevante vragen te stellen aan de steeds zenuwachtiger wordende man. Uiteindelijk wilde hij weten waar Duboff de afgelopen vierentwintig uur was geweest.

'U denkt dat ík het gedaan heb?' vroeg Duboff.

'Meneer, dit zijn de vragen die we moeten stellen...'

'Wat maakt het uit waar ik gisteravond was? Best, ik heb niets te verbergen. Ik was thuis. Ik zat te lezen.' Hij stak zijn kin vooruit. 'Te genieten van de *Utne Reader*, als u het zo nodig moet weten.'

'Woont u alleen?' vroeg Milo.

Duboff glimlachte. 'Ja, maar ik heb een vriendin die vaak blijft slapen. Een intelligente, altruïstische, sensuele vrouw die toevallig in Sebastopol is voor het Green Fiber Music Festival. Wanneer is de moord gepleegd?'

'Dat moet nog bepaald worden.'

Duboff zei: 'Het moet na acht uur zijn geweest, want toen was ik hier en geloof me, er lagen geen lijken.'

'Hoe lang bent u hier geweest?'

'Eventjes, om te kijken of er geen rotzooi lag. Daarna heb ik bij de vierentwintiguurswinkel aan Culver een broodje gekocht. Met groente en tempé, als u het zo nodig moet weten. Toen ben ik nog even op kantoor langsgegaan om te kijken hoe onze vrijwilliger het deed.' Hij snoof. 'Een verwend rijkeluisjong dat het werk als taakstraf doet. Hij deed het prima, dus ben ik naar Santa Monica gereden en heb aan de boulevard mijn broodje opgegeten. Daarna ben ik teruggegaan naar kantoor om te controleren of het rijkeluisjong had afgesloten en het was maar goed ook, want dat had hij dus niet gedaan. Om halfelf zat ik thuis met mijn *Utne*.'

'Lag er rotzooi in het moeras?' vroeg Milo.

'Deze keer niet... O ja, en Alma – mijn partner – zou me om kwart over elf bellen vanuit Sebastopol. En dat heeft ze ook gedaan.'

'Die vrijwilliger,' zei Moe Reed. 'Waarom heeft hij die taakstraf?'

'Iets met school,' zei Duboff. 'Ik heb er niet naar gevraagd, het interesseert me niet. Hij is geen aanwinst, maar hij creëert ook geen problemen.'

'Alma,' zei Reed, terwijl hij zijn notitieboekje tevoorschijn haalde. 'Haar achternaam, alstublieft.'

Duboffs ogen puilden uit. 'Waarom wilt u haar spreken?'

'Procedure.'

'Niet te geloven. Ben ik hier om het moeras te beschermen, word ik een beetje aangevallen!'

Reed zei: 'Dat is wel een beetje cru gezegd, meneer Duboff.'

'Vindt u? Ik dacht het toch niet.'

Milo zei: 'Alma's achternaam?'

'Goeie genade... oké, oké. Reynolds. Alma Reynolds.' Hij ratelde een telefoonnummer af. 'Tevreden nou? En nu móét u me doorlaten.'

We volgden Duboff, die snel wandelend naar de plek van de antropologen liep. Moe Reed haalde hem in en vroeg hem of de naam Selena Bass hem iets zei.

Duboff haalde nukkig zijn schouders op en zei dat hij nog nooit van haar had gehoord.

Ik zei: '"People."' En ik vroeg me af of hij me eindelijk herkende.

Hij zei: 'Dat nummer is absolute onzin. Barbra zat er helemaal naast.'

Dokter Hargroves team had enkele kleine bruine voorwerpen uit het moeras gehaald en op een blauw zeil aan de oever gelegd. De drie vrouwen stonden weer voorovergebogen in het water te zeven en naar beneden te turen.

Duboff vroeg: 'Wat is dat?'

Reed zei: 'Menselijke botten.'

Duboff vouwde zijn handen rond zijn mond en riep naar de wetenschappers: 'Willen jullie wel een beetje uitkijken!'

De vrouwen keken op.

Milo zei: 'Deze meneer beschermt het moeras.'

Duboff zei: 'Dat hoeft u niet zo onbelangrijk te laten klinken.'

'Deze meneer heeft de belangrijke taak het moeras te beschermen.'

Dokter Hargrove zei: 'Meneer, we zijn heel voorzichtig. We doen ons uiterste best om niets te verstoren.'

'Uw aanwezigheid verstoort alles al.'

Hargrove, Liz Wilkinson en de sproeterige wetenschapster staarden hem aan.

Duboff wierp nog een blik op de botten.

Milo zei: 'Meneer, we moeten hier weg, zodat zij verder kunnen met hun werk. Heeft u trouwens werk, meneer Duboff?'

'Wat probeert u te insinueren?'

Milo gaf geen antwoord.

'Dat heb ik zeker wel gehad. Ik heb bij boekhandel Midnight Run gewerkt.'

'Die is vorig jaar gesloten.'

'Daarom zeg ik ook "gehad",' zei Duboff. 'Ik heb de afgelopen jaren een aantal goede investeringen gedaan, ik heb de tijd om iets anders te zoeken. En nou geen geintjes over aandelen olie en gas, oké? Die heb ik niet.'

'Jemig,' zei Milo, 'het is zeker wel lastig lopen.'

'Hè?'

'Met zulke lange tenen.'

Duboffs mond viel open.

Milo pakte hem bij de arm en leidde hem weer naar de straat.

'Leuk u ontmoet te hebben.'

Reed en ik keken toe hoe ze naar Duboffs stoffige Jetta liepen.

Duboff zwaaide met zijn vinger naar Milo. Die bleef onbeweeglijk staan. Duboff stapte tierend in en reed weg.

Milo kwam terug en gebaarde dat de man wel een grote mond had.

Reed zei: 'Raar en vijandig, maar als hij de dader was, had hij waarschijnlijk geprobeerd om vriendelijk over te komen. Een deel van zijn verhaal klopt in elk geval: dat hij na negen uur nog op kantoor is geweest en met die vrijwilliger heeft gesproken. De jongen heet Chance Brandt en we hebben het mede aan hem te danken dat we Selena überhaupt hebben gevonden. Dat wilde ik jullie vertellen voordat die halvegare ons onderbrak.'

'Vertel verder.'

Reed keek op zijn horloge. 'Ik heb nog een beter idee. Waarom gaan we niet zelf naar die jongen toe, dan vertel ik jullie onderweg de rest? Ik heb alleen de vader telefonisch gesproken en ik wil zeker weten dat ik de feiten heb. Ik heb over een halfuur bij hun thuis afgesproken, maar dan moeten we nu wel weg.'

'Dan rijden we met u mee, rechercheur Reed.'

Milo ging naast Reed in diens blauw-met-zwarte Crown Victoria zitten. Ik stapte achterin in.

'Is Moe een afkorting van Mozes?'

'Ja.'

'Ah.'

'Nu u het moeras hebt gezien, denkt u aan een baby in een rieten mandje op het water?'

'Dat beeld kwam wel even in me op.'

Reed schoot in de lach. 'Mijn moeder was nogal Bijbels toen ik werd geboren.' Een tel later: 'Mozes is zelf nooit in het Beloofde Land geweest.'

Milo zei: 'Vertel eens iets over die jongen van Brandt.'

5

Een aantrekkelijke jongen met een arrogante blik in zijn ogen. Chance Brandt hing onderuitgezakt op een overmaatse bank van brokaatstof in een overmaatse kamer in een overmaats herenhuis in mediterrane stijl aan Old Oak Road in Brentwood. Het rook er naar pizza en duur parfum.

Chance droeg tenniskleding. Zijn moeder, een beeldschone langbenige blondine met zeegroene ogen en duidelijk dominante chromosomen, ook. Haar matte lippenstift was opgedroogd en haar mond was bleek. Ze wilde haar zoons hand vasthouden, maar durfde het niet.

Naast de jongen zat de vader: donker, stevig, een grote kin, kaal, nog altijd in zijn chique overhemd en gouden stropdas van Hermès.

Een boze jurist, altijd een genoegen.

'Ongelooflijk. Nu dit weer.' Steve Brandt keek woedend naar zijn zoon alsof Oedipus ten tonele was verschenen.

De jongen zei niets.

Brandt zei: 'Ik doe testamenten en nalatenschappen, hier kan ik je niet mee helpen, Chance.'

Susan Brandt zei: 'Er valt toch zeker niets te helpen.'

Haar man wierp een giftige blik op haar. Ze beet op haar onderlip tot hij roze zag en sloeg haar armen over elkaar.

Moe Reed zei: 'Chance, vertel eens wat er is gebeurd.'

Steve Brandt snoof: 'Zonder advocaat erbij? Ik dacht het niet.'

'Meneer Brandt, als hij alleen maar een telefoontje heeft aangenomen, is een advocaat niet nodig.'

Chance glimlachte.

Zijn vader liep rood aan. 'Valt er iets te lachen, slimmerd?'

Susans adem stokte, alsof hij over prikkeldraad struikelde. Haar groene ogen werden vochtig.

Milo zei: 'Zoals rechercheur Reed al heeft uitgelegd, doen we onderzoek in een moordzaak. Als Chance daarbij betrokken is, heeft hij absoluut juridische bijstand nodig en willen we dat hij die zo snel mogelijk krijgt. Daar zien wij op dit moment echter geen aanleiding voor. Uiteraard is het uw goed recht om gezien de omstandigheden een advocaat in de arm te nemen, en als u daarvoor kiest, kunnen we het gesprek op het politiebureau voortzetten met video-opnames, papierwerk, et cetera.'

'Dat is intimidatie,' zei Steve Brandt. Hij had een onaangename glimlach op zijn gezicht.

'In het geheel niet, meneer. Het is eenvoudigweg wat wij moeten doen. Op dit moment is Chance voor ons niet meer dan een getuige. Van een telefoontje, ook nog. Ik begrijp niet waarom u niet volledig zou willen meewerken.'

Chance keek ons aan. Geen zelfvoldane blik meer, alleen verwarring.

Steve Brandt sloeg zijn armen over elkaar.

Milo zei: 'Prima, zorgt u ervoor dat Chance morgenochtend om zeven uur thuis is wanneer de patrouillewagen hem komt halen. Als het papierwerk er eerder doorheen gaat, wordt het misschien vanavond.' Hij wilde overeind komen.

Steve Brandt zei: 'Wacht even. Ik wil eerst mijn zóón onder vier ogen spreken. Daarna zal ik u laten weten hoe we deze ellendige situatie gaan aanpakken. Eerlijk?'

Milo ging weer zitten. 'We doen ons best om eerlijk te zijn.'

Tweeënhalve minuut later kwamen vader en zoon achter elkaar de kamer weer binnen.

Vader zei: 'Hij zal u alles vertellen. Maar kunt u me alstublieft eerst laten weten hoe het zover is gekomen? Zodat ík weet dat hij eerlijk tegen me is.'

De zoon staarde uit het raam naar een zwembad met een zwarte bodem.

Moe Reed keek naar Milo. Milo knikte.

Reed zei: 'Om halftwaalf 's avonds ontvingen we een telefoontje over een lijk in het Vogelmoeras. De beller had erover gehoord van iemand die het van Chance had gehoord.'

'Hoe weet u dat?' vroeg Steve Brandt.

'Onze beller zei dat iemand eerder op de avond naar het kantoor van de vrijwilligersorganisatie had gebeld en Chance had gezegd dat hij moest uitkijken naar een lijk in het moeras. Chance dacht dat het een geintje was. Onze beller nam het serieus.'

'Wie is die beller?'

'Dat onderzoeken we nog.'

De jongen hing nog steeds op de bank, maar nu stond er zweet op zijn voorhoofd.

'Roddels uit de derde hand?' zei Susan Brandt. 'Dat klinkt niet heel geloofwaardig.'

Haar man keek haar woedend aan. Ze begon aan een keurig gelakte nagel te frunniken.

Steve Brandt zei: 'Kletsende kinderen met een levendige fantasie, is dat alles?'

'Dat had het kunnen zijn,' zei Reed, 'ware het niet dat we een dode hebben gevonden. Die door een misdrijf om het leven is gekomen.' Hij wendde zich tot Chance. 'We moeten precies weten wat er is gebeurd.'

De jongen zei niets. Zijn vader legde een hand op de schouder van zijn zoon. Dikke vingers boorden in het tennisshirt, beslist geen teder gebaar. Chance kronkelde onder zijn vaders greep.

'Zeg ze wat je weet, dan kunnen we dit afsluiten.'

'Wat je zei, iemand belde,' zei de jongen.

'Wie?' vroeg Reed.

'Een of andere eikel met een rare stem.'

'Let op je woorden, Chance,' zei Susan Brandt op verslagen toon.

'In welk opzicht raar?' vroeg Moe Reed.

'Eh... sissend, of zo.'

'Sissend?'

'Fluisterend. Als in van die horrorfilms. Een robotlijk, of zo.'

'Iemand die zijn stem verhulde door te fluisteren.'

'Ja.'

'Kun je het voordoen, zodat we weten hoe het klinkt?'

Chance lachte.

'Doe het,' zei zijn vader.

'Ik zit niet op toneelles, pa.'

'Je hebt anders genoeg drama in dít gezin veroorzaakt.'

Chance haalde zijn schouders op. 'Zal wel.'

'Dóé het.'

De jongen vormde met zijn lippen een scheldwoord. Steve

Brandts knokkels werden wit.

Milo zei: 'Iemand siste tegen je, Chance. Wat werd er gezegd?'

'Eh... Dat er iets in het moeras lag. Iets wat dood was.'

'En verder?'

'Dat was het.'

'Een man of een vrouw?'

'Een man... denk ik.'

'Je weet het niet zeker?'

'Het was... fluisterend. Nep.'

'Iemand die deed alsof,' zei Reed.

'Ja. Ik dacht dat ik in de zeik werd genomen.'

'Door wie?'

'Weet ik veel. Vrienden.'

Milo zei: 'Iets doods in het moeras.'

'Ja.'

'Wat zei die fluisterende persoon verder?'

'Niks,' zei Chance. 'Het klonk belachelijk, daarom zei ik het ook niet tegen de vent die direct daarna binnenkwam.'

'Welke vent?' vroeg Reed.

'De vent die de tent runt, rare gozer. Houdt me constant in de gaten.'

'Hoe heet die gozer?' vroeg Reed.

'Duboff. Zo'n hippie waar we bij geschiedenis over leren.'

'Meneer Duboff kwam het kantoor binnen kort nadat jij dat telefoontje had aangenomen?'

'Ik heb het helemaal niet aangenomen. Ik heb alleen geluisterd en toen opgehangen.'

'Hoe snel daarna kwam Duboff toen binnen?'

'Direct.'

'Om je te controleren.'

'Ja.'

'En toen heb je hem verteld...'

'Dat alles goed was.'

'Je hebt niets gezegd over dat fluistertelefoontje?'

'Ik dacht dat het nep was,' zei Chance. 'Ethan of Ben of Sean, of zo.' Terwijl hij de namen noemde, keek hij ons aan. Om te zien wie hem had verklikt.

Reed zei: 'Hoe laat was dit fluistertelefoontje?'

'Om, eh... halftien, of zo.'

'Wees eens wat duidelijker,' zei Steve Brandt. Zijn vrouw zag eruit alsof ze elk moment in tranen kon uitbarsten.

Reed zei: 'Kun je iets concreter zijn?'

Chance zei: 'Het was om... O ja, voor die tijd keek ik op mijn horloge en toen was het iets van twintig over negen, dus het was daarna.'

'Rond een uur of halftien.'

'Eh, ja, dat zal wel.'

'Jezus,' zei Steve Brandt, 'zo moeilijk is het toch niet.'

Chance verkrampte. De onderlip van zijn moeder was inmiddels donkerrood.

Zijn vader zei: 'Wiskunde is duidelijk niet zijn sterkste kant, anders hadden we deze ellende nooit meegemaakt. De vernédering van een wiskundeproefwerk waar een minimale inzet voor nodig was.'

Chance beet nu op zíjn lip. Erfelijk bepaald? Of bracht Steve Brandt iedereen daartoe?

Brandt rukte zijn stropdas los. 'We proberen er nog steeds achter te komen of hij überhaupt een sterke kant heeft.'

Zijn vrouw hapte naar adem.

'Doe normaal, Suze. Als hij niet had gespiekt, zou de politie hier nu niet zitten.' Tegen ons: 'Misschien kunnen we iets voor mijn zoon bedenken, nu u hier toch bent. Zo'n cursus voor jonge criminelen. In het mortuarium werken, de realiteit onder ogen zien?'

Susan Brandt stond op en liep op haar elegante, gebruinde benen snel de kamer uit. Chance' blik was gericht op het hoogrode gezicht van zijn vader.

Brandt zei: 'Reken maar dat ik boos ben, jongen. Ik heb het razend druk en dan moet ik midden op de dag híervoor naar huis. Terwijl jij op de tennisbaan staat?'

'Mama vond dat ik wat beweging...'

Brandt legde met een zwaai van zijn hand zijn zoon het zwijgen op. Tegen Milo: 'Bestaan die mortuariumuitstapjes nog steeds?'

'Dat zou ik niet durven zeggen, meneer Brandt. Voor zover

ik weet waren die bedoeld voor jonge, dronken automobilisten en zo.'

'Hij komt er dus opnieuw mee weg.'

Chance bewoog zijn lippen.

'Wat zei je daar?' vroeg zijn vader dwingend.

Stilte.

Milo zei: 'Meneer Brandt, we begrijpen dat u gefrustreerd bent door Chance' gedrag in het verleden. Maar wat ons betreft, is hij behulpzaam geweest. Als hij alleen een telefoontje heeft aangenomen waarvan hij dacht dat het een geintje was, is er niets om mee weg te komen. Als hij op de een of andere manier betrokken is bij deze moord, zult u het met een uitstapje naar het mortuarium niet redden.'

Steve Brandt trok wit weg. 'Natuurlijk is hij daar niet bij betrokken. Ik probeer alleen verdere... complicaties te voorkomen.'

Chance zei: 'Ben ik een complicatie?'

Zijn vader glimlachte zelfgenoegzaam. 'O, daar wil je het antwoord niet op weten.'

Deze keer kleurde de jongen rood. 'Doe wat je moet doen, pa... Zet me maar aan zo'n godvergeten leugendetector.'

'Hou die grote waffel van je en kom niet aanzetten met dat belachelijke, omhooggevallen toontje van je...'

Chance schoot met gebalde vuisten overeind. 'Praat niet zo tegen me! Praat verdomme niet zo tegen me!'

Steve Brandt sloeg met zijn handen tegen het brokaat. Hij hijgde.

Chance' ademhaling ging nog sneller.

Milo kwam tussen hen in staan. 'Allebei rustig, nú. Chance, ga zitten. Daar, waar je moeder zat. Meneer Brandt, laat ons ons werk doen.'

'Ik was me er niet van bewust dat ik u hinderde, maar...'

'Dit is een moordzaak, meneer Brandt. Veel lange dagen voor ons. We willen zeker weten dat we straks niet hoeven terug te komen vanwege een huiselijk-geweldkwestie.'

'Absurd... Heb ik je ooit geslagen, Chance? Nou?'

Geen antwoord.

'Nou?'

Chance grijnsde. Haalde zijn schouders op.

Zijn vader vloekte. 'Addergebroed.'

Chance stond nog steeds. Milo zei: 'Zitten.' De jongen gehoorzaamde.

'Jongen, ik wil nu meteen antwoord. Hoe snel na het telefoontje kwam meneer Duboff binnen?'

'Direct daarna. Een kwestie van seconden.'

Dat strookte met wat Duboff had verteld. Of hij had Selena Bass zelf gedumpt, of de moordenaar had gewacht tot Duboff was vertrokken.

Of de moordenaar had mazzel gehad en had Duboff net gemist.

Hoe dan ook, de moord was gemeld kort nadat het lijk was gedumpt.

Iemand wilde dat Selena zou worden gevonden. En snel zou worden geïdentificeerd.

De dader had drie andere lichamen begraven, maar kreeg steeds meer zelfvertrouwen en wilde nu opscheppen?

Aanspraak maken op het moeras? Duboff, of net zo iemand?

Moe Reed zei: 'Wie heb je verteld over dat fluistertelefoontje?'

'Alleen... Sarabeth. Aan wie heeft ze me verlinkt?'

'Hoe heet Sarabeth verder?'

Steve Brandt zei: 'Oster. Die van die grote winkelcentra.' Toen niemand reageerde: 'Belangrijke mensen, wonen in Brentwood Park. Sarabeth is hun enige kind. Ze lijkt heel lief en onschuldig, maar ze is wel degene die hem de antwoorden voor dat wiskundeproefwerk heeft gegeven, dus ik zou alles wat ze zegt met een flinke korrel zout nemen.'

Chance gromde.

Zijn vader zei: 'Oei, wat ben ik bang.'

6

Steve Brandt bracht ons naar een binnenplaats met nepkasseien en maakte met zijn afstandsbediening het hek voor ons open.
'Hij gaat dus vrijuit?'
'Tot nu toe, meneer.'
'Geloof me, rechercheurs, hij is te dom om iemand te vermoorden.'
Met een zelfvoldane glimlach liep hij terug naar de warmte en verlichting van zijn huis.

Moe Reeds telefoontje naar Tom. L. Rumley, rector van de Windward Academy, leverde een belofte op om 'spoedig alle relevante informatie te vergaren' omtrent het telefoontje naar Chance Brandt. In ruil daarvoor zou er geen politie op school komen, want 'het is vakantietijd en we hebben momenteel bezoek uit Dubai'.
Reed zette Rumley in de wacht. 'Inspecteur?'
Milo zei: 'Waarschijnlijk is het als een lopend vuurtje rondgegaan, geef ze maar de kans om met de informatie te komen. Hebben jullie honger?'
We gingen terug naar het moeras waar we de Seville ophaalden. Terwijl Reed achter ons aan reed naar West-L.A. zei Milo: 'Wat vind je ervan?'
'Van de zaak of van Reed?'
'Beide.'
'Hij komt op mij over als bedachtzaam, iemand die graag wil leren. En in deze zaak valt veel te leren.'
'Vier lijken.'
'Als je de smaak te pakken hebt, stop je niet bij vier,' zei ik.
'Op jou kan ik rekenen, je bent altijd zo vrolijk.'

Café Moghul aan Santa Monica Boulevard vlak bij het bureau was Milo's tweede kantoor.
De vrouw in sari en met een bril op keek ons stralend aan, zoals altijd als Milo binnenkomt. Niet alleen gaf hij haar al-

tijd een flinke fooi, ze zag hem ook als een menselijke rott-
weiler. Reed, die achter Milo aan binnenkwam en overdui-
delijk van de politie was, bracht haar bijna in extase.

'Zeekreeft,' kondigde ze aan, toen ze ons naar Milo's tafeltje achter in de zaak bracht. Ze neuriede en vulde onze glazen met ijsthee met kruidnagel. 'Ik breng verse schotels. Alles.'

Milo zei: 'Alles is een goed concept.' Hij trok zijn jasje uit en
wierp het over een stoel naast hem. Reed trok zijn blazer uit
en hing hem keurig op. Zijn witte overhemd had korte mouwen. Zijn spierballen puilden eruit.

De etensparade begon.

Reed zei: 'U geeft zeker goede fooien.'

Milo zei: 'Jongen. Waarom moet alles in deze wereld om geld
draaien?'

Soms praatte Milo tijdens het eten over werk. Soms zag hij
eten als iets heiligs wat niet door wereldlijke zaken verstoord
mag worden.

Die middag was een heilige dag. Moe Reed keek hoe hij aan-
viel, kauwde, slikte en zijn mond afveegde. Hij had snel in de
gaten wat de bedoeling was en boog zich als een bekeerde
over zijn bord.

Bergen zeekreeft, rijst, linzen, gekruide aubergine en spinazie
met panir verdwenen snel toen de jonge rechercheur Milo
eruit at. Zijn lijf was stevig, maar staalhard.

Net toen de vrouw met de bril rijstpudding bracht, ging zijn
mobiele telefoon.

'Reed...' Bleke wenkbrauwen die bijna wegvielen tegen zijn
gezicht werden opgetrokken. 'Ja... Een ogenblik, dan pak ik
iets om op te schrijven.' Hij stak zijn hand uit naar achteren,
haalde zijn notitieboekje tevoorschijn en schreef in keurige
letters. 'Dank u. Nee, op dit moment niet.'

Klik. 'Rector Rumley zegt dat hij de roddel volledig heeft her-
leid. Die jongen van Brandt had het Sarabeth Oster verteld,
die het ook geweldig vond. Zij heeft het een zekere Ali Light
verteld en Ali heeft het haar vriend verteld, Justin Coopersmith, en die vond het zo grappig dat hij het zijn oudere broer,

Lance, heeft verteld, een tweedejaarsstudent aan Duke University, die de zomervakantie thuis is. Lance Coopersmith heeft kennelijk iets meer normen en waarden dan de anderen, want híj heeft ons gebeld. Zei dat hij het als zijn plicht zag.'

'Dat moet makkelijk te controleren zijn.'

Reed knikte. 'Ik heb vanmorgen de zoekopdracht gegeven. Het was op het niet-spoedeisende nummer, dat duurt langer dan het alarmnummer en je hebt geen audio. Zal ik bellen?'

'Doe je best.'

Even later: 'Een mobiele telefoon met Verizon-abonnement op naam van Lance Allan Coopersmith met een adres in Pacific Palisades. Heeft het nog zin om dat op te volgen?'

'Voorlopig niet,' zei Milo. 'Het wordt een lange dag, neem nog wat zeekreeft.'

Hij pakte zijn eigen telefoon en diende een verzoek in voor een huiszoekingsbevel voor de flat van Selena Bass.

Ik liet de Seville op de parkeerplaats van bureau-Westside staan en ging weer achter in Reeds ongemarkeerde auto zitten voor een ritje van twintig minuten naar Indiana Avenue. Milo maakte van de tijd gebruik om na te gaan of zijn huiszoekingsbevel er al was.

Telefonische toestemming, de papieren zouden volgen.

'Heb je nog meer gedaan behalve haar bij de Dienst Wegverkeer op te zoeken?'

'Ja. Geen strafblad of iets dergelijks. Ik was van plan om haar vandaag op Google op te zoeken.'

Milo logde op Reeds mobiele telefoon in en opende de internetbrowser. 'Regelrecht naar de goddelijke bron... daar gaan we. Twee hits... De een is een kopie van de ander. Zo te zien is ze pianolerares. Ze introduceert hier een student tijdens een recital... Ene Kelvin Vander.'

Een zoekopdracht op afbeeldingen leverde niets op.

Reed zei: 'Bij een pianolerares denk je niet direct aan gevaar.'

Milo zei: 'Wat is beter dan wat treurige muziek om de week mee te beginnen?'

'En de andere lijken, inspecteur?'

'Laten we maar eens afwachten waar de forensisch patholoog mee komt. In de tussentijd roeien we met de riemen die we hebben.'

Ik opperde nog dat het misschien iemand was die iets met het moeras had.

Milo zei: 'Zou kunnen.'

Reed zei niets.

De verbouwde garage waar Selena Bass woonde was verdeeld in twee appartementen en stond achter een witgepleisterde halfvrijstaande bungalow.

De voorste woning, die was omzoomd door bananenstruiken en boerenjasmijn, werd bewoond door de eigenaresse, een stokoude dame in een rolstoel die Anuta Rosenfield heette. Een vrolijke Filippijnse verzorgster leidde ons naar een kleine voorkamer met rozefluwelen gordijnen, veel kamerplanten en porseleinen beeldjes op wankele standaards.

'In januari wordt ze honderd!'

De oude vrouw verroerde zich niet. Ze had haar ogen open, maar ze waren omfloerst en ze was te zwak om een van haar roomkleurige figuurtjes vast te houden.

Milo zei: 'Wat mooi.' Hij ging op zijn hurken bij de rolstoel zitten. 'Mevrouw, kunnen we de sleutel voor de woning van mevrouw Bass krijgen?'

De verzorgster zei: 'Ze is doof en blind. U kunt de vragen beter aan mij stellen.' Ze wees naar zichzelf. 'Luz.'

'Luz, zouden we...'

'Natuurlijk, mannen!' Ze haalde de sleutel uit de zak van haar uniform.

'Fijn.'

'Is alles goed met haar... met Selena?'

'Kent u haar?'

'Niet echt, maar ik zie haar wel eens. Meestal als ik wegga. Soms gaat zij dan ook net weg.'

'Wanneer hebt u haar voor het laatst gezien?'

'Eh... Nu u het zegt, al een tijdje niet. En eerlijk gezegd heb ik ook al een tijdje binnen geen licht zien branden. Zeker al een paar dagen niet.' Ze haalde diep adem. 'En nu zijn jullie hier. O, jee.'

'Al een paar dagen niet,' zei Reed.

'Misschien een dag of vier,' zei Luz. 'Of vijf, ik hou het niet bij.'

'Wat voor iemand is ze?'

'Ik heb haar nooit gesproken, we groeten elkaar alleen. Ze leek me aardig. Mooi meisje, mager... geen heupen, zoals alle meisjes van tegenwoordig.'

Milo zei: 'Hoe laat vertrekt u meestal?'

'Om zeven uur.'

'Iemand anders doet dus de nachtdienst?'

'De dochter van mevrouw Rosenfield, ze komt om zeven uur thuis. Elizabeth is verpleegkundige in het Saint John's.' Ze fluisterde samenzweerderig: 'Eenenzeventig, maar ze werkt nog steeds graag op de IC van Neonatologie... baby'tjes. Zo heb ik haar leren kennen. 'Ik ben ook verpleegkundige, heb ook op de IC gewerkt. Ik hou van baby's, maar dit vind ik leuker.'

Ze gaf een klopje op de schouder van haar patiënte. 'Mevrouw R. is heel lief.' Een vriendelijke glimlach gleed over de lippen van de oude vrouw. Iemand had haar gezicht opgemaakt met poeder en blauwe oogschaduw, en ze had keurig verzorgde nagels. De lucht in de kamer was zwaar en bedompt. Rozen en wintergroen.

Milo zei: 'Wat kunt u ons nog meer over Selena Bass vertellen?'

'Eh,' zei Luz. 'Tja, ze leek me aardig... misschien wat verlegen. Alsof ze geen gesprek wilde aanknopen. Ik heb Elizabeth nooit over haar horen klagen en Elizabeth klaagt snel.'

'Hoe heet Elizabeth verder?'

'Elizabeth Mayer. Ze is weduwe, net als haar moeder.' Ze sloeg haar ogen neer. 'Dat hebben we alle drie gemeen.'

'Ach,' zei Milo. 'Wat naar.'

'Het is alweer lang geleden.'

Mevrouw Rosenfield glimlachte weer. Moeilijk te zeggen wat dat betekende.

Reed zei: 'Wie woont er in het andere appartement?'

'Een man uit Frankrijk die bijna nooit thuis is. Een hoogleraar Frans, geloof ik. Hij zit meestal in Frankrijk. Nu ook.'
'Zijn naam?'
Ze schudde het hoofd. 'Nee, dat moet u Elizabeth vragen. Ik heb hem de afgelopen twee jaar misschien vijf keer gezien. Aantrekkelijke man, lang haar... Net als die acteur... die magere... Johnny Depp.'
Milo zei: 'Zo te horen is het hier erg rustig.'
'Heel erg rustig.'
'Hebt u Selena Bass wel eens met een vriend of vriendin gezien?'
'Een vriend of vriendin, nee. Ik heb haar wel eens met een man gezien,' zei Luz. 'Die stond op straat te wachten tot Selena bij hem in de auto stapte.'
'Wat voor auto?'
'Sorry, dat heb ik niet gezien.'
'Kunt u hem beschrijven?'
'Hij stond met zijn rug naar me toe en het was donker.'
'Lang, kort?' vroeg Reed.
'Middelgroot... O, en volgens mij was hij kaal. Kaalgeschoren, zoals die basketbalspelers wel eens doen. Het licht weerkaatste op zijn hoofd.'
'Was hij blank?' vroeg Reed.
'Nou,' zei Luz, 'hij was niet zwart, dat weet ik zeker. Al was hij misschien wel lichtgekleurd. Het spijt me, hij stond met zijn rug naar me toe, dus het kan van alles zijn geweest. Heeft hij Selena iets aangedaan?'
'Mevrouw, op dit moment hebben we nog geen verdachte. Daarom kan alles wat u hebt gezien belangrijk zijn.'
'Een verdachte... dus ze is...'
'Ik ben bang van wel,' zei Reed.
'O, nee.' Er schoten tranen in haar ogen. 'Wat triest, zo'n jonge vrouw... Ach, ach... Ik wou dat ik u meer kon vertellen.'
Milo zei: 'U doet het geweldig. Kunt u ons voor de goede orde uw volledige naam geven? En een telefoonnummer waarop we u kunnen bereiken?'
'Luz Elena Ramos... Is het gevaarlijk hier te blijven?'
'Er is geen enkele reden om dat aan te nemen.'

'Wauw,' zei Luz. 'Dit is wel een beetje eng. Ik zal maar voorzichtig zijn.'

'Dat komt wel goed, mevrouw Ramos, maar het is altijd goed voorzichtig te zijn.'

'Toen u kwam, wist ik ook eigenlijk wel dat er iets niet in orde was. Ik heb acht jaar in het ziekenhuis gewerkt, dan weet je wel hoe slecht nieuws eruitziet.'

De zevenendertig vierkante meter woonruimte deed nog duidelijk denken aan de oorspronkelijke garage.

Gebarsten cementvloeren waren brons geverfd en daarna gelakt, maar de olievlekken waren nog zichtbaar en er hing een lichte petroleumlucht. Het verlaagde plafond van gewitte gipsplaten gaf de kamer een benauwd gevoel. Hetzelfde materiaal was ook voor de muren gebruikt en het was schots en scheef tegen het onderliggende latwerk vastgespijkerd. De naden waren duidelijk zichtbaar en de spijkerkoppen staken uit als pukkels.

'Kwaliteitsbouw,' zei Milo.

Reed zei: 'Misschien leverde de piano niet het grote geld op.'

We trokken handschoenen aan, bleven in de deuropening staan en namen de gehele ruimte in ons op. Geen tekenen van geweld of wanorde.

Milo zei: 'We zullen de technische recherche straks bellen, maar zo te zien is dit niet de plek van de moord.' Hij ging naar binnen en Reed en ik volgden hem.

Een rij zwarte kasten van hardboard scheidden een kleine kitchenette af van de rest van de ruimte. Een koelkastje, een magnetron, een tweeplaats kookstelletje. In de koelkast: water, specerijen, een verrotte nectarine, slappe selderie, een doosje van de afhaalchinees.

Moe Reed controleerde zijn handschoenen en bekeek de doos. 'Zoetzure kip met sinaasappel.' Hij hield de doos schuin. 'Helemaal ingedroogd. Zeker een week oud.'

Op de vloer lag een queensize matras met daaroverheen een bruine batik sprei en allemaal dikke kussens van madras. Milo trok een hoekje van de sprei op. Lavendelkleurige lakens, schoon zonder kreukels. Hij rook. Schudde het hoofd.

'Wat?' vroeg Reed.

'Niets... geen wasmiddel, lichaamsgeur, parfum, niks. Alsof het verschoond is, maar er niet in is geslapen.'

Hij ging verder naar een nephouten nachtkastje met daarop een dunne joggingbroek, een wit flanellen nachtjapon, een goedkope digitale wekker en een kam.

Milo bekeek de kam. 'Ik zie geen haren, maar misschien kunnen de jongens met hun pincetten nog iets vinden. Nu we het er toch over hebben, rechercheur Reed.'

Reed belde de technische recherche en Milo ging verder met zijn ronde door de kamer. Hij keek in een hoge, gele plastic vuilnisbak. Leeg. Overal in de kamer lagen grote kussen als extra zitplaatsen. Opgeschud en stevig alsof er nooit op was gezeten.

Opbergruimte was er in de vorm van een triplex ladekast met drie lades en een bijna twee meter hoge stalen klerenkast die olijfgroen was geschilderd. Links van de kast was een badkamer die amper groot genoeg was voor één persoon. Een nylon gordijn in plaats van een deur, een douchecabine van fiberglas, een goedkope wasbak en een toiletpot. Op de grond stond een krakkemikkig medicijnkastje.

Alles was brandschoon en droog. Het kastje was leeg.

De enige uitzondering op de onpersoonlijke inrichting was een wand met een paar keyboards, een versterker, een mengpaneel, een flatscreen van twintig inch op een zwart statief, twee zwarte klapstoeltjes en enkele grote stapels bladmuziek.

Reed bekeek de muziek. 'Klassiek... meer klassiek... wat indierock... nóg meer klassiek.'

Milo zei: 'Geen stereo, geen cd's.'

Reed zei: 'Er ligt vast wel ergens een iPod.'

'Maar waar is dan de computer waar je al die speeltjes mee moet bedienen?'

Reed fronste zijn wenkbrauwen. 'Iemand heeft hier opgeruimd.'

Met zijn tweeën bekeken ze de inhoud van de ladekast en de stalen klerenkast. Spijkerbroeken, T-shirts, jassen, ondergoed in kleine maten. Tennisschoenen, laarzen, zwarte sandalen met hoge hakken, rode pumps, witte pumps. Aan één kant van de hangkast hingen zes jurkjes in vrolijke kleuren.

Reed ging op zijn knieën bij de ladekast zitten en trok de onderste lade open. 'Wauw.'

Er lagen een leren bustier, twee paar visnetkousen, drie zwarte slipjes met oranje franje zonder kruis, drie goedkope zwarte pruiken en drie enorme paarse dildo's.

De pruiken waren allemaal op schouderlengte geknipt, met een korte pony. In een blauwe naaidoos van vinyl zaten flesjes met witte gezichtsmake-up, zwarte eyeliner en tubetjes lippenstift in de kleur van een oude bloeduitstorting. Toen Reed de doos eruit haalde, rolde er een zwartleren rijzweepje naar voren.

Milo zei: 'Meesteres in haar vrije tijd? Misschien woont ze ergens anders en gebruikte ze deze woning om te feesten.'

Reed keek gebiologeerd naar de kledingstukken. 'Misschien gaf ze hier ook muziekles.'

'Lijkt me niet. Geen echte piano, geen lesmateriaal.' Milo duwde de lade dicht en bekeek de kamer. 'Als ze hier woonde, was het een behoorlijk kaal leven, zelfs als je de schoonmaak niet meerekent. Ik ben na vijf minuten al toe aan een potje Prozac.'

Hij keek weer naar de metalen klerenkast en liet zijn hand over de bovenste plank glijden. 'Kijk nou eens.'

Hij haalde een kartonnen doos boordevol papieren voorschijn.

Bovenop lag Selena's belastingaangifte van vorig jaar. Een inkomen van 48.000 dollar uit 'freelance werkzaamheden als muzikaal adviseur, en een aftrekpost van 10.000 dollar voor 'apparatuur en benodigdheden'.

Daaronder vond hij dertien maandelijkse cheques die keurig met een paperclip aan elkaar zaten. Elke voor vierduizend dollar, afkomstig van een rekening van Global Investment Co. op naam van het Simon M. Vander Family Trust, met een adres aan Fifth Street in Seattle.

Bij elke betaling zat een briefje met in blokletters: LESSEN VOOR KELVIN.

Reed zei: 'Het joch dat we op internet tegenkwamen.'

Milo zei: 'Bijna vijftigduizend dollar om de kleine jongen te leren de ivoren toetsen in te drukken?'

'Eén student die voor al het inkomen zorgt... Misschien heeft hij echt talent, een soort wonderkind.'

'Of iemand denkt dat hij dat is. Als jij nou eens naar de auto gaat om Simon Vander te googelen. Het joch ook.'

'Doe ik.'

Milo bekeek de rest van de papieren in de kartonnen doos. Een identiteitskaart uitgegeven door de staat Californië met daarop een foto van een meisje met een smal gezicht en grote ogen, een puntige kin en donkerblond haar. Een korte pony, net als bij de pruiken. Geschikt voor verkleedpartijtjes?

Ik zei: 'Waarom had ze dat nodig, terwijl ze al een rijbewijs had?'

Hij zei: 'Misschien had ze nog geen rijbewijs toen ze hier kwam wonen, en gebruikte ze dit in de tussentijd.'

Onder de identiteitskaart lagen bonnetjes van een Betsey Johnson-outlet in Cabazon in de buurt van Palm Springs en een zes maanden oude creditcardrekening van vijfhonderd dollar die pas was afbetaald nadat er eerst een halfjaar lang een torenhoge rente over was berekend.

Onderop lag een e-mail van vier maanden geleden, afkomstig van een zekere *engrbass345* met een Hotmail-account. Over Milo's schouder las ik mee.

> Sel, zo blij dat je eindelijk een baan hebt gevonden. En een goeie, ook nog. Heel veel succes, lieverd. Laat gauw weer iets van je horen.
> Liefs, mama

Milo slaakte een zucht. 'Tijd om de familie in te lichten.'

'Je favoriete klus,' zei ik.

'Net als het verdrinken van puppy's.'

Reed kwam met een fanatieke blik het appartement weer binnen en hij zwaaide met zijn notitieboekje.

'Die Simon Vander is kennelijk steenrijk. De investeringsrekening loopt misschien in Seattle, maar hij woont hier in de Palisades. Hij was eigenaar van een keten supermarkten in

Mexicaanse buurten. Hij heeft de boel tweeënhalf jaar geleden verkocht voor honderdelf miljoen. Daarna niets meer, behalve drie hits voor Kelvin, allemaal recitals. De jongen is tien. Ik heb een foto van hem.'
Hij liet een korrelige zwart-witfoto zien van een aantrekkelijke Aziatische jongen.
Milo gaf hem de e-mail van de moeder van Selena Bass.
Reed zei: 'Wil je via de computer contact met haar opnemen?'
'Als ze hiervandaan komt, kunnen we persoonlijk contact opnemen.'
'"*Engrbass,*"' zei Reed. 'Moeten we ondertussen met de Vanders verdergaan om te zien of ze iets over Selena's privéleven weten?'
Hij noemde de vermoorde vrouw bij de voornaam. Het begin van de emotionele band.
Milo zei: 'Dat zou ik doen.'
Reed fronste zijn wenkbrauwen. 'Alsof ik het wiel uitvind.'

7

Simon Mitchell Vander had vijf voertuigen op twee adressen op zijn naam staan.
Aan Calle Maritimo in Pacific Palisades: een drie maanden oude Lexus GX, een één jaar oude Mercedes SLK, een drie jaar oude Aston Martin DB7 en een vijf jaar oude Lincoln Town Car.
Op een adres aan de Pacific Coast Highway in Malibu stond een zeven jaar oude Volvo stationwagen geregistreerd.
Moe zocht de adressen op de kaart op. 'Aan het strand in La Costa Beach en in het noorden van Palisades. Vrij dichtbij.'
'Misschien houdt hij ervan zand tussen zijn tenen te voelen,' zei Milo. 'Het is midden in de week, ik gok op het huis in de stad. Als dat niks is, gaan we een dagje naar het strand.'

De rit van Venice naar Pacific Palisades ging in een slakkengang over Lincoln Boulevard. Op Ocean Front was het niet veel beter, waarna we een kort stukje door Channel Road reden. Daarna ging het snel langs de kust. Een lieflijk briesje gaf de oceaan kobaltblauwe schuimkoppen. Het strand was bezaaid met surfers en vliegeraars en mensen die van schone longen hielden.

Calle Maritimo was een slingerende weg ten noorden van het oude landgoed van Getty. Naarmate we hoger kwamen, werden de huizen groter en de grondprijzen per meter hoger. Reed reed met hoge snelheid langs hagen van bougainville en rotsmuurtjes en hij wierp zo nu en dan een blik op de oceaan.

Een bord met daarop: DOODLOPENDE STRAAT: DOORGAAND VERKEER VERBODEN. Seconden later werd aan die belofte voldaan door een stel ijzeren hekken van drie meter hoog.

Handgesmeden hekken met stevige palen die leken op overmaatse stukken koraal en golvende ijzeren stangen die als octopustentakels in elkaar gekronkeld zaten. Aan de andere kant van al dat gieterijwerk lag een ovalen parkeerplaats die bestraat was met keurige vierkante leistenen. Onlangs schoongespoten lei, nog nat op sommige plaatsen, die werd omzoomd door strak onderhouden dadelpalmen. Achter de bomen stond een verrassend bescheiden huis.

Een grijsbruin gestuukte bungalow met een rood dak, een binnenplaats die de voordeur verborg. Aan de zijkant stonden de vier auto's die Vander op zijn naam had staan. Reed drukte op het knopje van de intercom. De zoemer ging vijf keer over, er gebeurde niets.

Hij probeerde het nog een keer. Hij ging vier keer over. Een jongensachtige mannenstem zei: 'Ja?'

'Politie Los Angeles voor meneer Simon Vander.'

'Politie?'

'Ja. We willen meneer Vander spreken.'

Een tel stilte. 'Die is er niet.'

'Waar kunnen we hem vinden?'

Twee tellen stilte. 'Hij zat laatst in Hongkong.'

'Op zakenreis?'

'Hij reist. Ik kan een boodschap aan hem doorgeven.'

'Met wie spreek ik?'

61

Weer een aarzeling. 'Met de manager van het landgoed.'

'En uw naam is?'

'Travis.'

'Wilt u zo vriendelijk zijn even naar het hek te komen, meneer Travis?'

'Mag ik vragen waar dit over...'

'Ik stel voor dat u naar buiten komt, dan zullen we het u vertellen.'

'Eh... Een ogenblikje.'

Even later ging de deur naar de binnenplaats open. Een man in een donkerblauw overhemd, een vale spijkerbroek en een grote gebreide muts keek met samengeknepen ogen onze kant op. Het overhemd slobberde, was niet ingestopt en het rugpand wapperde in de wind. De pijpen van de spijkerbroek hingen over witte gympen. De muts had hij tot over zijn oren getrokken.

Wankel liep hij onze kant op – schokkende schouders, één voet wees bij elke stap naar buiten alsof hij elk moment kon struikelen. Toen hij bij het hek was, bekeek hij ons door de ijzeren tentakels en toonde hij ons een lang, uitgemergeld gezicht met ingevallen wangen en diepliggende bruine ogen. Hij had een stoppelbaardje, zwart met wat grijs, dat zijn gezicht bedekte en onder zijn muts uitkwam. Zijn linkermondhoek was scheefgetrokken, waardoor hij een eeuwig spijtige blik had. Het duidde allemaal op een neurologische aandoening. Ik schatte hem vijfendertig tot veertig. Jong voor een hersenbloeding, maar het leven was soms wreed.

Milo duwde zijn penning door de tentakels.

'Goedemiddag, meneer Travis.'

'Huck. Travis Huck.'

'Mogen we binnenkomen, meneer Huck?'

Een lange vinger drukte op een knopje op een afstandsbediening. De hekken zwaaiden open.

We zetten de auto bij de dichtstbijzijnde dadelpalm en stapten uit. Het terrein lag een stuk hoger dan dat van de buren. Het was een toplocatie van ten minste twee hectare. Glooiende gazons en bloembedden met geraniums waren vrij onopvallend. De echte blikvanger was een enorme afgrond met aan de rand een zwembad dat uitzicht bood over de Grote Oceaan.

Van dichtbij was het huis verre van bescheiden. De enkele woonlaag bood maximaal uitzicht op de oceaan.

Travis Huck stak een vinger onder zijn muts en veegde wat vocht achter zijn oor weg. Zijn gezicht glom. Een warme dag voor wol. Of misschien zweette hij gewoon snel. 'Als ik meneer Vander iets moet doorgeven...'

'U kunt hem doorgeven dat Selena Bass vermoord is aangetroffen en dat we iedereen willen spreken die haar heeft gekend,' zei Milo.

Huck knipperde met zijn ogen. Hij trok zijn treurige, scheve mond recht tot een neutrale uitdrukking die niet overeenkwam met de spanning rond zijn ogen.

'Selena?' zei hij.

'Ja.'

'O... nee.'

'U kende haar.'

'Ze geeft muziekles. Aan Kelvin. De zoon van meneer en mevrouw Vander.'

'Wanneer hebt u haar voor het laatst gezien, meneer Huck?'

'De laatste keer? Ik weet het niet... Zoals ik al zei, geeft ze les. Als hij dat nodig heeft.'

'Kelvin.'

Huck knipperde opnieuw met zijn ogen. 'Ja.'

'Dezelfde vraag nogmaals, meneer Huck.'

'Sorry?'

'Wanneer hebt u haar voor het laatst gezien?'

'Laat me even denken,' zei Huck. Alsof hij daadwerkelijk om toestemming vroeg. Zweetdruppeltjes parelden op zijn kin en vielen op de leistenen. 'Ik zou zeggen, twee weken geleden...' Hij trok aan zijn muts. 'Nee, vijftien dagen geleden. Precies vijftien.'

'En u weet dat zo goed omdat...'

'Mevrouw Vander en Kelvin gingen de dag na Kelvins les weg. Dat was vijftien dagen geleden. Kelvin speelde Bartók.'

'Waar gingen ze naartoe?'

'Op vakantie,' zei Huck. 'Het is zomer.'

Reed vroeg: 'Is het hele gezin op reis?'

Huck knikte. 'Mag ik vragen wat er met Selena is gebeurd?'

Milo zei: 'Wat we u op dit moment kunnen vertellen is dat het niet fraai is.'

Geen reactie.

'Ze is hier dus exact vijftien dagen geleden voor het laatst geweest?'

'Ja.'

'Hoe was het toen met haar?'

'Goed.' Huck richtte zijn blik op de natte leistenen. 'Ik heb haar binnengelaten en weer uitgelaten. Alles was goed.'

'Weet u of er iemand is die haar iets zou willen aandoen?' vroeg Reed.

'Aandoen? Ze kwam hier om les te geven. Net als de anderen.'

'Welke anderen?'

'Kelvin krijgt thuis les. Specialisten komen hiernaartoe. Voor kunst, turnen, karate. Een curator van het Getty's Museum geeft hem kunstgeschiedenis.'

'Houdt Kelvin niet van school?' vroeg Milo.

'Kelvin is te slim voor een gewone school.' Een van Hucks knieën knikte en hij moest zich aan de motorkap van de ongemarkeerde politiewagen overeind houden. Zijn voorhoofd was drijfnat.

Moe Reed zei: 'Slim én hij kan goed pianospelen.'

'Hij speelt klassiek,' zei Huck, alsof daarmee alles gezegd was.

'Hoe lang gaf Selena Bass hem al les?'

'Ze... Ik denk een jaar. Zoiets.'

'Waar hadden de lessen plaats?' vroeg Milo.

'Waar? Gewoon hier.'

'Nooit bij Selena thuis?'

'Nee, natuurlijk niet.'

'Waarom is dat zo natuurlijk?'

'Kelvin heeft het druk,' zei Huck. 'Tijd verspillen door autorijden zou ongehoord zijn.'

'De pianolessen waren niet regelmatig?'

'Klopt, dat hing ervan af,' zei Huck. 'Soms één keer in de week, soms elke dag.'

'Afhankelijk van wat Kelvin nodig had.'

'Als hij een recital had, was Selena hier vaker.'

'Geeft Kelvin veel recitals?'

'Nee, niet zoveel... Ik kan het nog steeds niet geloven... Ze was zo aardig.'

'Wat kunt u ons nog meer over haar vertellen, meneer Huck?'

'Ze was aardig,' herhaalde Huck. 'Rustig. Plezierig, ze was altijd op tijd.'

Moe Reed zei: 'Ze kreeg er goed voor betaald.'

'Dat zou ik niet weten.'

'U ondertekent de cheques niet?'

'Ik zorg alleen voor het huis.'

'Wie tekent de cheques?'

'De boekhouders van meneer Vander.'

'Wie zijn dat?'

'Die zitten in Seattle.'

Milo zei: 'U zorgt voor de huizen, meervoud.'

'Sorry?'

'Het huis aan het strand is er ook nog.' Hij wees in de richting van de oceaan.

'O, dat,' zei Huck. 'Dat was al van meneer Vander voordat hij trouwde. Hij komt er niet veel.'

'Hij heeft er een auto.'

'Die oude stationwagen? Die zal wel een lege accu hebben.'

'Een optrekje aan het strand,' zei Milo. 'Ook zonde om het niet te gebruiken.'

'Meneer Vander reist veel,' zei Huck.

'Als onderdeel van Kelvins thuisonderwijs?'

'Sorry?'

'Verrijking... de wereld zien, leren over andere culturen.'

'Soms.' Hucks voorhoofd glom alsof het bestreken was met eigeel. 'Dit is erg akelig.'

'U mocht Selena.'

'Ja, maar... Dat je iemand kent... die...' Huck wierp zijn handen in de lucht. 'Meneer Vander moet dit weten. Kelvin en mevrouw Vander ook. Ze zullen het... Waar kan ik u bereiken?'

Reed gaf hem zijn visitekaartje.

Huck vormde zwijgend Reeds naam.

Milo zei: 'We proberen Selena's naaste familie te bereiken. Enig idee waar we die kunnen vinden?'

'Nee, sorry,' zei Huck. 'Arme Kelvin... Nu heeft hij een nieuwe leraar nodig.'

We reden over de Pacific Coast Highway terug, kwamen na enkele minuten bij La Costa Beach waar Reed keerde en bij een muur van cederhout parkeerde.

Een terrein van twaalf meter, enkele meters van de weg. Rechts van de muur stond een cederhouten garage. De deur zat op slot. Milo belde aan. Er deed niemand open. Hij duwde zijn visitekaartje onder de klink.

Toen we terugreden naar de stad, vroeg Moe Reed: 'Wat vonden jullie van Huck?'

'Apart type.'

'Hij zweette veel, zeg. En nog iets anders... Ik kan het niet precies zeggen, maar... Hij leek erg op zijn hoede. Zie ik het verkeerd, inspecteur?'

'Hij was duidelijk zenuwachtig, jongen. Maar misschien was dat alleen omdat hij zijn baas niet in de problemen wil brengen. Alex, heb jij nog een bijdrage?'

Ik vertelde hen over mijn theorie over een zenuwbeschadiging.

Reed zei: 'Ik vond het zo typisch dat hij op zo'n hete dag een wollen muts droeg. Volgens mij had hij niet veel haar. Een middelgrote, blanke man. Misschien is híj de kaalgeschoren man die Luz Ramos bij Selena zag.'

Milo dacht hierover na. En pakte toen zijn mobiele datasysteem.

Travis Huck had geen strafblad en op zijn rijbewijsfoto had hij een bos krullend zwart haar. Zijn rijbewijs was drie jaar geleden verlengd. Als adres had hij het huis aan Calle Maritimo opgegeven.

Milo typte verder. Het internet had de man nooit eerder ontmoet. 'Je hoofd kaalscheren en een beetje typisch zijn, zijn nog geen gegronde redenen voor een huiszoekingsbevel, maar laten we hem in ons achterhoofd houden.'

Reed zei: 'En die schreeuwlelijk van het moeras, Duboff? Hij is wel erg gericht op het moeras, zoals u opperde, dokter. Obsessief, zelfs. Stel dat het een seksuele betekenis voor hem heeft en hij de lijken er daarom dumpt.'

Milo zei: 'Een seriemilieubeschermer.'

Ik zei: 'Die zou ik ook niet vergeten, maar zoals jij al zei, Moe, deed hij geen moeite om geen aandacht te trekken. Integendeel, hij viel ons lastig, gaf toe dat hij die avond in het moeras was rond het tijdstip dat Selena daar is gedumpt.'

'Zou dat niet juist een psychologisch spelletje kunnen zijn?' vroeg Reed. 'Of pure arrogantie? Hij denkt dat hij ons te slim af is. Net als van die idioten die berichten achterlaten, of terugkeren naar de plaats van het misdrijf om zich te vergenoegen?'

'Het is mogelijk.'

Milo's vingers dansten alweer over het toetsenbord. 'Tjonge jonge, moet je kijken. Meneer Duboff heeft een strafblad.'

Silford Duboff was de afgelopen tien jaar zeven keer gearresteerd, elke keer tijdens een protestmars.

Een opstootje tijdens een antiglobaliseringsrally op het Century Plaza, een actie voor loonsverhogingen voor werksters van hotels in San Francisco, een sit-indemonstratie tegen de uitbreiding van een kernenergiecentrale in San Onofre, protesten tegen kustontwikkeling in Oxnard en Ventura. De zevende arrestatie was tijdens een confrontatie met de miljardairs die het Vogelmoeras wilden kopen.

Zesmaal wegens obstructie, maar bij de antiglobaliseringsrel was hij aangeklaagd wegens het mishandelen van een politieagent, de aanklacht was teruggebracht tot een misdrijf, en Duboff moest een boete betalen. De uitspraak werd twee jaar later herzien toen het hof van beroep tijdens een collectieve rechtszaak oordeelde dat de politie van Los Angeles verantwoordelijk was geweest voor het ontstaan van de bijna-rel.

'Dat kan ik me nog herinneren,' zei Milo. 'Een zootje. Maar goed, die man zit dus graag op straat te scanderen. Er staan geen ernstige geweldplegingen op zijn strafblad. Het is nauwelijks een strafblad te noemen. Straf heeft hij in elk geval nooit gehad.'

Reed zei: 'Antiglobalisering trekt anarchisten en dat soort types aan, toch? Dan kom ik weer op die muts van Huck. Die lui dragen dat soort dingen. Stel dat Huck en Duboff demonstratievriendjes waren en erachter kwamen dat ze akeliger interesses gemeen hadden.'

'Ze zijn bij dezelfde demonstraties, Duboff wordt gearresteerd, maar Huck niet?'

'Duboff is een opdringerige vent, weinig subtiel. Huck is meer een achterbaks type. Misschien was dat wat ik opmerkte.'

'Een verdorven duo,' zei Milo. 'Overdag voeren ze actie voor vrijheid en als de zon ondergaat vermoorden ze vrouwen, hakken ze handen af en smijten ze lijken in de modder.'

Reed gaf gas. 'Het is misschien wat vergezocht.'

'Jongen, op dit moment is vergezocht beter dan niets. Best, we onderzoeken ze allebei. Als jij de naam van Señor Huck tegenkomt op de lijst van een groep waar Señor Duboff ook mee heeft gedemonstreerd – als je een verband tussen die twee kunt vinden, wát het dan ook is – dan volgen we de moord-duo-theorie.'

Ik zei: 'Twee daders zou het dumpen wel vergemakkelijken. De een zet de auto weg, de ander sleept het lijk mee. Of ze slepen allebei met het lijk, waardoor ze sneller zijn en snel weg zijn.'

Moe Reed zei: 'Vindt u dat ik met Vanders boekhouder moet praten over andere leraren die daar aan huis komen?'

'Denk je dat een collega van Selena haar heeft vermoord?' vroeg Milo.

'Misschien kan een collega ons meer vertellen dan Huck. Misschien hebben we in haar appartement geen bewijs van een privéleven kunnen vinden, omdat ze voortdurend klaarstond voor Kelvin Vander.' Hij schudde het hoofd. 'Vijftigduizend dollar om één kind les te geven... Misschien is Selena's contact met de familie haar dood geweest.'

Selena en drie andere vrouwen zonder rechterhand?'

Reed gaf geen antwoord. Even later: 'Geen sociaal leven, maar wel die bustier, en zo. Misschien feestte ze inderdaad ergens anders, zoals u al zei, baas. En tot nu toe is het huis van Vander de enige plek waar ze verder was.'

'Bartók onderrichten aan een kind,' zei Milo, 'om vervolgens naar het tuinhuisje te sluipen voor een vrijpartij met de karatecoach.'

'Of Huck. Of meneer Vander zelf.'

Milo zei: 'De loodgieter, de jongen die het zwembad schoonhoudt, de bloemist, de tuinman.'

Reed zweeg.

'Best jongen, bel die boekhouders en zie wat je te weten kunt komen over het andere personeel. Zolang we de identiteit van de andere slachtoffers niet kennen, kunnen we verder geen kant op.'

'Vijftigduizend dollar kan tot verwachtingen van de baas hebben geleid,' zei Reed. 'Volgens Huck is Vander in het buitenland, maar rijken doen hun eigen vuile werk niet, daar huren ze een ander voor in.'

'Rijk, dus doortrapt,' zei Milo.

'Ik denk alleen dat die lui vinden dat ze overal recht op hebben.'

'Voor jou en mij is vijftigduizend dollar veel geld, Moe, maar een man als Vander geeft al meer uit om zijn huisraad te verzekeren. Maar ga je gang, zie maar wat je kunt vinden. En neem ook even contact op met de antropologen en vraag hoe het ermee staat.'

'Doe ik,' zei Reed. 'Bedankt, inspecteur.'

'Waarvoor?'

'De wijze raad.'

'In de eerste plaats hebben we zoveel frustratie gedeeld, dat het tijd wordt dat je me Milo noemt. En in de tweede plaats stuur ik je de rekening nog wel na.' Hij rekte zich uit en lachte. 'Vijftigduizend dollar, goed?'

8

In zijn kleine kamertje op het bureau herlas Milo de e-mail van *engrbass345*. Hij startte zijn pc, zocht op *ingenieur* en *bass*, maar kreeg van alles waar hij niets mee kon.

'Tijd om haar e-mailadres te traceren. Bingo... een website van Emily Nicole Green-Bass... Zo te zien heeft ze een winkel voor oude sieraden in... Great Neck in New York... Dit is een foto van haar met al haar glimmertjes. Zie je de gelijkenis?'

Een vrouw met een smal gezicht van in de vijftig achter een uitstalling armbanden. Grote ogen en een puntige kin. Kort, wit haar dat in een ongelijke pony naar voren was gekamd. Selena Bass op de middelbare leeftijd die ze nooit zou bereiken.

'Genen,' zei ik.

'Dit wordt leuk.' Hij haalde diep adem en nam de hoorn van de haak.

Tien minuten later hing hij gapend op.

Dat was niet voor de show. Uitgeput.

Emily Green-Bass had geschreeuwd, gesnikt en opgehangen. Toen hij een minuut later opnieuw had gebeld, had ze haar excuses aangeboden, en opnieuw gehuild.

Milo was aan de lijn gebleven en had op een niet brandende sigaar gekauwd. Toen ze was gekalmeerd, had hij haar om informatie gevraagd.

Selena was haar enige kind uit haar tweede huwelijk. Uit haar eerste huwelijk had ze twee zoons, van wie er een in Oakland woonde. Daar was ze op dit moment, op bezoek bij haar pasgeboren kleindochter.

'Ik dacht dat dit de gelukkigste tijd uit mijn leven was,' zei ze.

Ze had Selena al vijf jaar niet gezien. De e-mail was er een van een handjevol die ze onlangs naar elkaar hadden gestuurd.

Selena had contact met haar gezocht. Eíndelijk.

Toen Milo haar had gevraagd waarom het zo lang had geduurd, was ze opnieuw in snikken uitgebarsten.

'Ik neem morgen een vlucht naar Los Angeles.'

Om vier uur 's middags belde plaatsvervangend hoofdcommissaris Henry Weinberg om te vragen hoe het onderzoek naar de moerasmoorden verliep.

Milo zette hem op de luidspreker. 'Tot nu toe hebben we nul komma nul.'

'Dan is het misschien tijd om de media in te schakelen, inspecteur.'

'Daar wacht ik liever mee tot de antropologen tot het bot zijn gegaan.'

Stilte aan de andere kant van de lijn.

Milo zei: 'Op die manier...'

Weinberg zei: 'Ik hoor u wel, inspecteur. Leuk gevonden. Als we u voor de camera's zetten gaat u dan ook de komiek uithangen?'

'God verhoede.'

'God én de baas, inspecteur. En vraag me niet wie wie is. Bel die lijkenpikkers nú, en zorg ervoor dat ze haast maken.'

Dokter Hargrove was nog in het moeras. Dokter Liz Wilkinson nam de telefoon op.

'O, dag, inspecteur. We hebben wat meer informatie over Onbekende Vrouw 1. Aan de neusbrug te zien is ze hoogstwaarschijnlijk een zwarte vrouw, leeftijd geschat tussen de twintig en vijfendertig jaar oud.' Ze had zichzelf ermee kunnen beschrijven, maar er klonk zuivere wetenschap in haar stem door.

Milo maakte aantekeningen. 'Verder nog iets?'

'Ze heeft vermoedelijk ten minste één kind gebaard en heeft haar rechterdijbeen zodanig gebroken dat er een metalen implantaat nodig was. We hebben het titanium niet gevonden, alleen de schroefgaten. Het zou me niets verbazen als ze mank liep.'

'Een recente breuk?'

'Er zit flink wat botaangroei omheen. Het moet jaren geleden zijn geweest, maar wel toen ze al volwassen was. De enige andere interessante vondst is een gebroken tongbeen. En de ontbrekende hand, uiteraard.'

'Gewurgd.'

'Hoogstwaarschijnlijk. Onze schatting is dat ze enkele maanden onder water heeft gelegen, maar meer is het niet: een schatting. Eleanor... dokter Hargrove is nog aan het werk op de twee andere vindplaatsen, samen met Lisa... dokter Chaplin. Maar het zal tijd kosten. Er is te veel omgewoeld en we willen niets missen. Ik ben nu hier omdat Eleanor me heeft gevraagd onze bevindingen tot nu toe op papier te zetten. Ik zal u een e-mail sturen van wat ik u net heb verteld.'

'Dank u.'

'Nog één ding, inspecteur. Toen ik het moeras verliet, kwam die vrijwilliger – die man met de baard – weer opdagen. De agent heeft hem buiten het terrein gehouden, maar er vielen wel wat woorden. Ik wil morgenochtend graag vroeg beginnen – zodra de zon opkomt – en dan werk ik alleen omdat Eleanor en Lisa pas om negen uur kunnen beginnen. Ik zou graag enige afleiding vermijden.'

'Ik zal ervoor zorgen dat er iemand geplaatst is voordat u komt.'

'Dank u. Het is er prachtig, maar soms ook een beetje... dreigend.'

Milo logde in op de lijst Vermiste Personen van de politie en zocht naar zwarte vrouwen in de leeftijdscategorie die Wilkinson hem had gegeven, vond vijf verdwijningen, waarvan de recentste in het afgelopen halfjaar. Geen informatie over mank lopen of een gebroken been, maar hij printte de gegevens wel.

'Tijd om in andere districten te kijken. Hopelijk is ze geen verschoppeling om wie niemand iets geeft.'

Hij stak zijn sigaar op en vulde de kleine ruimte met illegale rook. Hij hoestte, trok zijn das los en spuugde een beetje tabak in zijn prullenmand, miste en pakte zijn toetsenbord.

Zwijgend begon hij verwoed te typen.

Ik vertrok zonder een woord te zeggen.

Het forenzenverkeer en rijbanen die om onduidelijke redenen waren afgesloten zorgden voor een ellendige rit naar huis, en tegen de tijd dat ik in Beverly Glen aankwam, was het bijna zes uur.

Het oude ruiterpad naar mijn huis was een plotselinge oase van rust. Mijn huis, omzoomd door pijnbomen en platanen, was een welkome witte eenvoud.

Ik riep Robins naam, maar kreeg geen reactie. Ik gooide mijn jas neer, pakte een biertje en liep bij de keuken de trap af, de tuin in langs de vijver.

De koikarpers stoven naar de rand door mijn voetstappen. Twaalf volwassen beesten en vijf jonkies. De helft van de kleintjes was overleden voordat ze drie centimeter waren, maar de overlevenden waren nu zo'n dertig centimeter. Ik wierp wat voer in de vijver en keek hoe het kabbelende water in een draaikolk veranderde toen de vissen zich erop stortten. Ik genoot een paar minuten van de illusie van almachtigheid en liep toen over het rotsachtige pad verder naar Robins studio.

Soms blijft ze achter haar werkbank bezig totdat ik haar afleidt. Deze keer was de werkbank leeg en zat ze op de bank loom met haar haar te spelen, terwijl ze een boek over luiten in de renaissance las.

Blanche lag op schoot met haar konijnenoren omlaag en haar platte kop samengeperst tot gerimpeld fluweel.

Deze andere vrouw in mijn leven is een Franse buldog van negen kilo, met keurige tafelmanieren die je zelden tegenkomt in het ras, en een vroom karakter. Sommige patiënten van mij willen haar er tijdens sessies bij hebben. Ik ben er nog steeds niet over uit wat haar loon zou moeten zijn.

Zij en Robin keken tegelijkertijd op. Een nieuwe olympische sport: synchroon glimlachen. Ik gaf Robin een zoen op haar wang en Blanche een zoen op haar knobbelige kop.

Robin zei: 'Zijn die mops en ik gelijk?'

'Zíj hijgt uit waardering.'

'Ze plast ook in de bosjes.'

'En het probleem is...'

'O, schei uit.' We kusten elkaar. Ik ging naast haar zitten. Haar huid en haar geurden naar cederhout en Gio.

Koele vingers lagen in mijn nek. 'Heb je een fijne dag gehad?'
'Nog beter nu ik bij jou ben.'
Tijdens de omhelzing die daarop volgde, keek Blanche toe, met haar kopje schuin en haar oren omhoog.
Robin zei: 'Kun je het goed zien, meisje?'
Blanche glimlachte.

We maakten een omelet met champignons en kaas, en ik vroeg haar hoe haar dag was geweest.
'Heb alleen een beetje rondgehangen. Ik kan er maar beter aan wennen.'
Een week geleden had ze een grote opdracht afgerond: replica's van vier oude Gibson-instrumenten voor een steenrijke internetbons die ze aan een goed doel had geschonken. Ze had wel over een nieuw project gesproken, maar deed voorlopig alleen reparaties.
Ik dacht aan een zestig jaar oude flamencogitaar die een nieuwe hals nodig had. 'Ben je al klaar met de Barbero?'
'Ja, dat was gemakkelijker dan ik dacht. Paco heeft hem een paar uur geleden opgehaald. Je hebt het zeker heel druk gehad. Iemand van je telefoondienst belde en zei dat je je niet gemeld had. Een of andere advocaat wilde van je diensten gebruikmaken.'
Ze noemde zijn naam.
Ik zei: 'Als hij zijn rekeningen betaalt, willen mensen misschien wel voor hem werken.'
Ik dronk een laatste slok bier en rekte me uit.
'Je ziet er bedrukt uit,' zei ze.
'Milo's last. Ik ben blijven hangen en heb toegekeken.'
'Waarnaar?'
Ik aarzelde en de vaderlijke neiging om haar te beschermen stak de kop op. Vroeger sprak ik nooit over politiezaken. Doordat we een paar keer uit elkaar waren gegaan en elkaar weer hadden gevonden, had ik geleerd om informatie te delen.
Ik gaf haar de beknopte versie.
Ze vroeg: 'Het moeras? Waar wij die keer wilden wandelen?'
'Precies.'

'Nou, het was daar inderdaad best griezelig.'
Dat had Liz Wilkinson ook gezegd. 'Waarom?'
'Ik kan het niet echt benoemen. Onvriendelijk, geloof ik.
Waar lagen de lijken?'
'De recentste lag vlak bij de oostelijke ingang. De andere lagen onder water verderop langs het pad.'
'Langsrijden en dumpen,' zei ze. 'Een auto valt daar wel op,
Alex. En al die flats die erop neerkijken.'
'Als je het 's nachts doet en je doet je lichten uit, ga je op in
de duisternis. Ook van boven zien ze je dan niet.'
Ze duwde haar bord weg. Ze schonk een glas wodka met
cranberrysap voor zichzelf in. 'Drie gezonken lichamen en
eentje in het zicht. Wat zou dat betekenen?'
'Misschien een nieuw zelfvertrouwen. Opschepperij,' zei ze.
'Alsof het iets is om trots op te zijn.'

De internetbons had Robin een doos Audrey Hepburn-films
gestuurd. De meeste dvd's hadden we al bekeken, maar we
hadden *Charade* bewaard voor een lange, rustige avond.
We zaten net tien minuten te kijken toen de telefoon ging. Ik
negeerde het gerinkel en trok Robin dichter naar me toe. Een
paar seconden later begon het gerinkel opnieuw. Ik zette Cary
Grant op pauze.
Milo zei: 'Jij hebt morgenochtend om tien uur wel tijd, hè?
Dan komt de moeder van Selena langs.'
'Prima.'
'Alles goed?'
'Helemaal.'
'Stoor ik?'
'Intrigerende verwikkelingen met beeldschone mensen.'
'Een film,' zei hij.
'Superdetective.'
'De werkelijkheid is het zeker niet. Ga maar gauw weer terug naar je fantasiewereld. Ik vertel je morgen wel over de
botten.'
'Wat is er met de botten?'
'Hé, laat mij niet degene zijn die je weghaalt bij Robin, die
mops en denkbeeldige, beeldschone mensen.'

'Wat?'

'Dokter Hargrove heeft sneller resultaat geboekt dan ze had verwacht. De drie slachtoffers die onder water lagen zijn compleet, met uitzondering van de rechterhand. Onbekende Vrouw 2 is ook een zwarte vrouw, zelfde leeftijd als Onbekende Vrouw 1 met het gebroken been, en ze is waarschijnlijk ook gewurgd. Aan de lengte van haar dijbenen te zien, was ze ten minste een meter zeventig en had ze gezien de slijtagetekenen waarschijnlijk behoorlijk wat overgewicht. Hargrove schat dat ze er al een halfjaar lag, maar laat zich er niet op vastleggen. Nummer 3 is een blanke vrouw, ouder dan de anderen – ongeveer vijftig, gemiddeld postuur, ook een gebroken tongbeen, verder geen typerende kenmerken. Mogelijk hetzelfde tijdstip van overlijden als Onbekende Vrouw 2, of eerder, dat kon ze niet zeggen. Het andere beetje informatie is dat de politie van San Diego een vermiste vrouw in de boeken heeft staan die Sheralyn Dawkins heet. Negenentwintig jaar, gearresteerd wegens prostitutie en drugs, en ze heeft bij een auto-ongeluk vijf jaar geleden haar been gebroken en loopt mank.'

'Bijna tweehonderd kilometer verderop,' zei ik. 'Houdt onze dader van reizen?'

'Daar heb ik dus echt geen trek in. Ik heb Reed opdracht gegeven de familie te zoeken en naar ze toe te rijden om ze te informeren. Heeft hij ook het gevoel dat hij iets heeft bereikt, die jongen heeft geen zelfvertrouwen, vind je ook niet?'

'Heeft hij via de boekhouders van Vander nog iets ontdekt?'

'Noppes. Global Investments verwees hem naar Vanders advocaat, door wie hij vervolgens naar een secretaresse werd afgescheept, die hem weer naar haar secretaresse doorstuurde. Die dame zette hem in de wacht en vertelde hem daarna dat ze hem zou terugbellen. Over Travis Huck en Silford Duboff is ook niets akeligs te vinden. En we hebben geen verband tussen de twee kunnen vinden.'

Ik zei: 'De opwindende wereld van het speurwerk.'

'Nu maar afwachten wat Reed te weten komt van Sheralyn Dawkins familie. Misschien is ze naar L.A. verhuisd en kunnen we haar in verband brengen met iemand.'

'Als ze inderdaad is verhuisd, is dit ook nog iets om rekening mee te houden: het moeras is niet ver van het vliegveld en het gebied rond de internationale luchthaven zit vol tippelaar-sters.'

'Mmm... Da's een goeie. Oké, ga maar gauw terug naar je film,' zei hij. 'Welke is het?'

'*Charade*.'

'Capriolen in Parijs en pittige dialogen. Was misdaad in wer-kelijkheid maar zo leuk.'

'Wil je hem lenen als we hem hebben gezien?'

'Nee, dank je,' zei hij. 'Ik kan me op het moment geen fan-tasie veroorloven.'

9

Ik was op tijd voor de bijeenkomst met de moeder van Sele-na Bass. De burgersecretaris zei: 'Ze zijn al begonnen. Kamer D, boven.'

De deur was open. De airconditioning stond hoog. Milo zat tegenover Emily Green-Bass. Zijn stropdas was keurig ge-knoopt en zijn gezicht stond vriendelijk. Ik heb hem wel eens zien oefenen voor de spiegel voor een afspraak met ontroost-bare familieleden. Dan ontspant hij zijn spieren, maar houdt die wolfachtige blik in zijn ogen.

Het grijze haar van Emily Green-Bass was nu lang en ge-vlochten. Ze droeg een zwarte coltrui boven een lange grijze rok en zwarte suède platte schoenen. Ze handelde in sieraden maar droeg zelf geen glimmers. Haar gelaatstrekken waren scherp, te scherp om mooi te zijn. In betere tijden een aan-trekkelijke vrouw. Nu was ze een kil standbeeld.

Twee stevige mannen van in de dertig zaten aan weerszijden van haar aan de tafel. De oudere droeg een geel golfshirt, een bruine broek en bootschoenen. Hij had rossig blond haar met een zakelijke scheiding. Gladgeschoren, een dikke nek en een rode neus.

De jongere was iets donkerder, maar even potig en een bottiger gezicht. Hij droeg een vaalgrijs T-shirt met daarop DAVID LYNCH RULES, een kreukelige broek en hoge veterlaarzen. Hij had golvend bruin haar tot op zijn schouders. Het driehoekige sikje was witblond. Een ketting van chroom kwam uit zijn kontzak en toen hij zich omdraaide om me aan te kijken, rinkelde die.

Milo stelde me voor. 'Dit zijn Selena's moeder en broers, dokter Delaware.'

Emily Green-Bass stak een lange bleke hand uit die aanvoelde alsof hij net uit de diepvries kwam. Ik sloot hem kort in mijn beide handen en er schoten tranen in haar grijze ogen.

Het Poloshirt zei: 'Chris Green.'

Het Sikje mompelde: 'Marc.'

'We namen net Selena's leven in Los Angeles door. Marc had wat contact met haar toen ze hier kwam wonen.'

'Ze is een keer bij me lang geweest in Oakland,' zei Marc. 'Ze zei dat alles goed met haar ging. Ze e-mailde me hetzelfde wat ze mama ook had geschreven.'

Emily Green-Bass' ogen hadden me niet losgelaten. 'Ik ben blij dat er een psycholoog aanwezig is. Wat gebeurd is, moet wel iets psychotisch zijn. Er is nog nooit zoiets extreems in Selena's leven gebeurd.'

Marc Green zei: 'Er is überhaupt nooit iets extreems gebeurd. Het was alleen maar puberaal gedoe.'

'Als jij het zegt, Marcus.' Een flauwe glimlach. 'Zo voelde het anders niet toen ik ermee te kampen had.'

Marcs schouders schokten. Zijn ketting rammelde en hij stak zijn hand naar achteren om hem stil te hangen. 'Ik heb dezelfde rotzooi uitgehaald en Chris ook. Het enige verschil was dat wij het beter konden verbergen.'

Hij keek naar zijn broer ter bevestiging.

Chris zei: 'Mmm.'

'Helaas voor Selena,' ging Marc verder, 'had zij de neiging om alles op te biechten. Hè?'

Chris glimlachte verdrietig. 'Alsof ze katholiek was. Maar dat zijn we helemaal niet.'

'Eerst probeerde ze haar verhaal dan op ons uit,' zei Marc.

'"Ik heb hasj gerookt." "Ik heb naar een film voor boven de achttien gekeken." "Ik heb tegen mama gelogen over waar ik was." En dan zeiden wij: "Dat moet je toch niet tegen ons zeggen, sukkel. En al helemaal niet tegen mama." En dan deed ze dat dus toch.'

Emily Green-Bass begon te huilen.

Milo zei: 'Tienertoestanden.'

Marc Green zei: 'Dit is tijdverspilling.'

Chris zei: 'Ze was wel bij die hele muziekscene betrokken.'

'Nou en!'

'Rustig, Marc. Ik wil dat ze alle feiten kennen...'

'De feiten zijn dat ze op de verkeerde plek op het verkeerde moment was en een kloon van Ted Bundy is tegengekomen.'

Iedereen was stil.

Marc Green zei: 'Dit is voor iedereen misschien nieuw, maar dat ze bij die muziekscene betrokken was, maakt haar nog geen freak. In feite was ze heel traditioneel. Als ze soms mensen ontmoette met wie ik moest werken, dan vond ze ze maar raar.'

Milo zei: 'Wat voor mensen?'

Marc zei: 'Van mijn werk.'

'En waar is dat?'

'Is dat relevant?'

Zijn moeder zei: 'Marcus, hij probeert te helpen.'

'Fijn voor hem.' En tegen Milo: 'Ik werk waar ik geld kan verdienen.'

Emily Green-Bass zei: 'Marc is geluidstechnicus.'

'Ik doe opnames en versterking, voornamelijk tijdens concerten en onafhankelijke films. En nu we toch de officiële familiegeschiedenis doornemen: grote broer Chris werkt voor Starbucks. Zo'n onbeduidende koffiewinkel in Seattle.'

Chris zei: 'Marketing en distributie.'

Ik vroeg: 'Wanneer was Selena bij je op bezoek, Marc?'

'Een jaar geleden, en ongeveer een halfjaar geleden nog een keer. De eerste keer was ik bezig met een film en ging ze met me mee. Toen zei ze dat ze de mensen met wie ik werkte maar bizar vond. En ach, dat was ook wel zo. De helft van de dialoog was in het Italiaans, de rest was pantomime – een soort eerbetoon aan Pasolini, maar er was niemand die Italiaans sprak.'

Zijn broer zei: 'En de Oscar gaat naar...'

'Hé, we kunnen niet allemaal in de wereld van de cafeïne zitten.'

Milo zei: 'En Selena's tweede bezoek...'

'Dat was toen ik haar een weekendje had uitgenodigd zodat ik haar aan Cleo kon voorstellen, mijn toenmalige vriendin, nu mijn vrouw. We hadden net ons eerste kind gekregen. Daarom zou ik nu ook eigenlijk thuis moeten zijn. Kunnen we een beetje opschieten?'

Milo leunde achterover en sloeg zijn benen over elkaar. 'Als je er verder niets aan toe te voegen hebt, kun je gerust gaan.'

Marc wreef over zijn sik, duwde een lok haar achter zijn linkeroor. Blauwe en groene inkt in zijn nek. *Cleo*, te midden van een krans van wijnbladeren. Ik hoopte dat het huwelijk een succes was.

'Ach, wat zou het ook,' zei hij. 'Mijn vlucht gaat toch pas om negen uur vanavond. Het heeft weinig zin dat te veranderen.'

Chris zei: 'Is Selena twee keer bij je geweest? Dat is twee keer meer dan ze mij heeft gebeld.'

'Ze had het zeker te druk voor bedrijfsgezever.'

Chris keerde zijn broer de rug toe.

Milo zei: 'Je hebt haar gebeld...'

'Gewoon om te vragen hoe het met haar was.'

'Wanneer heb je haar voor het laatst gesproken?'

'Weet niet... Twee jaar geleden.'

Marc zei: 'Het is wel duidelijk dat we een hecht gezin zijn.'

Emily Green-Bass zei: 'De vader van de jongens en ik zijn gescheiden toen Chris en Marc een en drie waren, en we hebben sindsdien niets meer van hem vernomen.' Ze trok haar wenkbrauwen op naar haar zoons, alsof het hun schuld was. 'Een jaar later ontmoette ik de vader van Selena. Dan behandelde jullie goed.'

Geen van beiden ging hiertegenin.

'Dan stierf toen Selena zes was. Ik heb haar alleen opgevoed en er zijn vast mensen die zeggen dat ik dat niet goed heb gedaan.'

Chris zei: 'Je hebt het prima gedaan, mam.'

Marc zei: 'Kunnen we ons op Selena richten?'

Stilte.

'Laten we nou niet afdwalen,' zei hij. 'Selena had talent, maar in wezen was ze heel braaf. Ik zeg niet dat ze nooit een jointje heeft gerookt, maar zelfs in de tijd dat zij en mama altijd ruzie hadden, deed ze nooit iets hatelijks, ging ze niet aan de scharrel met dubieuze types. Integendeel. We noemden haar Zuster C, als in celibaat.'

'Zo noemde ze zichzelf ook,' zei Chris.

Milo vroeg: 'En vriendjes?'

Marc zei: 'Nee.'

'Mevrouw Green-Bass?'

'Nee, niet dat ik weet.'

Ze sloeg haar handen voor haar gezicht. Marc wilde zijn hand even op de rug van zijn moeder leggen. Ze schoof opzij.

'O, god,' zei ze tussen haar vingers door, 'dit is zo afschuwelijk.'

Marcs lip begon te trillen. 'Ik zeg alleen dat Selena dit niet zichzelf heeft aangedaan. Rottigheid gebeurt nou eenmaal, het leven is klote. Net als dat je de stoep af stapt en een of andere idioot komt eraan gescheurd. Dat is me pas nog overkomen, vlak nadat Phaedra was geboren. Ik liep het ziekenhuis uit om champagne te kopen, zweefde van geluk. Stapte de stoep af, kwam er goddomme een vrachtwagen van de *San Francisco Examiner* uit het niets die me op een haar na miste!'

'Marcus, zeg dat soort dingen toch niet! Ik wil het niet horen!'

Milo zei: 'Ze had dus geen vriendjes. En vrienden en vriendinnen? Mensen met wie ze in L.A. omging?'

Niemand antwoordde.

Emily zei: 'Ze leek wel van haar werk te genieten. Daar e-mailde ze me de laatste keer over.'

'Ze gaf dat rijkeluiskind les,' zei Marc. 'Ze noemde het een droomklus. Ze belde me om me dat te vertellen, omdat ik ook van muziek hou. Ik speelde vroeger basgitaar. Niet dat ik zo goed was als Selena. Ik doe het aardig, zij was geniaal.

Toen ze drie was ging ze achter de piano zitten en begon verdomme gewoonweg te spelen. Op haar vijfde kon ze een stuk
van Gershwin op het gehoor naspelen. Je hoefde haar maar
iets te laten horen, of ze speelde het na. Op een gegeven moment pakte ze een klarinet op en speelde zo een toonladder.
De ademhaling had ze gelijk goed.'
'Een wonderkind, zo te horen,' zei Milo.
'Niemand heeft haar ooit zo genoemd, we vonden haar gewoon waanzinnig goed.'
Emily Green-Bass zei: 'Ik moest zo hard werken om ons te
onderhouden dat ik allang blij was dat ze een hobby had.'
Marc zei: 'Ik kwam op een dag binnen – jaren geleden, toen
Selena een jaar of acht, negen was – en toen zat ze in de woonkamer op mijn gitaar te tokkelen. Het ding was gloednieuw,
ik had hem voor mijn verjaardag gekregen, en ik was kwaad
dat ze hem zomaar had gepakt zonder iets te vragen. Maar
toen besefte ik dat ze er werkelijk muziek uit kreeg. Nooit
één les gehad, maar ze had zichzelf een heel stel akkoorden
geleerd, en de klank die zij eruit haalde was mooier dan de
mijne.'
Emily zei: 'Toen ze elf was, kon ik merken dat haar voorkeur
uitging naar pianospelen, dus regelde ik een leraar voor haar.
Toen woonden we nog in Ames, in Iowa. Ames Band Equip-
ment had een speciaal schoolprogramma. Selena ontgroeide
al snel de eerste leraar, en daarna nog twee. Ze zeiden dat we
echt een klassiek geschoolde docent voor haar moesten vinden. Toen we naar Long Island verhuisden vond ik een oude
vrouw in de stad die in de Sovjet-Unie hoogleraar was geweest. Mevrouw Nemerov – Madáme Nemerov – was stok-
oud en droeg baljurken. Selena had les van haar tot ze vijftien was. En op een dag gaf ze er de brui aan, zei dat ze een
hekel aan klassieke muziek had. Ik zei dat ze haar door God
gegeven talent verkwanselde, dat ze waarschijnlijk nooit meer
zou spelen. Ze zei dat ik het mis had. Het was nogal... Dat
was een van onze grootste... meningsverschillen. Het was een
moeilijke tijd, Selena liet haar schoolwerk versloffen, haalde
alleen nog maar onvoldoendes. Ze beweerde dat het leven
haar meer kon leren dan zo'n stomme school.'

Marc mompelde: 'Reken maar.'

Ik vroeg: 'Stopte ze met spelen?'

'Nee. Ik hád het mis. Ze speelde zelfs meer, alleen niet veel klassieke stukken. Maar zo nu en dan speelde ze wat Liszt of Chopin, of zo.' Een trieste glimlach. 'De Chopin-etudes. Ze hield van de etudes in mineur. Dat zei ze in elk geval, ik heb geen verstand van muziek. Selena had haar talent van haar vader, die speelde gitaar, banjo, noem maar op. Hij speelde veel bluegrass, kwam uit Arkansas. Madame Nemerov zei dat Selena als de beste van het blad kon spelen en dat ze een perfect gehoor had. Volgens haar had Selena een groot concertpianiste kunnen worden als ze dat wilde.'

Marc zei: 'Ze was bang dat ze geen normaal leven zou hebben als ze op tournee ging en Beethoven zou spelen voor van die saaie lui.'

'Dit was beter?' vroeg Emily. 'Tot haar eenentwintigste nietsdoen, en vervolgens zonder mij iets te zeggen naar L.A. vertrekken? Zonder enig vooruitzicht op werk?'

Milo zei: 'Ze liep weg?'

'Als je niet meer minderjarig bent, noemen ze het geen weglopen. Ik kwam thuis en zag dat ze haar spullen had gepakt en een briefje had neergelegd dat ze naar "de kust" ging en dat ik haar niet moest proberen tegen te houden. Ik maakte me gek van de zorgen. Een paar dagen later belde ze, maar ze wilde me niet zeggen waar ze was. Uiteindelijk wist ik uit haar te krijgen dat ze in L.A. was, maar ze weigerde te zeggen waar. Ze beweerde dat ze zichzelf onderhield met "schnabbels". Wat dat ook betekende.'

Marc zei: 'Ze speelde wel eens keyboard in clubs.'

Zijn moeder staarde hem aan. 'Dat hoor ik nu voor het eerst, Marcus.'

'Dan is het maar goed dat ik je dat kan vertellen.'

Emily Green-Bass hief haar hand op en bracht hem naar zijn gezicht. Ze hield zich in en huiverde. 'Inspecteur, het feit dat Selena en ik weinig contact hadden was haar keus, niet de mijne. Ze sloot me volledig buiten. Ik heb geen idee wat ze de afgelopen jaren allemaal heeft gedaan. Het ongewisse is een hél geweest. Als ik geen eigen zaak had, was ik hiernaartoe gekomen om haar te zoeken. Ik heb de politie gebeld, maar ik had geen adres van haar en dus konden ze niet zeggen met welk bureau ik contact moest opnemen. En omdat Selena meerderjarig was en uit vrije wil was vertrokken, konden ze niets doen. Hun advies was om een privédetective in de arm te nemen. Dat is niet alleen heel duur, maar ik wist ook dat Selena het vreselijk zou vinden als ik mijn neus in haar zaken stak, dus bemoeide ik me met mijn eigen zaken, en hield mezelf voor dat alles goed met haar was.'

Milo vroeg: 'Wanneer hebt u de politie gebeld?'

'Heel in het begin. Dat moet... vier, vijf jaar geleden zijn geweest. Ik hoopte maar dat ze me om geld zou vragen, dat ik op die manier enig idee zou krijgen van waar ze mee bezig was.' Ze wendde zich abrupt tot Marc. 'En nu vertel je mij dus dat je al die tijd wist wat ze deed.'

Marc Green kronkelde in zijn stoel. 'Het was niet belangrijk.'

'Voor mij wel.'

'Ze wilde niet dat je wist waar ze mee bezig was. Ze was bang dat je haar zou tegenhouden.'

'Waarom zou ik haar tegenhouden?'

Stilte.

'Ik zóú haar niet hebben tegengehouden,' zei Emily Green-Bass. 'En nu ga je ons precies vertellen hoe het zit, Marcus. Alles.'

Marc trok aan zijn haar.

'Nu meteen, Marcus!'

'Het is niks. Ik weet zeker...'

'Hou op, Marcus, en zég het!'

'Best. Ze wilde niet dat je het wist, want die wereld was haar ding niet. Ze maakte alleen muziek.'

'Waar héb je het over?'

'Mama, ik mocht niets van haar zeggen, en ik had geen reden om haar vertrouwen te...'

'Nu wel,' zei Milo.

'Goed, maar het is echt niets. Zoals ik al zei, ze speelde in clubs. En dat leidde tot feestjes.' Hij wendde zich tot zijn moeder. 'Van sommige gelegenheden mocht je niets weten, want ze wist dat je dan over de zeik zou raken.'

'Wat voor gelegenheden?'

Geen antwoord.

Emily Green-Bass greep haar zoon bij zijn pols en bracht haar gezicht dicht bij het zijne. 'Alsof ik een of ander fossiel ben, Marc? Alsof ik de moderne wereld niet ken? Ik hóú van rockmuziek. Je zus is dóód! Deze mensen moeten dit wéten!'

Marc haalde zijn tong over zijn lippen. 'Ik heb het niet over de muziek, mama. Dit waren... speciale feesten. Swingerfeesten, oké? Freaks die achtergrondmuziek wilden.'

Emily Green-Bass liet zijn mouw los. 'Mijn god.'

'Jij wilde het zo nodig weten, mama, nu weet je het. Selena was blut, had geen cent te makken, dus las ze de advertenties in gratis krantjes, vond er een waarin ze vroegen om een keyboardspeler voor een besloten feest. Ze had haar Korg, haar Pro Tools, alles wat jij haar voor haar achttiende verjaardag had gegeven.'

Milo zei: 'Bij al die spullen hoort een computer, klopt dat?'

'En snoeren en stekkers,' zei Marc. 'Natuurlijk hoort daar een computer bij.'

'In haar appartement stond geen computer.'

'De rest stond er wel?'

'Zo te zien wel.'

'Dat is merkwaardig.'

Chris Green zei: 'Iemand heeft dit om een Mac gedaan?'

Marc Green zei: 'Of het ging om de data.'

Milo vroeg: 'Over wat voor data hebben we het dan, Marc?'

'Dat weet ik niet, het is maar een idee.'

'Wat voor idee?'

'Die feesten... Misschien maakte ze aantekeningen of zo van wat ze zag, en wilde iemand hun privacy bewaken.'

'Freaks,' zei Emily Green-Bass. 'O, god.'

Milo zei: 'Vertel eens wat meer over die feesten, Marc.'

'Selena zei alleen dat het besloten feesten van freaks waren. We hebben het er nooit in detail over gehad. Eerlijk gezegd wilde ik het niet weten.'

Emily zei: 'Alles, Marcus.'

'Dat is alles.'

'Dat zeg je verdomme steeds, en dan kom je weer met iets

nieuws! Je bent altijd al een treiteraar geweest, Marcus'
Marc klemde zijn kaken op elkaar. 'Ik weet alleen dat Selena
muziek speelde voor mensen die openlijk seks hadden bij iemand thuis. Ik weet dat ze zei dat die mensen livemuziek wilden tijdens het neuken, omdat het godvergeten exhibitionisten
waren en dat neuken in aanwezigheid van een muzikante verdomme een onderdeel was van de kick.'
'Doe niet zo vulgair... Mijn god, inspecteur, stel dat iemand
wilde dat ze... meer deed dan alleen muziek maken.'
'Dat heeft ze nooit gesuggereerd, mama. Nóóit. Ze speelde
keyboard, meer niet. Kreeg goed betaald, was blij.'
Milo zei: 'Heeft ze ooit een bedrag genoemd?'
'Nee, en ik heb er niet naar gevraagd.' Marcus speelde met
zijn ketting, frunnikte aan de sleutels. 'Nu we Selena onder
een microscoop hebben gelegd en haar privacy hebben ge-
schaad, kunnen jullie wel weer aan het werk?'
Chris zei: 'Effe dimmen, broertje.'
Marc liet zijn schouders zakken.
Milo zei: 'Wanneer heeft ze u over die feesten verteld?'
'Toen ik haar de tweede keer zag.'
'Een halfjaar geleden.'
'Ze wist dat ik de enige van de familie was die haar niet zou
veroordelen. Eigenlijk moest ze erom lachen. Naakte ouwe
lieden die aan het neuken waren, terwijl zij muziek van Air
Supply speelde. Toen kreeg ze de kans om les te geven en dat
was nog beter.'
'Hoe kwam ze daaraan?'
'Zei ze niet.'
Emily zei: 'Misschien is een van die viezeriken door het lint
gegaan.'
'Dat zullen we zeker nagaan, mevrouw,' zei Milo. 'Ze heeft
u wel verteld over de lessen aan die jongen van Vander?'
'Ze zei dat ze een fulltimebaan had aan het lesgeven van een
muzikaal genie. Zij e-mailde míj en ik schreef direct terug. Ik
vroeg of ze me wilde bellen en dat deed ze. Eén keer maar.
Ze klonk vrolijk.' Ze snifte. 'Ik dacht dat ze nog wel eens zou
bellen. Ik zei dat ik trots op haar was, vroeg of ze thuis wilde komen, al was het alleen maar voor een bezoekje. Ze zei

86

dat ze erover zou nadenken, maar ze is er nooit op teruggekomen.'

Milo zei: 'Ze had een uitdraai van die e-mail bewaard, mevrouw. Het betekende duidelijk veel voor haar.'

'Dank u.'

Milo wendde zich tot de broers. 'Jullie hebben geen idee hoe ze Vander is tegengekomen?'

Chris schudde het hoofd.

Marc zei: 'In de muziekwereld gaat alles via via... O... U denkt dat het freaks waren die haar tijdens een van die neukfeesten hoorden spelen en haar hebben ingehuurd. Klinkt logisch.'

'Waarom?'

'Rijken doen wat ze willen.'

Emily zei: 'O, mijn god.'

Milo zei: 'Overhaaste conclusies zijn geen goed idee. We weten op dit moment alleen dat de Vanders Selena hebben ingehuurd om pianoles te geven. Maar dit is wel wat we nodig hebben. Alle mogelijke verbanden met mensen in Selena's leven. Dus als iemand nog ideeën heeft, laat het weten.'

Marc zei: 'Dat van die rijke klootzakken klinkt hartstikke logisch. Selena ontmoet ze tijdens die freakshows en ze besluiten om haar in te huren voor...'

'Hoor je niet wat hij zegt?' zei zijn broer. 'Het is nog veel te vroeg om...'

Marc reageerde fel. 'Alsof jij iets beters weet? Flikker op!'

Chris' gezicht werd knalrood. 'Flikker zelf op.'

'Hou op!' zei Emily Green-Bass. 'Ik kan hier niet tegen, het is alsof alles wegrot.'

10

We keken toe terwijl moeder en zoons in drie verschillende huurauto's wegreden.

Milo zei: 'Er gaat niets boven een hecht gezin. Zo te horen was Selena van alle drie vervreemd.'

Ik zei: 'Mensen komen naar L.A. om op te gaan in de menigte.'

'Heb je het nu over mij, over jezelf of over iedereen?'

'Wie de schoen past...'

Terug in zijn kamer zei ik: 'Privéschnabbels tijdens swingeravonden zouden wel een verklaring voor de seksspeeltjes kunnen zijn. Selena begon met het leveren van een muzikale achtergrond en ging toen over op een ander soort vermaak.'

'Libertijnen zouden zo'n knap, braaf meisje wel eens aantrekkelijk kunnen vinden.' Hij glimlachte. 'Dat woord heb ik voor het laatst gehoord uit de mond van zuster Mary Patrick de Wrede.' Hij viste een sigaartje uit zijn bureaula, haalde de wikkel ervan af en speelde ermee. 'Wat vond je van de Boze Broer?'

'Hij is de enige die nog een soort relatie met Selena had, maar een opvliegend karakter kan tot van alles leiden.'

Hij zocht Marc op in het systeem. 'Brandschoon. Misschien moeten we op zijn intuïtie afgaan en betaalden de Vanders die vijftigduizend dollar voor méér dan alleen pianolessen.'

'Je zou denken dat ze voor hun wonderkind een bekende docent zouden binnenhalen, en niet een arme muzikante die haar formele training niet heeft afgemaakt. Aan de andere kant is het wel een goede dekmantel om op die manier Selena in de buurt te hebben.'

'De ivoren toetsen vingeren en pappie en mammie vingeren.'

'Dat zou Travis Hucks hyperactieve zweetklieren verklaren. Hetzelfde geldt voor die betonnen muur waar Reed zijn hoofd tegen stootte toen hij Vanders boekhouders wilde spreken. En heel toevallig is de familie Vander op reis als Selena dood gevonden wordt.'

'Het leven van de rijke wellustigen,' zei hij. Marc Green is misschien een chagrijnige vent met een hekel aan klassenverschillen, maar dat betekent nog niet dat hij geen gelijk heeft.' Hij wreef over zijn gezicht. 'Dat huis ligt aan het eind van een weg, voor zover het oog kan zien geen buren... Een ideale plek voor interessante soirees. Selena had Marc gezegd dat ze goed verdiende. Stel dat ze bonussen kreeg voor niet-mu-

zikale schnabbels en toen iets zag waardoor ze weg wilde.'
'Of ze heeft iemand bedreigd.'
'Chantage?'
'Grote geheimen, veel geld.'
'Tja, dat is het recept.'
'Maar de waarheid kan ook veel akeliger zijn,' zei ik.
'Zoals?'
'Haar houdbaarheidsdatum was verstreken en ze hebben zich
van haar ontdaan. Dat zou een verband met Sheralyn Daw-
kins kunnen betekenen. En misschien ook met de andere
Onbekende Vrouw, als ze allemaal met seks hun brood ver-
dienden.'
'Gebruikt en afgedankt.'
'De swingscene gedijt op nieuwe dingen,' zei ik. 'Het grote
gevaar is dat je afgezaagd wordt. Het inhuren van professio-
nals was misschien een tijdlang succesvol. Toen kwam Selena, uiterlijk heel onschuldig. Dat zou ze wel een kick geven.'
'Misschien zowel vanbinnen als vanbuiten kuis,' zei hij. 'Zesentwintig en nog nooit iets meegemaakt, totdat ze de verkeerde mensen tegenkwam. Die jaren dat ze in clubs gespeeld
zou hebben… Zou het kunnen, denk je?'
'Alles is mogelijk,' zei ik. 'Dat maakt ons werk zo interessant.'

Een telefoontje naar het gerechtelijk laboratorium maakte
duidelijk dat de sectie op Selena Bass over drie dagen zou
plaatsvinden. Milo gooide al zijn charme in de strijd om haar
hoger op de lijst te plaatsen, maar het leverde hem alleen
vaagheden op. Hij had nog maar net opgehangen of plaatsvervangend hoofdcommissaris Henry Weinberg belde om te
vragen wanneer Milo van plan was de moorden in het moeras openbaar te maken.
Milo zei: 'Binnenkort.' Hierna bleef het lang stil en luisterde
hij met een onbewogen gezicht.
Toen hij ophing, zei ik: 'Laat me raden. Onmiddellijk is veel
beter dan binnenkort.'
'Hogerop hebben ze het script al geschreven en geredigeerd;
ze zijn klaar het met houterige oprechtheid op te lepelen. Die

pennenlikkers zijn verdomme gek op persconferenties omdat ze dan kunnen doen alsof ze echt iets presteren.'
Ik zei: 'Ik wil niet moeilijk doen, maar met twee onbekende slachtoffers zouden de media wellicht van dienst kunnen zijn.'
'De media zijn net een penicilline-injectie, Alex. Meestal pijnlijk en soms handig in kleine doses. Het mes snijdt aan twee kanten: te veel berichtgeving en mensen slaan op de vlucht. Laat me eerst maar eens kijken of de bottendames al iets hebben ontdekt.'
Eleanor Hargrove was nog in het moeras. Alle botten waren verwijderd en gecatalogiseerd, klaar om naar het lab gebracht te worden. Ze vermoedde dat het weinig nieuwe informatie zou opleveren, al had Onbekende Vrouw 3 'enkele interessante gebitselementen'.
'Interessant in welk opzicht?' vroeg Milo.
'Ze had nog twee melktanden, twee hoektanden, en ze is zonder verstandskiezen geboren. Als je ooit tandartsgegevens krijgt, is identificatie een eitje.'
Hij bedankte haar, belde Moe Reed, bevestigde dat de jonge rechercheur de volgende dag naar San Diego ging en sprak voor de lunch met hem af in Café Moghul.
Ik vroeg: 'Houdt hij van Indiaas?'
'Alsof dat er iets toe doet.'

Reed zat thee te drinken toen we aankwamen. Hij droeg dezelfde blazer en broek, een soortgelijk overhemd en eenzelfde soort stropdas. Door de uren die hij in de zon was geweest was hij flink rood geworden. Hij zag er moe uit.
De vrouw in de sari bracht ons alles wat er die dag op het menu stond.
Milo viel erop aan. Reed at niets.
Milo vroeg: 'Hou je niet van Indiaas?'
'Ik heb laat ontbeten.'
'Waar?'
'Bij de IHOP.'
'Pannenkoeken, appelmoes?'
'Alleen eieren.'
'Jongen, je moet je goed voorbereiden op de lange reis.' Hij

gaf een klopje op zijn dikke pens. 'Heb je nog wat te melden?'

'Ik heb Alma Reynolds gesproken. Duboffs vriendin. Ze klonk net zo gestoord als hij, bleef maar zeggen dat het moeras zo heilig is, ook al is ze een atheïst. Daardoor vroeg ik me af of de ontbrekende handen soms iets met een religieus ritueel te maken hebben, maar ik heb alle grote religieuze stromingen onderzocht en er is niets wat daarop duidt, ook niet wicca of voodoo. Reynolds bevestigde dat ze niet in de stad was en ik kan nog steeds geen enge dingen in Duboffs verleden vinden. Zijn oude baas bij de linkse boekhandel zei dat hij niet agressief was, en zelfs spinnen en beestjes naar buiten liet.'

Milo zei: 'Hitler was vegetariër.'

De jonge rechercheur keek hem met grote blauwe ogen aan. 'Echt waar?'

'*Der Führer und der Tofu.*'

Reed glimlachte. 'Travis Huck heeft ook niets opgeleverd. Maar er zit me nog steeds iets niet lekker, inspecteur. Hij was zenuwachtig en ontwijkend.'

'Misschien beschermt hij de familie Vander.' Milo vertelde in het kort wat we van Marc Green hadden gehoord.

Reed zei: 'Rare feestjes. We moeten meer over deze mensen te weten zien te komen.'

De deur ging open en verkeerslawaai drong tot het restaurant door. Een aantrekkelijke zwarte man kwam binnen. Begin dertig, een meter drieëntachtig, kort haar, atletisch gebouwd in een strak grijs kostuum. Zijn groenblauwe, zijden overhemd glom. Evenals zijn alligatorleren instappers.

De vrouw in de sari liep op hem af. Ze spraken een paar seconden, waarna ze glimlachte. De man kwam op ons tafeltje af, hij zweefde meer dan dat hij liep.

Milo zei: 'Dat is lang geleden.'

Moe Reed schoof heen en weer. Zijn gezicht was veranderd, de lippen waren naar binnen getrokken, zijn ogen stonden gespannen, zijn bleke irissen waren nauwelijks zichtbaar achter samengeknepen oogleden. Eén hand lag stevig om zijn glas thee geslagen.

Een wolk frisse eau de cologne was de komst van de man vooruitgegaan. Hij had sierlijke gelaatstrekken en de zachte gladde huid van een jonge Belafonte. Grijnzend stak hij zijn hand uit naar Milo. 'Gefeliciteerd, onlangs gepromoveerde inspecteur Sturgis.' Het kostuum was met de hand genaaid, had hoekige revers en echte knoopsgaten op zijn mouwen. Op het blauwe overhemd stond het monogram ADF. De schoenen van slangenleer leken gloednieuw.

Milo zei: 'Da's een tijd geleden, voormalig rechercheur Fox. Dit is dokter Alex Delaware, onze psychologisch adviseur, en dit is...'

'Ik weet wie dat is,' zei Moe Reed, en hij keerde hun de rug toe.

De man staarde hem even aan. Klemde zijn kaken op elkaar. Toen glimlachte hij naar mij. 'Aaron Fox, dokter. De wereld heeft meer psychologen nodig.' Ik schudde een warme, droge hand.

Fox pakte een stoel van een ander tafeltje, zette het met de rugleuning tegen de tafel en ging er schrijlings op zitten. Hij schonk een kop thee voor zichzelf in en nam een slokje. 'Ah, lekker verfrissend, volgens mij zit er wat witte thee in en misschien een vleugje jasmijn.'

Reed staarde uit het raam. Beide handen tot vuisten gebald.

Milo zei: 'Dus we hoeven jullie niet aan elkaar voor te stellen.'

Aaron Fox lachte. 'Tenzij een van ons beiden dement is geworden.' Hij legde een hand op Reeds stevige schouder. 'Werken jouw grijze cellen nog, Moses? Voor zover ik weet, doen die van mij het nog goed.'

Reed zei niets.

Fox zei: 'Hersens als die van jou blijven wel een tijdje goed, Moses.'

Reed staarde langs hem heen.

Fox zei: 'Hij is altijd al bescheiden geweest. Toen we nog klein waren, pakte ik alle eer waar ik die krijgen kon, al was het voor nog zoiets onnozels. Marketing en promotie, nietwaar? Je moet het niet alleen in huis hebben, je moet het ook zien te verkopen. Daar gelooft mijn kleine broertje niet zo in.

Hij is slimmer dan ik. Maar hij zal zichzelf niet gauw op de borst slaan.'

Reed haalde Fox' hand weg en legde hem met zorg op tafel.

Aaron Fox zei: 'Dat doe ik nou altijd. Hem in verlegenheid brengen. Het recht van de oudere broer.'

Milo zei: 'Jullie zijn familie van elkaar?'

'Wist je dat niet?' vroeg Fox. 'O ja, we delen wat genen, maar alleen een x-chromosoom... dezelfde moeder, andere vaders. Ik heb altijd gedacht dat hij haar lieveling was. Hij zal waarschijnlijk het tegendeel beweren. Of niet, Moses?'

Reed schoof naar achteren en liep naar het toilet.

Fox zei: 'Ik wist niet dat ik nog steeds dat effect op hem had.' Hij dronk zijn thee.

Milo wees naar het eten. 'Hou je van Indiaas?'

'Ik heb er niets tegen, Milo, maar ik hou meer van fusion. Een artistieke melange van culturen die de creativiteit in de mens boven brengt. Ben je al eens naar dat nieuwe restaurant aan Montana Avenue geweest? Wagyu-vlees uit Japan, waar ze de beesten masseren voordat ze ze de keel doorsnijden. Net als op het bureau, nietwaar?'

Milo glimlachte. 'Hoe lang ben je al weg, Aaron?'

'Eeuwen,' zei Fox. 'In september drie jaar om precies te zijn. Misschien moet ik een feestje geven.'

'Zo te zien doet de zakenwereld je goed.'

'Ik doe niet moeilijk, dus doet de wereld niet moeilijk.' Hij speelde even met een zijden mouw. 'Ja, het gaat geweldig, Milo. Bonussen voor initiatief en succes, veel vrijheid, de enige bazen zijn de mensen die de cheques uitschrijven en die hebben het recht om eisen te stellen.'

'Fijn,' zei Milo. 'Zolang je maar succesvol bent.'

'Tot nu toe mag ik niet klagen,' zei Fox.

Moe Reed kwam terug. Hij trok zijn stoel een stuk bij Fox vandaan en ging zitten.

Milo zei: 'Waarom denk ik dat het geen toeval is dat je hier bent, Aaron? Je bent hier niet omdat je het eten zo lekker vindt.'

'Bepaald niet,' zei Fox. 'Ik heb laat ontbeten. In Hotel Bel-Air met een toekomstige klant.'

'Crêpes met abrikozen en die saus van ze?'
'Lekker, maar iets te kleverig voor een eerste afspraakje, Milo. Alleen eieren. Met bieslook.'
Reed mompelde: 'Tjonge jonge, haute cuisine.'
Fox zei: 'Je hebt gelijk, broertje, genoeg gebabbeld. Mijn bedoelingen zijn duidelijk. Ik ben hier vanwege Selena Bass.'
'Wat is er met haar?' vroeg Milo.
'Ik heb een verdachte voor je en ik hoef er niets voor terug.'
Reed snoof.
Milo vroeg: 'Wie?'
'Een zekere Travis Huck.'
Reed zei: 'Die hebben we al bekeken, geen strafblad.'
Fox grijnsde. 'Niet onder díé naam.'
'Heeft hij een alias?' vroeg Milo.
'Die dingen gebeuren,' zei Fox. 'Hij is ook bekend onder de naam Edward Travis Huckstadter.' Hij nam de tijd om de achternaam te spellen. 'Moet niemand dat opschrijven?'
'Waar is hij voor op de vlucht, Aaron?'
'Wat dacht je? Zijn verleden.'

11

Aaron Fox zette zijn glas thee neer en stak zijn hand in zijn binnenzak. Hij liet een stapeltje krantenartikelen voor Milo op tafel vallen. De uitstekende snit van het kostuum had de bobbel verhuld.
Milo zei: 'Als jij het nu eens voor de ambtenaren samenvat.'
'Met alle plezier. Edward Travis Huckstadter is in Ferris Ravine opgegroeid in zo'n miezerig boerendorp in de buurt van San Diego. Pa onbekend, ma een gestoorde alcoholiste. Toen de kleine Eddie veertien was, raakte hij slaags met een klasgenoot en overleed het andere kind. Eddie is veroordeeld voor moord, heeft in de jeugdgevangenis gezeten en is toen door jeugdzorg een tijd heen en weer geschoven. Dát is nog eens een psychologische achtergrond, dokter.'

'Veertien,' zei Moe Reed. 'Hij is nu zevenendertig. Dan is hij al drieëntwintig jaar brandschoon.'

'Geen arrestaties betekent nog niet dat hij zo braaf is, Moses. Waar het om gaat is dat hij iemand heeft vermoord en dat hij nu in verband wordt gebracht met een vermoorde vrouw. Bovendien is volkomen duister waar hij sinds zijn achttiende heeft uitgehangen. Er zijn geen sociaal-fiscale gegevens of belastingaangiften van hem, tot drie jaar geleden toen hij onder die andere naam voor ene Simon Vander, een rijke vent, ging werken. Ongetwijfeld heeft hij gelogen om aan die baan te komen, want ik kan me niet voorstellen dat zo'n rijke vent iemand met een strafblad zou aannemen. Jullie hebben hem gesproken. Ga je me nou vertellen dat er geen alarmbelletjes afgingen?'

'Hoe weet je dat wij met hem gesproken hebben?' vroeg Milo.

'Ik hoor wel eens wat.'

'Heb je Huck zelf ook ontmoet, Aaron?'

'Dat genoegen heb ik niet mogen smaken, maar ik heb hem de afgelopen vierentwintig uur in de gaten gehouden.'

'Waarom?'

'Toen jullie zaak in het nieuws kwam, heeft iemand me daarvoor ingehuurd.'

'Selena is niet in het nieuws geweest.'

'Niet op tv,' zei Fox. 'Of in de *Times*. Maar in de *Evening Outlook* stond wel een alineaatje. Moet ik een kopietje voor je maken?'

'Nee, dank je. Ben je iets te weten gekomen?'

'Hij heeft tot nu toe alleen boodschappen gedaan, maar hij loopt vreemd en hij heeft een rare scheve glimlach.'

Reed zei: 'Zijn uiterlijk staat je niet aan. Dát is nog eens bewijs.' Reed had Huck zelf ook als eerste verdachte gezien, maar hier speelde iets heel anders.

Fox gaf een tikje tegen de krantenartikelen. 'Hij heeft op jonge leeftijd iemand vermoord.'

'Drieëntwintig jaar geleden.'

'Heb jij een betere verdachte?'

Reed gaf geen antwoord.

'Precies. Ik geef jullie een serieuze aanwijzing. Wat je ermee doet, moet je zelf weten.'

Milo zei: 'Jeugdstukken zijn verzegeld. Hoe kom je aan al deze informatie?'

Fox glimlachte.

'Daar hebben we echt wat aan,' zei Reed.

Fox' goudbruine ogen flitsten. Hij trok aan zijn manchetten en keek op zijn Patek Philippe-horloge.

Milo zei: 'Zo te horen wil je wel erg graag dat Huck onze dader is.'

Aaron Fox nam een fractie van een seconde de tijd om zijn emotie te bepalen. En koos voor onbewogen. 'Niet erg graag, ik ben me gewoon bewust van de feiten.'

'Wie heeft je ingehuurd om die man in de gaten te houden?'

'Ik zou willen dat ik je dat kon zeggen.'

Reed zei: 'Dus wij moeten een arrestatiebevel zien te krijgen op basis van drieëntwintig jaar oude informatie die illegaal is verkregen bij een informant die te laf is om zich te melden.'

De broertjes stonden op scherp.

Heel even waren ze weer ruziënde kinderen.

Fox wendde zijn blik als eerste af, glimlachte en haalde zijn schouders op. 'Moses, hoe rechercheur Sturgis de informatie die ik hem heb geschonken, wenst te gebruiken is niet mijn zorg.' Hij stond op. 'Ik heb mijn burgerplicht gedaan. Prettige dag verder, heren.'

Reed zei: 'Jouw hersens werken nog zo goed, je weet vast nog wel welke straf er staat op belemmering van de rechtsgang.'

Fox streek zijn zijden kraag glad. 'Broertje, als je met dat soort dingen komt, dan weet ik gewoon dat je meer hete lucht uitstoot dan de rammelkasten waar je zo graag in wilt rijden.' Tegen Milo: 'Het gerucht gaat dat er meer slachtoffers in het moeras zijn gevonden. En dat er een persconferentie op stapel staat. Als ik daar op het podium stond, zou ik graag wat feiten hebben als de vragenstroom losbarst.'

Milo tikte met een grote hoekige duimnagel tegen de knipsels. 'We zullen elk woord bestuderen, Aaron. Zeg ons wie je heeft ingehuurd om Huck in de gaten te houden, en je informatie wordt wat geloofwaardiger.'

'De geloofwaardigheid is het probleem niet,' zei Fox. 'De enige vraag is of je ervoor kiest het te onderzoeken.' Hij haalde een briefje van twintig uit een alligatorleren portemonnee en liet het op tafel dwarrelen.

'Niet nodig,' zei Milo.

'Bedankt, maar het is wel nodig,' zei Fox. 'Ik betaal altijd mijn deel.'

Hij groette nogmaals en vertrok.

Moe Reed bleef voorovergebogen zitten.

Milo zei: 'Dus hij is jouw broer?'

Reed knikte. 'Zedenzaken heeft geen informatie over Sheralyn Dawkins, maar ik kan beter even langs de tippelzone bij het vliegveld rijden om te zien of ik nog iets te weten kan komen voordat ik naar San Diego rij.'

En daarmee schoot hij uit zijn stoel en was verdwenen voordat Milo kon reageren.

Milo zei: 'Ah, er gaat niets boven familie.'

Ik zei: 'Huck komt ook uit de omgeving van San Diego.'

'Toevallig, hè? Maar waarom zouden we Fox die lol gunnen?'

Op Milo's kamer lazen we de knipsels. Drie artikelen uit *The Ferris Ravine Clarion*, met steeds een maand ertussen, geschreven door Cora A. Brown, de uitgeefster en hoofdredactrice. Eén artikel ging over de tragedie. De twee vervolgartikelen voegden niets toe.

De feiten waren zoals Aaron Fox ze had opgesomd: op een warme middag in mei had de veertienjarige Eddie Huckstadter, door zijn leraren gezien als een verlegen jongetje en een eenling, eindelijk gereageerd op het maandenlange getreiter van de uit de kluiten gewassen vijftienjarige Jeffrey Chenure. Tijdens de confrontatie op het schoolplein had de veel kleinere Eddie zijn tegenstander, de quarterback, een duw tegen zijn borst gegeven. Jeff Chenure was naar achteren gestruikeld, had zijn evenwicht hervonden en was met gebalde vuisten op Eddie afgestoven. Voordat hij een klap had kunnen uitdelen, had hij een kreet geslaakt en was hij levenloos plat op zijn rug gevallen.

Milo zei: 'Zo te horen een ongeluk, of op zijn ergst zelfverdediging. Merkwaardig dat Huck daarvoor heeft vastgezeten.'

Ik bladerde door de knipsels. 'Dit is wat Fox je wilde laten lezen. Misschien is er meer.'

Het internet leverde geen informatie op over Eddie Huckstadter en de naam kwam ook niet voor in criminelendatabanken.

Milo zei: 'Dat is geen verrassing. Als Fox meer had gevonden had hij het me wel geschonken.' Hij stond op. 'Al die thee, ik ben even weg.'

Tijdens zijn afwezigheid belde ik *The Ferris Ravine Clarion*, in de verwachting dat het nummer inmiddels wel buiten gebruik zou zijn. Een vrouw nam op: 'Clarion.'

Ik vertelde haar in het kort wie ik was, en vroeg naar haar naam.

'Cora Brown. Ik ben de redactrice, uitgeefster, columniste en secretaresse. En ik zet het vuilnis buiten. De politie van Los Angeles. Wat is er aan de hand?'

'Het gaat om een artikel dat u enkele jaren geleden hebt geschreven. Over Eddie Huckstadt...'

'Eddie? Heeft die arme jongen iets... Hij is inmiddels natuurlijk een man. Is er iets met hem?'

'Zijn naam is als getuige naar voren gekomen tijdens een onderzoek. Toen we op zoek gingen naar informatie over hem vonden we uw artikelen.'

'Een onderzoek naar wat?'

'Een moord.'

'Een moord? U wilt toch niet zeggen dat...'

'Nee, mevrouw. Hij is alleen getuige.'

'O,' zei ze. 'Oké... Maar ís hij crimineel geworden? Want dat zou zo tragisch zijn.'

'Waarom?'

'Dat hij door zijn slechte behandeling zo is geworden.'

'De jeugdgevangenis en pleegopvang?'

'Ja, maar daarvoor al,' zei Cora Brown. 'Die moeder van hem. Het leven bestaat voor een groot deel toch uit puur geluk, hè? Die arme Eddie had niet veel. Als u het mij vraagt, had hij van het begin af aan al geen kans. De jongen die hij een duw gaf was de zoon van een rijke boer. De hele familie bestond uit bullebakken die hun eigen zin doordreven, met niemand werd rekening gehouden. Ze waren keihard voor hun migranten, behandelden ze als slaven. Als je in die omgeving een kind opvoedt, wat kun je dan verwachten?'

'Woont de familie Chenure daar nog?'

'Het laatste wat ik heb gehoord, is dat ze naar Oklahoma zijn verhuisd. Jaren geleden al hebben ze hun boerderij aan een landbouwbedrijf verkocht om Black Angus-koeien te gaan fokken.'

'Hoe lang geleden?'

'Direct na wat er met Jeff was gebeurd. Sandy, de moeder, kon het niet aan.'

'Een rijke familie,' zei ik, 'maar Eddie daarentegen...'

'Woonde in een caravan met die gestoorde alcoholiste van een moeder. Wat er die dag gebeurde was zo'n schoolpleinincident, dat gebeurt zo vaak.' Stilte. 'Niet dat kinderen overlijden aan schoolpleinincidenten. Dat wás tragisch. Jeff was een gemene jongen, maar hij was nog maar een kind. Hij moet iets aan zijn hart gehad hebben dat hij zomaar neerviel.'

'De duw die Eddie hem gaf was niet zo hard.'

'Nee. Maar dat betekende niet dat hij niet naar de jeugdgevangenis moest, waar hij werd vergeten totdat hij gered werd.'

'Door wie?'

'U zei dat u de artikelen had gelezen. Ik dacht dat u ze allemaal bedoelde.'

Ik noemde de data van de drie knipsels.

'Nee, ik heb een jaar later nog een vervolgartikel gedaan.'

'Waar ging dat over?'

'Eddies bevrijding. Een pro-Deoadvocaat uit L.A. was geïnteresseerd in de zaak. Hoe heette ze ook alweer... Deborah nog wat... Wacht even, dan zet ik de computer aan. Mijn kleinzoon is zo'n technisch genie die als project voor computerkunde vijftig jaargangen kranten heeft gescand en gecatalogiseerd voor een website. Tot en met toen mijn vader nog de uitge... Ja, ik heb het. Debora, zonder h, Wallenburg.'

Ze spelde de achternaam. 'Geef me uw e-mailadres maar, dan stuur ik het u toe.'

'Dank u.'

'Graag gedaan. Ik hoop echt dat Eddie niet crimineel is geworden.'

Toen Milo terugkeerde, zwaaide ik met de bijlage die ik had geprint. 'Dit is het deel dat Fox had weggelaten. Een pro-Deoadvocaat behandelde de zaak van een minderjarige in het jeugdkamp, en een van de bewakers vertelde haar over een jongen die werd mishandeld, waarbij hij meerdere hersenschuddingen had opgelopen.'

'Hucks neurologische symptomen.'

'Waarschijnlijk. De bewaker zei dat Eddie daar helemaal niet thuishoorde. De advocaat – ene Debora Wallenburg – heeft Eddies veroordeling bestudeerd, was het ermee eens en heeft een bevelschrift tot vonnisherziening ingediend. Een maand later werd Eddie vrijgelaten, zijn strafblad werd gewist, en hij werd naar een pleeggezin gestuurd omdat zijn moeder uit de ouderlijke macht was gezet. Ik heb Wallenburg opgezocht op de website van de orde van advocaten en ze heeft nu een eigen kantoor in Santa Monica.'

'Een wereldverbeteraar die daadwerkelijk iets goeds doet,' zei hij.

'Misschien heeft Fox het vervolgartikel nooit gevonden. Misschien heeft hij het bewust achtergehouden. Wat voor iemand is het?'

'Ik ken hem niet goed. Hij heeft een tijdje bij bureau-Wilshire gewerkt, had de reputatie dat hij een uitblinker was, slim, ambitieus. Hij is op een gegeven moment, een jaar of vier geleden, overgeplaatst naar West-L.A., maar vrij kort daarna nam hij ontslag.'

'Nam hij ontslag, of werd hij verzocht zijn boeltje te pakken?'

'Voor zover ik weet, heeft hij ontslag genomen.'

'Hij lijkt niet echt op Reed,' zei ik. 'En dan heb ik het niet over ras.'

'De haas en de schildpad,' zei hij. 'Fox vond het wel erg leuk om die ouwe Moe op de kast te jagen. En Reed reageerde precies zoals de bedoeling was.'

'Reed te kijk zetten was een leuke bijkomstigheid voor Fox. Nu kan hij terug naar zijn cliënt en zeggen dat hij zijn werk gedaan heeft.'

'Iemand heeft er geld voor over om onze aandacht op Huck te vestigen.'

Ik zei: 'Veel geld. Fox draagt maatpakken en een horloge van tienduizend dollar.'

'Misschien weet iemand binnen de familie Vander dat we rond het herenhuis aan het snuffelen zijn en wil diegene ervoor zorgen dat we een bepaalde kant op kijken.'

'Huck lijkt een vreemde snoeshaan, dus hij is een logische kandidaat. Aan de andere kant kan hij net zo goed de dader zijn. Het eerste wat Cora Brown vroeg was of die arme kleine Eddie crimineel was geworden. Vanwege alles wat hij heeft meegemaakt.'

Milo veegde een lok zwart haar van zijn voorhoofd en las de artikelen. 'Hij had geen schijn van kans, werd later van alle blaam gezuiverd, maar kwam terecht op een plek waar ernstige misdadigers zitten en waar vervolgens zijn hersens door elkaar werden geschud.'

'Plus de verwaarlozing door zijn moeder en zijn zwerftocht door de pleegopvang, en dan kan er van alles gebeuren.'

'Tot drie jaar geleden was hij niet te vinden... Tja, dat past wel bij wat jullie "verhoogd risico op afwijkend gedrag" noemen.'

'Hoe noem jij het?'

'Een aanwijzing.'

12

De persconferentie werd tijdens het journaal van elf uur uitgezonden.

Milo stond er houterig bij, terwijl plaatsvervangend hoofdcommissaris Weinberg de camera's opgeilde en de bevolking met een indringende blik om hulp vroeg.

De feiten die openbaar gemaakt werden waren beperkt: Selena Bass en drie ongeïdentificeerde lichamen in het Vogelmoeras, geen vermelding van geamputeerde handen. De vier netwerken sloten hun vijftien seconden in het kader van burgerbelang af met een uitgekauwde verslaggeving van de poging van de progressieve miljardairs om het land te kopen, gevolgd door archiefbeelden van reigers en eenden.

Milo wist wat hem te wachten stond en had Moe Reed teruggehaald uit San Diego. Met zijn tweeën deelden ze de telefoonklus. Om een uur 's morgens waren er drieënzestig tips binnengekomen. Het halfuur daarop leverde er nog eens vijf op. Om drie uur 's morgens waren alle telefoontjes, op een na, waarin Sheralyn Dawkins' pooier werd genoemd, waardeloos verklaard.

Reeds verzoek om een surveillanceteam op Travis Huck te zetten was naar bureau-Pacific gestuurd. Tot nu toe nog geen reactie. Hij zei: 'We moeten maar met deze vent beginnen, Duchesne.'

'Een pooier op de vroege morgen,' zei Milo. 'Echt iets om je bed voor uit te komen.'

Joe Otto Duchesne was het niet eens met de functieomschrijving.

'Zie me maar als personeelsmanager.'

Volgens de gegevens was Duchesne in maart drieënveertig geworden. Met zijn uitgemergelde gezicht, grijze huid, grijze haren en een missende tand leek hij oud genoeg om zijn eigen vader te zijn. Volgens de zedenpolitie had hij vier of vijf meisjes in de tippelzone op weg naar het vliegveld en deed hij goede zaken.

Duchesne zat op zijn gemak in de verhoorkamer. Verrassend welbespraakt. Verrassend armoedig gekleed. Op zijn kerfstok stond een twintigjarige heroïneverslaving, al beweerde hij 'al zeven maanden volkomen clean' te zijn. Ondanks de warme ochtend, droeg hij een overhemd met lange mouwen.

Hij was vrijwillig gekomen, en Milo gaf hem alle ruimte, had de tafel in een hoek geschoven en hield het heel rustig. Moe Reed en ik volgden het via video-opnames in een aangrenzende ruimte. De jonge rechercheur nam de woorden als een spons in zich op.

Reed was degene die Duchesne na zes uur zwoegen had gevonden: hij had de lokale politie ondervraagd, evenals hoertjes die in de buurt van het vliegveld werkten, en andere kleine pooiers die rondhingen bij goedkope motels.

Een van de vrouwen kon zich Sheralyn Dawkins herinneren en bevestigde dat de vermiste vrouw voor 'die magere blanke jongen, Joe Otto, had gewerkt' en dat we hem aan Centinela konden vinden.

Reed liet haar een foto van de politie uit San Diego zien.

'Ja, dat is Sheri, de mankepoot,' zei ze. 'Deed goeie zaken met dat been.'

'Haar slechte been?'

'Sommige mannen houden daarvan,' zei het hoertje. 'Misschien moet ik zelf ook maar een handicap krijgen.'

Duchesne was heel open over zijn 'nieuwe zakenplan'.

'De laatste tijd maak ik van online advertentiesites gebruik om afspraken te maken.'

Milo zei: 'Met zo'n zakelijke aanpak, bewaar je ook vast al je e-mailcorrespondentie en telefoonnummers.'

Duchesne grijnsde, waarbij hij zijn ongelijke hoektanden en zwarte gaten toonde. 'Zoals ik al zei, ik doe het nog maar een paar weken.'

'Hoe vul je de open ruimtes in je agenda?'

Een aarzeling. 'Die vul ik op de ouderwetse manier.'

Milo zei: 'Je laat ze tippelen.'

Duchesne pulkte aan de holte waar een tand had moeten zitten. 'Ik zie het meer als real-time marketing.' Hij was niet alleen regelmatig gearresteerd wegens drugsbezit, maar hij was ook vijf keer opgepakt voor pooieren en zag celstraf en boetes als 'vaste bedrijfsuitgaven'.

Milo zei: 'De pretjes van de zakenwereld.'

'Ik heb eenentwintig jaar geleden bedrijfskunde gestudeerd aan de universiteit van Utah, inspecteur. Heb nog voor IBM gewerkt, eerlijk waar. U kunt het zo nagaan. Bel ze maar.'

'Ik geloof je, Joe Otto. Vertel me eens over Sheralyn.'

'Denkt u echt dat zij het is?'

'We weten het niet zeker, maar haar signalement komt overeen met het lichaam dat we hebben gevonden.'

Duchesne knikte. 'Het been. Ik heb haar vorige winter voor het eerst ontmoet. Februari, geloof ik. Misschien ook januari... Nee, februari. Ze was hier nog maar net, had het koud, was eenzaam. Ik heb haar onder mijn hoede genomen, omdat niemand anders het deed.'

'Waarom niet?'

'Het been. Het arme ding kon niet lang staan, dus minder productie. Ik heb haar allerlei verschillende schoenen gegeven. Inlegzooltjes, steunzolen, gelpads, noem maar op. Niets werkte echt, maar ze wilde het niet opgeven. Een harde werkster, aardig meisje.'

'Je mocht haar wel.'

'Een aardig meisje,' herhaalde Duchesne. 'Niet een van de slimsten, maar ze had een... warme persoonlijkheid. Ik wilde aardig voor haar zijn, en uiteindelijk werkte het been in haar voordeel.'

'Hoe dat zo?'

'Er is een consumentensegment dat haar aantrekkelijk vond.'

'Mannen die op een mankepoot geilen,' zei Milo.

'Mannen die op kwetsbaarheid geilen.'

'Maakten mensen wel eens misbruik van die kwetsbaarheid, Joe Otto?'

'Nee,' zei Duchesne. 'Daar ben ík voor.' Hij duwde zijn ingevallen borstkas naar voren en balde aanmatigend een magere vuist.

Moe Reed keek naar het beeldscherm en schudde het hoofd. Milo zei: 'Heeft niemand haar ooit in elkaar geslagen, Joe Otto?'

'Nooit.'

'Dat weet je zeker?'

'Inspecteur, ze heeft maar een maand voor me gewerkt en dat was een goeie maand.'

'Wat vertelde ze over zichzelf?'

'Dat ze net uit Oceanside kwam. Militaire manoeuvres, haha. De militaire politie daar trad op tegen pret, waardoor haar situatie vervelend werd. Is toch ook niet eerlijk, hè? We sturen die jongens weg om te vechten voor onze vrijheden en dan mogen ze op verlof niet eens even genieten?'

'Dus kwam ze naar L.A.'

'Hier was het beter,' zei Duchesne.

'Had ze het vaak over haar leven in Oceanside?'

'Ze zei dat ze een kind had en dat haar moeder daarvoor zorgde.'

'In Oceanside?'

'Zei ze niet. Ook niet of het een jongetje of een meisje was, en ik heb niet verder gevraagd.' Duchesne kneep zijn bloeddoorlopen ogen toe. 'Zakelijk blijven, weet je wel?'

Milo knikte. 'Geef me iets waar ik wat mee kan, Joe Otto.'

'Dat was het... O, en ze zei dat ze getrouwd was geweest met een marineman, maar dat hij haar al snel in de steek had gelaten. Ik weet niet of het waar is, maar waarom zou je liegen over zulke details?' Duchesne wiebelde met een losse hoektand. 'Inspecteur, als u haar inderdaad hebt gevonden, dan vind ik dat treurig. Ik dacht dat ze me in de steek had gelaten. Ik had moeten weten dat ze zoiets niet zou doen.'

'Ze was op een dag gewoon vertrokken?'

'De ene dag was ze er nog, de volgende dag was ze verdwenen,' zei Duchesne. 'De laatste keer dat ik haar zag, was ze blij. Toen ik terugkwam, was ze weg, waren al haar spullen weg, er lag geen briefje, geen nieuw adres.' Hij fronste zijn wenkbrauwen. 'Eerlijk gezegd was ik verbijsterd.'

'Waarom zou ze je niet in de steek laten?'

'Omdat ik beter voor haar was dan al die anderen. Maar toch...'

'Wat?' vroeg Milo.

'Met meiden weet je het nooit. Hebt u misschien een colaatje voor me?'

'Tuurlijk.'

Moe Reed stond op. Even later was hij weer terug en had Duchesne een blikje frisdrank aan zijn mond.

'Joe Otto, waarom denk jíj dat Sheralyn bij je weg is gegaan?'

'Dat heb ik mezelf ook al die tijd afgevraagd, inspecteur. Misschien had het iets met haar kind te maken, haar moeder.

Maar daar had ik geen nummers van, dus kon ik het niet vragen.'

'Misschien had ze een betere klus gevonden.'

Duchesne klapte zijn mond dicht.

'Is dat mogelijk, Joe Otto?'

'Zoals?'

'Zeg jij het maar.'

'Ik ben een eerlijk man, en zij was gelukkig.'

Milo keek hoe hij zijn cola dronk.

Duchesne zette het blikje neer, liet een boer. 'Ik haalde haar in huis toen niemand haar wilde.'

'Heb je enig idee wie haar iets zou willen aandoen?'

'Er zijn vast een heleboel mensen die haar iets zouden willen aandoen. In deze wereld. Kan ik duidelijker zijn? Helaas niet. Toen ze voor mij werkte, waren er geen problemen.'

'Had ze vaste klanten?'

Langzaam schudde hij het hoofd. 'Dat kost tijd om op te bouwen. Ik moet u eerlijk zeggen dat ze misschien maar... twintig avonden voor me heeft gewerkt.'

'Waar woonde ze in die periode?'

'Bij mij.'

'Waar is dat?'

'Dat verschilt nog wel eens,' zei Duchesne. 'Ik zit niet graag ergens vast.'

'Motels.'

'Onder andere.'

Milo wilde namen van hem horen. Duchesne aarzelde, noemde er toen een paar en vroeg om een nieuw blikje cola. Toen hij dat had leeggedronken, schoof Milo een zestal foto's over tafel. Twee rijen met elk drie kale, blanke mannen. Travis Huck zat onderaan rechts.

'Heeft een van deze lui het gedaan?' vroeg Duchesne.

'Herken je iemand?'

Duchesne bestudeerde de beelden een voor een, gaf ze allemaal tien glazige seconden. Toen schudde hij zijn hoofd. 'Het spijt me.'

'Kun je je herinneren of er kale knikkers op Sheralyns klantenlijstje voorkwamen?'

'Kale knikkers.' Duchesne vond het grappig. 'Nee, het spijt me alweer.'

'Joe Otto,' zei Milo. 'Je mocht haar graag, je hebt haar in huis genomen. En nu heeft iemand haar heel verschrikkelijk toegetakeld.'

'Ik weet het, ik weet het... Ik moet u eerlijk zeggen dat Sheralyns professionele activiteiten altijd in het donker plaatsvonden en ik had andere werkneemsters die tegelijkertijd bezig waren.'

'Je hebt haar klanten nooit gezien.'

'Niet... altijd,' zei Duchesne. 'Als er problemen waren, werd ik opgepiept.' Hij duwde zijn vinger weer tegen zijn borst. 'En die waren er niet.'

Hij wiebelde met zijn linkerbeen. Stopte toen.

Milo zei: 'Joe Otto, er zit je iets dwars. Heeft het soms iets te maken met een kale man?'

Duchesne keek verschrikt. 'Bent u helderziend of zo?'

'Ik weet het wanneer iemand over iets inzit.'

'Waarom zou ik ergens over inzitten?'

'Omdat Sheralyn iets voor je betekende, en je weet dat ze je niet zomaar in de steek zou laten. Met andere woorden: iemand moet haar hebben meegenomen, en misschien is dat dezelfde persoon als degene die haar als oud vuil heeft gedumpt.'

Duchesnes stakerige vingers knepen in het lege blikje, probeerden het fijn te knijpen, maar kregen niet meer dan een deukje voor elkaar. Hij zette het blikje opzij, frunnikte weer wat aan de plek waar zijn tand had gezeten.

'Joe Otto?'

'Er was een man. Maar niet bij Sheralyn, vóór Sheralyn.'

'Een ander meisje.'

Hij knikte. 'Ik werd opgepiept omdat hij raar deed. Zoals u al zei, een kale knikker. Ze was helemaal buiten adem en zei dat ik naar een skinhead moest uitkijken. Tegen de tijd dat ik bij haar kamer was, was hij verdwenen.'

'Was ze gewond?'

'Een blauwe plek. Ze was een stevige meid, kon voor zichzelf zorgen.'

'Wat was er zo raar aan die man, Joe Otto?'

'Hij wilde haar vastbinden. Gebeurt wel vaker, gewoon nee zeggen. Toen ze nee zei, haalde hij een mes tevoorschijn. Niet een gewoon mes, maar iets medisch. Zo noemde zíj het.'
'Een scalpel.'
'Hij probeerde haar bang te maken door te laten zien hoe hij door papier heen sneed.' Hij maakte een opwaarts gebaar.
'Ze had een blauwe plek, maar geen snijwond?' vroeg Milo.
'Goddank,' zei Duchesne. 'Ze kreeg een naar gevoel bij hem en rende de kamer uit. Hij ging haar achterna, wilde haar pakken. Hij heeft haar met zijn hand geslagen, goddank niet met het mes. Hij heeft haar hier geraakt.' Hij wreef over zijn slaap. 'Met zijn knokkels, je kon de afdruk zien, de volgende dag was het helemaal dik. Een grote donkerblauwe plek. Zelfs op háár huid kon je het zien.'
'Een donker meisje,' zei Milo.
'Een beeldschone, zwarte meid.'
'Naam?'
'We noemden haar Big Laura.'
'Op haar rijbewijs stond...'
'Dat weet ik niet,' zei Duchesne. 'Big Laura was genoeg.'
'Lang.'
'En fors. Twee ton plezier.'
'Waar kan ik haar vinden?'
Een lange stilte. 'Dat weet ik niet, inspecteur.'
'Weer zo'n eendagsvlieg, Joe Otto?'
Duchesne duwde zijn handpalmen vroom tegen elkaar. 'Deze mensen hebben veranderlijke levens.'
Milo ondervroeg hem nog een derde blikje cola en drie chocoladerepen lang, en vroeg hem naar oudere blanke hoertjes. Duchesne zei: 'Niet op mijn loonlijst. Mij gaat het om *soul*. Mag ik nu weg?'
'Ja hoor, bedankt. Hou ons op de hoogte als je iets te weten komt.'
'Geloof me, inspecteur. Dit soort dingen is niet goed voor mijn zaken.'

Moe Reed en ik liepen de lege verhoorkamer binnen.
'Een forse dame die Laura heet,' zei Milo.

Reed zei: Past bij Onbekende Vrouw 2. Opmerkelijk dat twee slachtoffers uit Duchesnes stal kwamen.'

'Vond je hem verdacht?'

Reed dacht hierover na. 'Moeilijk te zeggen. Hij had hier niet hoeven komen, laat staan ons iets vertellen. Tenzij u denkt dat hij zo uitgekookt is, dat hij ons bespeelt.'

Ik zei: 'Misschien merkte iemand dat Duchesne zwak is. Ontdekte wiens meisjes makkelijk konden worden uitgebuit.'

'De ondergeschikte,' zei Milo. 'Klinkt logisch. Ik vermoed dat Duchesne ons heeft verteld wat hij weet. Goed dat je hem hebt gevonden, Moses. Tijd om weer naar de tippelzone te gaan en verder te graven. Ik ga ondertussen op zoek naar de naaste familie van Sheralyn. Met een beetje geluk komt een van ons erachter waarom ze slachtoffer werd. Op zijn minst kunnen we een DNA-monster van haar moeder of haar kind krijgen, om te kijken of het overeenkomt met de botten. Niet dat ik verwacht dat Onbekende Vrouw 1 iemand anders dan zij is.'

'En Big Laura?'

'Ik zal kijken wat die naam oplevert. Onbekende Vrouw 3 is waarschijnlijk het langst dood, en mensen van de straat zijn kort van memorie. Maar misschien dat iemand zich een oudere blanke vrouw herinnert.'

'Als ze uit dat gebied komt, hebben we misschien te maken met een dader die zich geografisch oriënteert,' zei Reed. 'Dan zoekt hij een nieuwe kick en gaat van hoertjes over op Selena. Haar appartement ligt niet ver van het vliegveld. Of van het moeras.'

Ik zei: 'Psychosociaal gezien zit Selena wel in een heel andere klasse. Mogelijk zijn er overgangsslachtoffers.'

'Zoals?' wilde Milo weten.

'Niet prostituees, maar vrouwen uit de onderklasse.'

'Hij klimt omhoog op de sociale ladder.'

Reed zei: 'De hond heeft in het moeras verder niets gevonden, maar we hebben ons tot de oostelijke oever beperkt.'

'Da's een opbeurende gedachte,' zei Milo. 'Voor een gewone dumpplek zouden we zonder problemen bevelschriften kunnen krijgen, een graafmachine kunnen laten aanrukken. Maar hier hebben we te maken met gewijde grond.'

Ik zei: 'Misschien ziet de moordenaar dat ook zo.'

Reed trok zijn bleke wenkbrauwen op toen Milo een sigaartje uit zijn zak haalde. 'Maak je geen zorgen, jongen, ik zal je lucht schoonhouden. En als het gaat om toestemming vragen om andere delen van het moeras om te spitten... laten we eerst maar eens werken met de lijken die we hebben. Tijd voor wat veldwerk.'

Toen we naar de deur liepen, zei Moe Reed: 'Jammer dat Duchesne Huck niet herkende.'

'De sukkel beweert dat hij de klanten alleen ziet als er problemen zijn, en dat geloof ik wel,' zei Milo. 'Maar Big Laura had niets aan hem toen ze problemen met die skinhead had. Wat een zakenplan.'

'Een kale man met een scalpel,' zei Reed. 'Je hebt toch wel meer nodig om een hand af te zagen, dokter?'

'Ja,' zei ik. 'Met een chirurgische zaag zou het kunnen.'

'Welke zaag dan ook, als hij maar scherp genoeg is,' zei Milo. 'Met een Chinees hakmes zou het verdomme nog lukken, als de dader sterk was en een goede coördinatie had.'

Reed zei: 'Misschien is het iemand met een medische achtergrond.'

'Twintig jaar geleden zou ik in die richting hebben gezocht,' zei Milo. 'Maar met het internet kan iedereen tegenwoordig overal aan komen.'

'Vrijheid,' zei Reed.

'Niets is meer waard om voor te leven, jongen, maar het is een lastig concept.' Hij haalde de wikkel van zijn sigaar en stak hem in zijn mond. 'Ik ga hem aansteken, jongen. Je bent gewaarschuwd.'

We liepen samen met Reed naar buiten en staken de straat over naar het parkeerterrein voor medewerkers. Reed had een glimmende zwarte Camaro.

Milo zei: 'Dat is geen rammelkast.'

'Sorry?'

'Wat je broer zei.'

'Hij denkt dat hij alles weet,' zei Reed. Hij stapte in, startte met veel lawaai de motor en reed met piepende banden weg.

13

Milo en ik liepen in zuidelijke richting over Butler Avenue. De kille overheidsarchitectuur maakte plaats voor naoorlogse bungalows en flats, en de lucht werd blauwer, alsof hij met ons meeleefde.

Hij zei: 'Nog nieuwe ideeën over Huck? Of over andere dingen?'

'Er is nu twee keer een kale man gesignaleerd – de man die Luz Ramos bij Selena zag en nu de man met het scalpel, dus hij is wel een logische keus. Maar op dit moment, weet ik niet wat je zou kunnen doen, behalve hem in de gaten houden.'

'Te vroeg om hem voor een babbeltje uit te nodigen?' vroeg hij.

'Gezien de weloverwogen misdrijven zal hij waarschijnlijk direct een advocaat willen. Ik zou munitie willen hebben voordat ik schiet.'

Een halve straat verder zei hij: 'Die Camaro waar Reed net in wegscheurde is geleend of gehuurd. Volgens de Dienst Wegverkeer heeft hij inderdaad een rammelkast. Een vijfdeurs Dodge Colt uit '79 die hij tien jaar geleden tweedehands heeft gekocht. Daarvóór reed hij in een Datsun stationcar uit '73.'

'Achtergrondonderzoek naar je medewerkers?' vroeg ik.

'Stel je voor.' Sinds de arrestatie van een corrupte privédetective en verschillende agenten wegens handel in officiële gegevens, mochten uitsluitend verdachten onderzocht worden.

Ik zei: 'Waarom ben je zo nieuwsgierig naar Reeds auto?'

'Het leek een probleem tussen hem en Fox.'

'Een van de vele.'

'Precies. Ik wil niet dat hun privéproblemen het onderzoek hinderen.' Een halve glimlach. 'Voor zover je van een onderzoek kunt spreken.'

'Wat voor auto heeft Fox?'

'Een gloednieuwe Porsche c4s.'

'De haas en de schildpad,' zei ik.

Hij stak zijn sigaartje op, en blies kringels naar de hemel. Het moest nonchalant lijken, maar zijn rode wangen gaven iets anders aan.

Ik zei: 'Je zit met Fox en Reed in je maag.'

'Ik heb eens rondgevraagd. De vader van Fox was een agent uit het zuidwesten. Een zekere Darius Fox, die dertig jaar geleden tijdens zijn werk is vermoord. Het was voor mijn tijd, maar ik ken de zaak. Iedereen kent de zaak, want hij wordt op de opleiding gebruikt. Als voorbeeld van wat er mis kan gaan.'

Ik vroeg: 'Een melding van huiselijk geweld of een verkeersaanhouding.'

Hij haalde zijn sigaar uit zijn mond. 'Kun je ook theebladeren lezen?'

'De meest logische optie.'

'Een routineaanhouding. Een Cadillac met een kapot achterlicht. Op Thirty-seventh, even ten westen van Hoover. De auto was gestolen, maar dat bleek pas nadat Darius en zijn partner een enorme blunder begingen. In plaats van eerst het kenteken te checken, deed de partner dat, terwijl Darius naar de auto liep om te kijken wie er achter het stuur zat. Dit is ver voor de tijd van mobiele datasystemen, alles ging via de radio, gegevens waren niet gedigitaliseerd, dus dat kostte tijd. Des te meer reden om voorzichtig te zijn.'

'Groentjes?' vroeg ik.

'Integendeel, Darius was al acht jaar in dienst, zijn partner zes jaar en bijna al die tijd als partner van Fox. Misschien was dat een deel van het probleem – waren ze vastgeroest in bepaalde gewoonten, letten ze niet op. Hun dienst zat er bijna op, misschien wilden ze graag naar huis, werden ze slordig. Wat de reden ook was, Darius loopt naar de Cadillac, klopt op het raampje, het raampje gaat omlaag, een wapen wordt naar buiten gestoken en...' Hij bracht zijn handen bij elkaar en klapte drie keer.

Het geluid overviel de rust van de middag. Een oude vrouw die in haar tuintje bezig was keek onze kant op. Bij het zien van Milo's grijns pakte ze haar snoeischaar wat beter vast.

'Direct raak van korte afstand,' zei hij. 'Darius liet een weduwe en een kleintje achter. Aaron was drie. De partner melde dat er een agent was neergeschoten, ging achter zijn portier zitten en begon te schieten. Hij wist de Cadillac van achteren te raken, maar kon niet voorkomen dat de dader wegreed. Hij rende naar Darius toe om hem te helpen, maar die was al dood voordat hij de grond raakte. In de hele stad werd naar de auto gezocht, ziekenhuizen en artsen werden gecontroleerd, voor het geval de partner iemand had geraakt. Noppes, en twee weken later duikt de Cadillac op bij een autokerkhof in de buurt van de havens bij Wilmington. Ramen kapot, zittingen eruit gerukt, bumpers gesloopt, geen vingerafdrukken, niets. Darius kreeg een begrafenis met alle mogelijke eerbetoon en er werd onderzoek gedaan naar de partner die een officiële waarschuwing kreeg en werd gedegradeerd. Kort daarna nam hij ontslag. Ik heb begrepen dat hij een tijdlang in de bouw heeft gezeten, geblesseerd is geraakt, nog vijf jaar een uitkering heeft gekregen en toen aan een leveraandoening is overleden.'

'En door die toestand aan de drank geraakt?'

'Misschien had hij daarvoor al een probleem, ik weet het niet, Alex.' Hij nam een flinke trek van zijn sigaartje en rookte er in één keer een centimeter van op. 'Zeven maanden na de begrafenis van Darius Fox, trouwt de partner met de weduwe in Vegas. Twee maanden daarna wordt een kind geboren.'

Hij liet zijn sigaar vallen en trapte hem uit op het trottoir. Daarna pakte hij de peuk op en nam hem mee. 'Heb je hem al door, slimmerik?'

'De partner was Moe Reeds pappie.'

'Ene John "Jack" Reed. Ze zeggen dat hij erg zijn best deed om een goede vader voor beide jongens te zijn.'

Ik zei: 'En een paar jaar later is hij ook dood.'

'En mammie trouwt nog twee keer. Ze heeft net nummer vier begraven.'

'Over emotionele bagage gesproken.'

'Een karrenvracht, *amigo*. Nu maar hopen dat wij er niet door worden overreden.'

Toen we op zijn kamer arriveerden, waren er zes nieuwe tips

binnengekomen, en Milo begon direct met terugbellen. Bij het vijfde telefoontje schoot hij overeind.

Hij zei: 'Dat is geweldig, mevrouw, heel fijn dat u de tijd wilde nemen om me te woord te staan. Misschien wilt u nu zo vriendelijk zijn om me uw...'

Kiestoon.

Hij hield de hoorn op armslengte. 'Het is mijn adem, zeker.'

Hij belde opnieuw, maar er werd niet opgenomen. Hij probeerde het nogmaals, met hetzelfde resultaat.'

'Iemand die wat te melden had,' zei ik.

'Iemand die weigert te zeggen wie ze is, maar wilde laten weten dat een van de Onbekende Vrouwen in het moeras mogelijk een zekere Lurlene Chenoweth, alias Big Laura, is.'

Hij traceerde het telefoonnummer van de beller, maar kwam uit op een prepaid mobieltje.

Ik zei: 'Een tipgeefster met een prepaid is misschien een hoertje dat in die buurt werkt. Nieuws verspreidt zich snel, de meisjes weten dat Duchesne hier is geweest en beseffen waar het over gaat.'

Milo typte de naam Lurlene Chenoweth in en kreeg een stuurs, rond, bruin gezicht te zien dat werd omhuld door een wilde bos oranje haar. Drieëndertig jaar, een meter vijfenzeventig, honderdtweeëntwintig kilo, geen littekens of tatoeages. Viermaal gearresteerd voor prostitutie, eenmaal wegens bezit van cocaïne, tweemaal wegens openbare dronkenschap en driemaal wegens mishandeling, allemaal ruzies in cafés waar ze met een boete van af was gekomen.

Milo zei: 'Groot en strijdlustig.'

'Ze wist aan het mes van die skinhead te ontkomen omdat ze snel naar de deur rende. Misschien had ze al snel door dat er iets niet in de haak was en was ze op haar hoede.'

'Een duidelijke gek? Jammer dat hij haar later toch heeft gevonden.' Met een zwaai legde hij zijn benen op het bureau, maakte de veters van zijn laarzen los en wiebelde met zijn tenen. 'Twee meisjes van Duchesne zijn dood. Stel dat dit niet meer is dan een ordinaire ruzie tussen twee pooiers en dat Skinhead is ingehuurd om het probleem op te lossen?'

'Als dat het was, waarom doet Duchesne dan nog steeds zaken?' vroeg ik. 'Hij is niet bepaald een sterke persoonlijkheid. En hoe past Selena in dat plaatje?'

'Drie straatmeisjes en een pianolerares. Daar heb je gelijk in.'

'Een pianolerares die bij swingerfeesten speelde.'

'Zoals je al zei, zijn rijken altijd op zoek naar iets nieuws.'

'Rijkelui met geheimen zou kunnen verklaren waarom ze Travis Huck in dienst namen.'

'Zou hij ook in dat wereldje thuishoren?'

'Of hij is gewoon iemand met een verleden.'

'Een gekwelde ziel die eindelijk een echte baan vindt... met uitzicht op de oceaan. Ja, zoiets zou wel aanzetten tot loyaliteit. "Manager van een landgoed" is rijkeluispraat voor loopjongen, of niet? Huck is niet meer dan een pooier die op pad gestuurd wordt om de buit binnen te halen.'

Ik zei: 'Bloemen, de catering, het slachtoffer van de avond.'

Zijn lach was kil. 'Joe Otto heeft geen idee hoe onbeduidend hij is.'

Big Laura's moeder woonde in een fraai onderhouden huis in het Crenshaw District. Beatrix Chenoweth was lang, net als haar dochter, en mager als een hark.

Ze droeg een mintgroene blouse, een wijde, zwarte broek en ballerina's. Haar woonkamer was Delfts blauw met witte accenten, bloemetjesbanken, eenvoudige stoelen en aan de wand hingen posters van impressionistische meesterwerken. Haar reactie op onze aanwezigheid was gelaten. 'Ik wist het.'

'Mevrouw, we weten het nog niet zeker...'

'Ik weet het zeker, inspecteur. Hoeveel meisjes zijn er met dat postuur? Die zo'n weg zijn ingeslagen?'

Milo gaf geen antwoord.

Beatrix Chenoweth zei: 'Ik heb vier dochters. Twee zijn onderwijzeres net als ik en de jongste is stewardess voor Southwest. Lurlene was de derde. Ze heeft me elk beetje kracht gekost.'

'Mevrouw,' zei Milo, 'ik ben niet hier om u met zekerheid te zeggen dat Lurlene iets is overkomen en ik hoop echt dat dat ook niet het geval is. Maar als u het niet erg vindt, zou ik graag een DNA-monster van u willen zodat we kunnen...'

'O, reken maar dat haar iets is overkomen, inspecteur. Ik ben een jaar lang bang geweest voor dit moment. Zo lang heb ik al niets van Lurlene gehoord. En wat er ook gebeurde, ze belde altijd. Altijd. Het begon dan als een gewoon gesprek. "Hoe gaat het met je, mama?" Maar tegen het einde was het altijd hetzelfde. Dan bleek dat ze geld nodig had. Geld was de reden dat ze juist die kant op was gegaan. Maar het kóstte alleen maar geld.'

Haar stem was omhooggeschoten, maar haar gezicht bleef onbewogen. 'Het begon op de middelbare school, inspecteur. Iemand gaf haar amfetamine om af te vallen. Dat werkte niet, ze is er nooit een gram mee afgevallen, maar ze raakte wel verslaafd en dat was het begin van het einde.'

'Heel akelig, mevrouw.'

'Lurlene was de enige van mijn kinderen die dik was. Ze leek op haar vader. De andere meisjes hebben nooit last van overgewicht gehad. Mijn tweede is zelfs fotomodel geweest.'

Ik zei: 'Dat moet moeilijk zijn geweest voor Lurlene.'

Ze liet haar hoofd zakken, alsof het plotseling te zwaar was. 'Alles was moeilijk voor Lurlene. Ze was de slimste van de vier, maar haar gewicht heeft haar leven verpest. Altijd gepest worden...'

Ze begon stilletjes te huilen. Milo grabbelde naar zijn voorraad zakdoekjes en gaf er haar een.

'Dank u... Ik besefte pas later wat een last het voor haar moest zijn. Al die ruzies over hoeveel boter ze op haar boterhammen smeerde... Ze woog tien pond toen ze werd geboren. De andere kwamen niet boven de zevenenhalf uit.'

Milo zei: 'Ze begon met amfetamine.'

'Begon, ja,' zei Beatrix Chenoweth. 'Ik weet niet wat ze verder nog heeft gedaan, dat weet u waarschijnlijk beter dan ik.'

Milo gaf geen antwoord.

'Ik wil het weten, inspecteur.'

'Uit de arrestaties valt af te leiden dat ze een probleem had met cocaïne en alcohol, mevrouw.'

'Alcohol. Ja, dat wist ik. Ze is een keer gearresteerd wegens openbare dronkenschap.'

Twee keer, maar Milo corrigeerde haar niet. 'Nam ze contact met u op na haar arrestatie?'

'U bedoelt of ik haar borgtocht heb betaald? Nee, ze vertelde het me naderhand.'

'Iemand anders betaalde haar borgtocht.'

'Ze zei dat ze het zelf had gedaan, inspecteur. Daar ging het hele telefoontje om. Opscheppen. Ik vroeg hoe ze aan het geld kwam en toen moest ze lachen en vervolgens kregen we... ruzie. Ik wist ook eigenlijk wel hoe ze aan haar geld kwam, maar ik deed liever alsof ik het niet wist.'

Ze schraapte haar keel.

Milo zei: 'Zal ik even een glaasje water voor u pakken, mevrouw?'

'Nee, dank u.' Ze legde haar hand even tegen haar hals. 'Het is geen dorst die hier vastzit.'

'Mevrouw Chenoweth, wat kunt u ons vertellen over Lurlenes vrienden?'

'Niets,' zei Beatrix Chenoweth. 'Ze liet niets los over haar privéleven en zoals ik al zei, ik wilde het niet weten. Klinkt dat erg ongevoelig, inspecteur?'

'Natuurlijk niet.'

'Dat was het ook niet. Het was... een aanpassing. Ik heb drie andere dochters en vijf kleinkinderen die mijn aandacht nodig hebben. Ik kan niet... Ik kon niet...' Ze liet haar hoofd weer zakken. 'Elke hulpverlener die we spraken, zei dat Lurlene de gevolgen van haar daden zou moeten aanvaarden.'

Ik vroeg: 'Hebt u veel hulpverleners gesproken?'

'O, ja. Eerst van school. Daarna gingen we naar een kliniek die ons ziekenfonds had aanbevolen. Een aardige Indiase man, dokter Singh. Hij zei precies hetzelfde. Lurlene moest willen veranderen. Hij stelde voor dat Horace en ik ook een aantal sessies zouden bijwonen om te leren hoe we met de situatie moesten omgaan. Dat hebben we gedaan. Het was erg nuttig. Toen overleed hij. Horace, bedoel ik. Een herseninfarct. Een maand later, toen ik dokter Singh wilde bellen, bleek dat hij terug was naar India.' Ze fronste haar wenkbrauwen. 'Kennelijk was hij alleen maar een coassistent.'

Milo zei: 'Hebt u enig idee met wie Lurlene omging?'

'Niet sinds ze die weg insloeg.'

'Hoe oud was ze toen ze...'

'Zestien. Ze ging van school af, liep weg, belde alleen als ze geld nodig had... Ze was een vechter, inspecteur. Je zou toch denken dat ze tegen de drugs had kunnen vechten.'

'Dat kan heel moeilijk zijn.'

'Ik weet het, ik weet het.' Beatrix Chenoweths lange knokige vingers plukten aan de stof van haar zwarte broek. 'Als ik vechter zeg, dan bedoel ik dat letterlijk, inspecteur. Lurlene verzette zich tegen elke vorm van autoriteit, puur voor de lol. Het was zo erg dat haar vader soms het huis uit vluchtte om af te koelen. Ze heeft haar kleine zusje een keer zo hard geslagen dat Charmaynes hoofd een zwiep kreeg en ze nog dagen pijn had. Het werd op een gegeven moment zo erg – God help me dat ik het zeg – dat we blij waren dat Lurlene niet meer langskwam.'

'Dat begrijp ik best, mevrouw.'

'En nu heeft iemand háár iets aangedaan.' Ze kwam overeind, streek haar broek glad. 'Ik wil nu even alleen zijn en daarna zal ik Lurlenes zussen bellen en dan moeten zij maar bedenken wat ze hun kinderen vertellen. Dat is hun verantwoordelijkheid, ik wil alleen genieten van mijn kleinkinderen... Wilt u uzelf uitlaten, alstublieft?'

14

'Daarmee kunnen we Duchesne dus van tafel vegen,' zei Moe Reed, terwijl we wachtten tot de vrouw terugkwam van het toilet.

Hij en Milo zaten op een oranje kunststof bankje in een kip- en pannenkoekenrestaurant aan Aviation in de buurt van Century. Het rook in het restaurant naar verbrande veren en heet vet. Het geraas van jumbojets deed de ruimte geregeld trillen en vale ruiten rinkelden, er dreigden asbestdeeltjes van het korrelige plafond te vallen.

Er stonden drie koffiekopjes voor ons, onaangeroerde bruine oppervlaktes met een vettige regenboogkleurige laag. De vrouw had extra zoete, extra krokante kippenpootjes en vleugeltjes besteld, een dubbele portie kaneelwafels en een jumboformaat sinas. Ze had een bord kip op, had een tweede besteld en de meeste korstjes opgegeten voordat ze een 'damespauze' nodig had.

Haar naam was Sondra Cindy Jackson en ze noemde zichzelf Sin. Een drieëntwintigjarige zwarte vrouw met een mooi gezicht, een gekwetste blik in haar ogen en enorme blauwe klauwachtige nagels, voor de helft bezet met nepdiamantjes. Haar tanden stonden recht, en ze had een gouden hoektand. En een onmogelijk ingewikkeld kapsel van vlechtjes.

Ze was de achttiende prostituee die Moe Reed de afgelopen twee dagen had gesproken in de tippelzone bij het vliegveld, en de eerste die zeker wist dat ze de identiteit van Onbekende Vrouw 3 kende.

Het postuur van een danseres en een verbluffende eetlust. Tot nu toe had ze geflirt, gegeten als een dokwerker en verlegen gedaan.

Reed was ongedurig. Milo straalde een boeddhistische kalmte uit.

In diezelfde achtenveertig uur had hij geworsteld met een aanhoudende stroom waardeloze tips, zonder meer te weten te komen over Big Laura Chenoweth en zonder Sheralyn Dawkins' familie ergens in San Diego, Orange County of L.A. County te vinden. Dat soort pret put zijn geduld vaak uit, maar soms werkt het juist omgekeerd.

Reed keek naar het damestoilet. Sin kon het toilet niet verlaten zonder ons tafeltje te passeren.

'Als ze terugkomt, ga ik haar de duimschroeven aandraaien.'

Milo zei: 'Best, of je kunt haar nog even haar gang laten gaan.'

De jonge rechercheur had zijn jasje en stropdas verruild voor een grijs poloshirt met een brede rode streep, een frisse blauwe spijkerbroek en smetteloos witte Nikes. Zijn blik stond helder, zijn rode gezicht was gladgeschoren. Zijn borstspieren en enorme schouders deden het shirt opbollen.

Het was bedoeld om niet op te vallen, maar hij had net zo goed een uniform kunnen aantrekken.

Sondra Cindy Jackson had direct geweten dat hij een agent was. Zestig dollar en een maaltijd hadden haar ertoe aangezet in de Camaro te stappen.

Milo zei: 'Zorg wel dat je onkosten vergoed worden.'

Reed zei: 'Uiteindelijk.'

'Daar ben ik weer!' galmde Sin vrolijk.

In haar rozefluwelen beha en wit kanten korte broekje kwam haar huidskleur goed uit. Een slank meisje op de tot karikaturale proporties opgeblazen borsten na. Kennelijk had ze er op de een of andere manier het geld voor bij elkaar weten te krijgen.

'Welkom terug,' zei Milo. '*Bon appétit.*'

Ze grijnsde, toonde haar glimmende gouden tand, ging op het bankje zitten en viel aan op haar tweede bord kip.

Vier happen later zei ze: 'Wat zijn jullie stil.'

'We wachten op jou,' zei Reed.

'Waarvoor?' Ze liet haar wimpers op en neer gaan.

Reed knipperde met zijn ogen.

Milo zei: 'Om te beginnen.'

'Waarmee... O, ja. Mantooth.'

'Mantooth?' vroeg Reed.

'Zo heet ze, rechercheur Reed.'

'Mantooth.'

'Ja.'

Reed sloeg zijn notitieboekje open. 'Is dat haar voornaam?'

'Achternaam,' zei Sin. 'Dolores Mantooth, maar we zeiden gewoon Mantooth, want dat paste wel bij haar.' Vette knipoog.

Reed staarde haar aan.

'Tanden. Mond. Als in dat nummer?' zei Sin. '*We chewin' on it...* Wat? Luisteren jullie nooit naar blues?'

Milo zei: 'Dat nummer hebben we zeker gemist.'

'*We chewin' on it all day long.*'

Ik zei: 'Bonnie Raitt.'

'Ja,' zei Sin. 'Lekker nummer. Zo was Mantooth. Die had een lekker bekkie.'

Reed vroeg: 'Wat bedoel je met...'

Sin zei: 'Hè?'

'Wie was haar pooier?' vroeg Milo.

'Jerome.'

'Jerome wie?'

'Jerome Jerome,' zei Sin. 'Dat is geen geintje, dezelfde voornaam als achternaam. Ik zal niet zeggen dat z'n moeder hem die naam heeft gegeven, maar zo werd hij genoemd. Jerome Jerome. Hem hoef je niet op te zoeken. Dood.'

'Hoe is hij overleden?'

'Overdosis.' Ze pakte een kippenvleugeltje bevallig tussen twee vingers en kloof het verwoed af tot op het bot.

'Wanneer?' wilde Reed weten.

Ze haalde haar schouders op. 'Ik heb gehoord dat hij dood is.'

'Door een overdosis.'

'Wat anders?'

'Je bent ervan uitgegaan dat het een overdosis is geweest.'

Sin keek hem meewarig aan. 'Rechercheur Reed, rechercheur Reed. Jerome snoof de hele dag, en toen was hij dood. Klinkt dat als ouderdom?'

Milo zei: 'Dolores heeft nooit voor Joe Otto Duchesne gewerkt?'

'Echt niet. Joe Otto doet zwart.'

'Vertel eens iets over Dolores.'

Sin zwaaide met een kippenbotje. 'Oud. Blank. Lelijk.'

'Wanneer heb je haar voor het laatst gezien?'

'Eh... iets van een jaar geleden?'

'Hoe oud is oud?'

'Honderd,' zei Sin lachend. 'Misschien wel honderdvijftig, ze zag er hartstikke versleten uit.'

Perzikijs verdween tussen haar lippen. Er kwam geen nieuwe informatie voor terug. Reed gaf haar zijn visitekaartje en ze keek ernaar alsof het een exotisch insect was.

Toen ze het restaurant had verlaten, liepen we naar het parkeerterrein en keken hoe ze heupwiegend in zuidelijke richting over Aviation liep. Reeds Camaro had geen computer en dus had Milo zijn nieuwere en volledig uitgeruste vierdeurs Chevrolet van het bureau gehaald.

Geen Dolores of Delores Mantooth in het systeem. Met wat politiescrabble kwamen we uiteindelijk achter haar identiteit. *DeMaura Jean Montouthe.* Blond haar, groene ogen, een meter vijfenzestig, drieënzestig kilo, een geboortedatum van eenenvijftig jaar geleden en een strafblad ter waarde van dertig jaar kleine vergrijpen.

Er stonden geen gebitskenmerken vermeld, maar de politie van Los Angeles was niet geïnteresseerd in dat soort details. Milo belde Zedenzaken en had binnen enkele seconden de naam van haar pooier.

Jerome Lamar McReynolds. Het gerechtelijk lab kon zijn dood, veertien maanden geleden, bevestigen. Een overdosis heroïne en cocaïne, de doodsoorzaak was gebaseerd op naaldsporen en bloedonderzoek, geen sectie.

'Die vent gebruikte speedball,' zei Milo. 'DeMaura freelancete, was kwetsbaar. De slechterik had dat door en sloeg zijn slag.'

'Perfect voor rijke jagers,' zei Reed, en hij masseerde een opzwellende biceps.

'Het geheim is om van de vrouwen een prooi te maken,' zei Milo.

15

Een troosteloze zoektocht van drie dagen.

Milo en Reeds buurtonderzoek langs de tippelzone bij het vliegveld leverde geen andere prostituees op die een met een mes zwaaiende kale klant hadden gehad. Een rechercheur Zedenzaken, Diane Salazar, had DeMaura Montouthe meerdere keren gearresteerd en dacht dat haar familie uit Alabama kwam, maar ze wist het niet zeker. Volgens de belastingdienst kwam er in die staat niemand met die naam voor.

'Je weet niet toevallig wie haar tandarts is, Diane?'

'Tuurlijk, Milo, en haar kapper en privétrainer uiteraard ook.'
'Wat was ze voor iemand?'
'Aardig meisje, niet al te slim, deed nooit moeilijk als we haar oppakten. Jaren geleden was ze best mooi.'
'De enige politiefoto die ik heb gezien is van twee jaar geleden.'
'Ach,' zei Salazar, 'je kent het wel.'

Niemand wist of DeMaura, Sheralyn Dawkins of Big Laura Chenoweth privéfeestjes hadden gedaan.
'Als ze dat gedaan hadden, hadden ze wel opgeschept,' zei een pooier. 'Vooral Big L. Die daagde anderen graag uit. Als je het niet met haar eens was, had ze een reden om naar je uit te halen.'
'Is jou dat wel eens overkomen?' vroeg Reed.
'Wat?'
'Een confrontatie met Big Laura.'
'Welnee. Als me dat was gebeurd, was ze er niet makkelijk afgekomen.'
'Ze is er ook niet makkelijk afgekomen.'
'Het zal wel. Ik moet ervandoor.'
Een hoertje met de naam Charvay, jong, nog elegant, zonder littekens en met het idee dat ze haar hele leven nog voor zich had, streelde haar borsten, lachte en vertolkte de heersende mening. 'Zij? Met rijkelui? Wat voor Westside-feestgangers zouden dát ouwe lijk nou willen?'

Tijdens de rit terug naar het bureau was Milo somber.
Moe Reed reed snel, alsof hij het aanvoelde. 'Misschien heeft de familie Vander er niets mee te maken en draait het allemaal om Huck, de solopsychopaat.'
De surveillance bij de landgoedmanager was gestaakt. Boven op de heuvel aan een doodlopende weg waren beperkte uitkijkpunten op Calle Maritimo. De surveillance op twee straten afstand had niets opgeleverd. Huck ging nooit weg.
Milo besloot met verdere surveillance te wachten tot het donker was en zei tegen Reed dat ze de nachtdienst konden delen.

Reed zei: 'Ik kan het best alleen, inspecteur. Ik wil die vent in de smiezen houden.'

'Als we dat doen, werk ik binnen de kortste keren met een zombie.'

'Nee, echt,' zei Reed. 'Met alle respect.'

'Geloof je niet in nachtrust?'

'Ik heb niet veel nodig. Ik blijf gewoon in beweging, dan ziet niemand me. Ik ga gemakkelijk op in de achtergrond.'

'Hoe komt dat?' vroeg Milo.

'Ik ben een tweede kind.'

Hucks volwassen leven was voor het grootste deel onbekend en één persoon die wat details zou kunnen invullen was Debora Wallenburg, de advocate die hem uit de jeugdgevangenis had gehaald. Maar het had weinig zin dat voor te stellen; door haar beroepsgeheim zou ze niet meewerken.

In het ergste geval zou ze Huck waarschuwen en als hij fout was, zou hij ervandoor gaan.

Aangezien niemand mijn diensten nodig had, nam ik een voogdijzaak aan die niet al te ingewikkeld leek; ik had tijd voor ontspannen wandelingen met Blanche en aangename etentjes met Robin.

Toen belde Emily Green-Bass me vanuit Long Island.

'Ik heb uw nummer van de Organisatie voor Psychologen, dokter. Ik hoop dat u dat niet erg vindt.'

'Helemaal niet. Wat kan ik voor u doen?'

'De reden dat ik u bel en niet inspecteur Sturgis is... Het gaat niet echt over Selena's zaak...' Haar stem sloeg over. 'Niet voor te stellen dat ik dat woord gebruik.'

Ik wachtte.

Ze zei: 'Ik heb inspecteur Sturgis al gesproken en ik weet dat er geen nieuws is. De reden dat ik ú bel... Eigenlijk weet ik niet goed waarom ik u bel. Ik heb geloof ik het gevoel... Het spijt me dat ik uw tijd verdoe, dokter.'

'Dat doet u niet.'

Ze zei: 'Dat zegt u maar... Het spijt me, ik weet niet waar ik mee bezig ben.'

'U hebt iets meegemaakt wat de meeste mensen niet zullen kunnen begrijpen.'

Doodse stilte; toen ze eindelijk sprak, klonk haar stem laag en schor. 'Ik denk dat ik... Wat ik eigenlijk wil... Dokter Delaware, ik blijf maar denken over ons gesprek. Op het bureau. Mijn jongens... U zult ons wel een raar en gestoord gezin vinden. Maar zo zijn we niet echt.'

Ik zei: 'Wat gebeurd is, is volkomen normaal.'

'Werkelijk?'

'Ja.'

'U hebt andere mensen in mijn... situatie meegemaakt.'

'Veel mensen. Er bestaat hier geen plan voor.'

Het was lang stil. 'Dank u. Ik denk dat ik wil dat u ziet dat we eigenlijk heel normaal zijn – gewone mensen – maar nu ik het hardop zeg, klinkt het belachelijk. Waarom zou ik indruk willen maken op u?'

'U probeert weer wat controle over uw eigen leven terug te krijgen.'

'En dat is onmogelijk.'

'Maar toch,' zei ik, 'is het soms goed om het te proberen. Wat ik in uw zoons zag was trouw en liefde. Voor u en Selena.'

Het snikken barstte als een onweersbui los en deed de blikken speaker in de telefoon ratelen. Ik wachtte tot het geluid zachter werd.

Ze zei: 'Ik weet echt niet wat ik anders had kunnen doen. Met Selena, bedoel ik. Misschien als Dan nog had geleefd. Hij was zo'n goeie vader. Hij had een hersentumor. Daar kon hij niets aan doen, hij rookte niet, dronk niet, hij... Het gebeurde gewoon. De doktoren zeiden ook dat die dingen gewoon gebeuren. Ik had het Selena moeten uitleggen. Ze was zo jong, ik dacht...' Ze haalde diep adem. 'Zíj verloor haar vader en ík verloor de liefde van mijn leven. Daarna viel alles in duigen.'

'Ik vind het heel naar dat u dat hebt moeten meemaken.'

Stilte.

'Mevrouw Green-Bass, wat Selena is overkomen heeft niets met haar vader te maken.' Misschien een leugen, maar wat deed het ertoe?

'Wat dan wel?'

'Ook zoiets wat niet te verklaren is.'

'Maar als ze niet naar L.A. was gegaan...' Een schelle lach.

'Als, als, als... Ze wilde niets meer met me te maken hebben.'

Ik zei: 'Kinderen verlaten het ouderlijk huis hoe dan ook. Is het niet letterlijk, dan wel emotioneel.' Beelden van mijn eigen tocht dwars door het land op mijn zestiende flitsten door mijn hoofd.

Lange stukken woestijn en opstelterreinen en hamburgerkraampjes. De schok bij het zien van het silhouet van de stad. Het spannende en angstige vooruitzicht op een nieuw leven.

'Ja,' zei Emily Green-Bass. 'Het zal ook wel nodig zijn, denk ik.'

'Dat is het ook. Mensen die altijd op dezelfde plek blijven, blijven vaak onvolgroeid.'

'Ja, ja... Selena deed precies wat ze wilde. Altijd al. Zo'n eigenzinnig kind. Ze wist precies wat ze wilde en zorgde ervoor dat ze het kreeg. Daarom vind ik het zo moeilijk om te bedenken dat ze... overmeesterd is. Ze was een klein meisje met een grote persoonlijkheid, dokter. Vijftig kilo, maar je vergat nog wel eens dat ze zo... klein was.' Nieuwe tranen. 'Ze was mijn kleine meisje, dokter.'

'Ik vind het heel erg voor u.'

'Dat weet ik... U lijkt me erg aardig. Als u iets te weten komt, wat dan ook, dan laat u het me toch weten, hè?'

'Natuurlijk.'

'Domme vraag,' zei ze. 'Daar schijn ik er nogal veel van te hebben.'

Mijn voogdijzaak zat erop en ik was net mijn rapport aan het schrijven, toen Milo belde.

'Zin in wat haute cuisine?'

Drie uur 's middags. 'Beetje vreemd tijdstip.'

'Noem het een snack. Ik heb over een halfuur met Reed afgesproken, op zijn verzoek.'

'Wat is er aan de hand?'

'Hij had een berichtje ingesproken, geen details. De jongen klonk wel opgewonden.'

'Ik kom,' zei ik. 'Curry en tandoori en de rest?'
'Nee, pizza. De jongen heeft wat variatie nodig. Bovendien kan zijn broer hem daar niet vinden.'

Variatie betekende Pizza Palazzo aan Venice in de buurt van Sawtelle. Picknicktafels en bankjes. Lekker eten buiten de normale tijden om betekende een bijna verlaten ruimte en de geur van muffe kaas. Met als uitzondering een paar vracht-wagenchauffeurs met combinaties die de halve parkeerplaats bezetten. Extra grote pizza's voor extra grote mannen.
De stilte werd alleen doorbroken door het geknipper en ge-pingel van een rij videospelletjes tegen de achterwand. On-gebruikte machines die om aandacht schreeuwden.
Milo en ik kwamen tegelijk aan. De zwarte Camaro stond niet op de parkeerplaats, maar Moe Reed zat er wel. Hij droeg weer een jasje met stropdas en zat er ongemakkelijk bij met een glas limonade in zijn handen.
'Nieuwe auto, jongen?' vroeg Milo.
'Sorry?'
'Ik zie niets glimmend zwarts, geen Chevrolet.'
'O,' zei Reed. 'Dat was een huurauto. Ik heb hem ingeruild.'
'Is je roestbak in de garage?'
Reed werd rood.
Milo zei: 'Ik doe een gok: je hebt auto's gehuurd om je broer te kunnen volgen. Heb je op zijn minst de formulieren inge-vuld zodat je de onkosten vergoed kunt krijgen?'
Reed schudde het hoofd.
'Ben je soms rijk, jongen?'
'Dat soort dingen interesseren me gewoon niet.'
'Tut tut, oom Milo is ontmoedigd. Maar goed, hoe lang volg je hem al?'
'Eh, sinds de dag dat hij zomaar bij ons langskwam. Het werk is niet in het gedrang gekomen, inspecteur, dat zweer ik. Ik heb het in mijn eigen tijd gedaan. Hij verwacht dat ik in een roestbak rijdt, dus dat was niet echt moeilijk, hij heeft de Ca-maro niet eens gezien. Maar ik wilde zeker van mijn zaak zijn, dus heb ik hem gisteren ingeruild.'
'Voor een Ferrari?' vroeg Milo.

'Een donkergrijze Cadillac,' zei Reed. 'Met getinte ramen voor de zekerheid. Huck gaat toch nergens naartoe, dus dacht ik dat ik er misschien achter kon komen wie bereid was geld neer te tellen om de verdenking op hem te schuiven. Al denk ik nog steeds dat hij de meest logische verdachte is. Ik wilde alleen weten wie er wil dat wíj dat denken. Diegene zou ons misschien meer kunnen vertellen.'

Hij zweeg en bestudeerde de tafel. Zat te frunniken als een klein kind dat net een smoesje heeft verteld aan een boze ouder.

'Klinkt logisch,' zei Milo. 'En heb je iets ontdekt?'

'Toevallig wel, ja.'

Reed had gezien dat Fox meerdere zakelijke ontmoetingen had gehad. 'In het Ivy, bij The Grill on the Alley, bij Jean-Paul, typisch zijn stijl.' Het controleren van de kentekens van Fox' tafelgenoten – op zijn zachtst gezegd een twijfelachtige actie – had het antwoord opgeleverd.

'Een nieuwe BMW 3 op naam van Simone Vander, met een adres aan Breakthorne Wood. Dat is in de heuvels, in Beverly Hills. De naam leidt naar een eenendertigjarige blanke vrouw, geen uitstaande bevelschriften, geen strafblad, en de lichaamskenmerken komen overeen met de vrouw met wie ik hem in Geoffrey's Restaurant zag.'

'In Malibu?'

'Ja.'

'Woont in Beverly Hills, maar dineert aan het strand,' zei Milo. 'Wie is ze, een zoveelste ex?'

'Een dochter,' zei Reed. 'Ik heb haar geboorteakte gevonden. Ze is hier geboren in Cedars Sinai, de vader is Simon Vander, de moeder heet Kelly. Ik heb Kelly ook opgezocht. Een vijf jaar oude Volvo aan een adres in Sherman Oaks. Een flatgebouw.'

'Pappie en zijn tweede vrouw leven erop los, de eerste vrouw krijgt een flatje.'

Reed zei: 'Maar de dochter, Simone, heeft een leuk optrekje. Beschermd, afgelegen, in een bosrijke omgeving.'

'Je bent er langs geweest.'

'Vanmorgen.'

'Simon en Simone,' zei Milo. 'Schattig. Wat is dat, Alex? Emotionele vereenzelviging?'

Ik zei: 'Nog een paar van dat soort antwoorden en je wint een bankstel.'

Milo wendde zich weer tot Reed. 'Wat voor pizza wil je? Ik zie een xxxl-special voor me met worst, ansjovis, gehaktballen en een elandenkop.'

Reed keek ontzet. 'Heb ik mijn tijd verspild?'

'Absoluut niet, maar eerst gaan we eten. Zeg het maar, rechercheur Reed.'

'Eh, gewoon met kaas. Een paar punten.'

'Leef je uit, jongen. Ik neem een medium met worst, extra knoflook en extra chilipeper. Bestel jij maar en loop gelijk even naar de kauwgomautomaat voor een pakje Spearmint zonder suiker. Ik wil het mevrouw Simone niet onaangenaam maken.'

16

Reed liet zijn Cadillac bij de pizzatent staan en we stapten in Milo's ongemarkeerde auto.

Breakthorne Wood was een steile, slordig bestrate weg ten noorden van Benedict Canyon. De weg had de bochten en de breedte van een oud ruiterpad, en rook ook zo. Ik voelde me thuis.

Een ding dat Simone Vander en haar vader gemeen hadden was een voorliefde voor doodlopende straten. Voor het huis stond een eenvoudig ijzeren hek met bakstenen pilaren aan weerszijden. Door de spijlen was te zien dat de cottage van hetzelfde metselwerk was en dakspanen had. Waar niet was gemetseld zaten donker gebeitste vurenhouten planken tegen het huis bevestigd. Facet geslepen ramen, een handgesneden eikenhouten deur en een windwijzer in de vorm van een heksenbezem straalden een sfeer uit van neorustieke schattigheid. Een vuurrode 335i cabrio stond op de betegelde binnenplaats. Er lagen dennennaalden op de auto en op de grond. Grote aleppodennen wierpen schaduwen op het terrein, plaatsten het grootste deel van het dak in het donker. Door de takken heen waren de heuvels zichtbaar als een lappendeken van feller groen en beige.

Reed was de hele weg zenuwachtig geweest. Hij had de surveillance van zijn broer voortdurend zitten verantwoorden, ook al had Milo hem daar niet naar gevraagd.

'Misschien is het niets, maar we kunnen op zijn minst proberen uit te zoeken wat ze over Huck weet.'

'Misschien heeft ze in het huis gewoond. Of komt ze er wel eens. Zelfs als ze niet naar buiten komt en iets vertelt over Huck of feesten of wat dan ook, dan krijgen we misschien toch een idee of daar vreemde dingen gebeurd zijn.'

'Op zijn minst kunnen we ontdekken of er iets te ontdekken valt en dan hoeven we in elk geval niet duimen te draaien. Niet dat ik zeg dat Huck niet iets verdachts heeft, dat denk ik nog steeds. Waarom zou ze anders betalen om roddels over hem op te graven?'

Nu hij bij de bel van Simone Vander stond, duwde de jonge rechercheur zijn handen in zijn zakken en kauwde op de binnenkant van zijn wang.

'Ga je gang, laat maar eens zien,' zei Milo, en hij stak een vinger in de lucht.

'Moet ik me nog ergens speciaal op richten?' vroeg Reed.

'Ga op je gevoel af,' zei Milo.

Reed fronste zijn wenkbrauwen.

'Het is een beloning, Moses, geen straf.'

Reed drukte op de bel.

Milo zei: 'Als je een goed cijfer haalt, mag je een stukje rijden. Maar alleen op de oprit.'

Een jonge vrouwenstem zei: 'Ja?' Een andere vrouwenstem zong zoetjes op de achtergrond.

'Mevrouw Vander? Rechercheur Reed, politie Los Angeles.'

'Is er iets aan de hand?'

'We zouden u graag een paar minuten willen spreken, mevrouw. Het gaat om Travis Huck.'

'O.' De muziek stierf weg. 'Goed, een ogenblikje.'

Enkele minuten gingen voorbij voordat de deur openging. De vrouw in de deuropening was middelgroot, bleek en graatmager en had lange benen en een jongenskopje onder een bos lang zwart haar. Ze droeg een roze-met-wit gestreept topje met een boothals, een witte kniebroek met strikjes op de knieën en roze sandaaltjes met naaldhakken. Grote gouden ringen die we vanaf de andere kant van de binnenplaats konden zien glinsteren in het zonlicht.

Ze bestudeerde ons. Zwaaide.

Moe Reed zwaaide terug. Met een druk op een knop deed ze het hek open.

'Ik ben Simone. Wat is er aan de hand?' Een zachte, melodieuze en vibrerende stem waardoor elk woord aarzelend klonk.

Ze was zo iemand die er van dichtbij beter uitzag. Een porseleinen huid, grijsblauwe haarvaatjes bij de slapen, fijne gelaatstrekken en een sierlijke houding. Ze had ronde, bruine ogen met enorme irissen. De grote pupillen verraadden haar nieuwsgierigheid. Haar wenkbrauwen waren kunstzinnig geplukt.

De afstandsbediening lag in een ivoren hand. Ze glimlachte en zag er direct jonger uit.

Moe Reed stelde zichzelf voor, introduceerde Milo en daarna mij. Hij liet mijn titel weg. Zinloos om de zaken nodeloos ingewikkeld te maken.

Simone Vander zei: 'Wat een boel mensen. Dit is zeker wel belangrijk.'

Voordat Reed kon reageren, klonk er achter ons een brullende motor.

Een zilverkleurige Porsche cabrio stond voor het hek. Het dak was omlaag waardoor de terracottakleurige bekleding zichtbaar werd. Aaron Fox zat achter het stuur met een zonnebril met spiegelglas op, een beige linnen jasje aan en een zwart overhemd.

'O fijn,' zei Simone Vander, terwijl ze op het knopje drukte om hem binnen te laten.

Fox stapte uit en knoopte zijn jasje dicht. Een linnen broek van volmaakte snit maakte het kostuum af. Lage, zwarte slangenleren instappers met daarboven gebruinde schenen.

'Privédetective Fox,' zei Milo.

'Inspecteur Sturgis. Ik was in de buurt dus ik dacht, ik kom even langs.'

Hij liep op Simone Vander af, maar Moe Reed sneed hem de pas af.

Fox zei: 'Pardon?'

'Geen goed moment.'

Simone zei: 'Ik heb Aaron gebeld. Direct nadat jullie hadden aangebeld. Jeetje, jij bent snel.'

Milo zei: 'Waarom hebt u hem gebeld, mevrouw?'

'Ik weet het niet... Ik vond dat hij erbij moest zijn. Hij is degene die alles van Travis weet.'

Reed draaide zich half om. Naast zijn gespierde massa zag zij eruit als een bosje gedroogde takjes. 'U hebt hem betaald om alles over hem te weten te komen.'

Simone Vander reageerde niet.

Aaron Fox zei: 'Mevrouw Vander heeft het volste recht om mij in te huren om legale activiteiten uit te voeren. En zoals je zo-even zei: alles wat ze over meneer Huck weet, heeft ze van mij. Dus als wij nu gewoon eens...'

'Wij doen wat we moeten doen,' zei Reed, en hij rechtte zijn schouders om zich groter te maken. Hij was nu breder dan Fox, maar een paar centimeter kleiner. Fox stond rechtop om het verschil te accentueren.

Simone Vander staarde ze aan.

Een gevecht om de macht.

Onbeslist.

Milo zei: 'Aaron, we hebben begrip voor je loyaliteit jegens je cliënt...'

Reed zei: 'Om nog maar te zwijgen van de uren die je kunt declareren...'

'... maar we moeten haar nu even alleen spreken.'

Fox' gladde, bruine gezicht verried geen enkele emotie.

Reed zei: 'Alléén, meneer Fox.'

Fox' grijns was te breed en verscheen te plotseling om vrolijkheid te suggereren. Hij trok aan zijn linnen revers en haalde zijn schouders op. 'Ik blijf in de buurt, Simone. Bel me als jullie klaar zijn.'

'Goed, dank je wel.'
Met nog altijd een glimlach rond zijn mond gaf hij Reed een klap op zijn schouder die hard genoeg was om te echoën. Reed balde zijn gespierde hand.
'Altijd leuk je te zien, broertje.'
Hij stapte weer in zijn Porsche, gaf gas, schakelde. Stak zijn hoofd om de voorruit, stak zijn duim op en keek Reed aan.
'Leuk gedaan, die Cadillac.'

Simone Vanders woonkamer was vrolijk en gezellig en overvol met stoelen van chintz, eikenhouten meubeltjes die mogelijk oud waren, afdrukken van bloemrijke taferelen ingelijst in verweerde witte lijsten. Naast de deur naar een felrood betegelde keuken stond een kast vol met Japanse poppen. Onder onze voeten lag een lavendel-met-crèmekleurig Aubussontapijt. Uit een stereo-installatie van Bang & Olufsen klonk Tori Amos, die iets zong over een zwarte duif.
Een Chinese kamferhouten kist diende als salontafel. Er stonden drie verzilverde fotolijstjes op met bloemen en kaarsen eromheen.
Twee foto's waren van Simone Vander: schrijlings op een prachtig bruin paard gezeten en een close-up waarin ze een koffiekopje in haar hand had met op de achtergrond de oceaan. De grootste foto in het midden was een staatsieportret: een lange, gebogen man van in de zestig, met een baard en dun grijs haar dat onhandig over zijn hoofd was gekamd; een kleine mooie Aziatische vrouw, zeker twintig jaar jonger, en een jongetje van een jaar of acht met amandelvormige ogen die hun beider handen vasthield. De jongen en de man droegen een smoking, de vrouw droeg een lange, rode japon. De volwassenen glimlachten. De mond van de jongen stond strak en gespannen.
Simone Vander legde haar kunstnagel even tegen het lijstje en glimlachte. 'Dat is mijn broertje, Kelvin. Een genie.'
Ze zette de muziek uit, terwijl Milo, Reed en ik op de grootste bank gingen zitten. Door ons gezamenlijke gewicht zakten de donzen kussens zeker dertig centimeter in. Simone Vander vroeg of we iets wilden drinken en toen we dit afsloegen,

ging ze in een stoel zitten en sloeg ze haar benen over elkaar. Het was een hoge stoel en we moesten opkijken om oogcontact te maken.

Ze frunnikte aan een mouw. Een roze sandaal bungelde aan haar voet. 'Het spijt me,' zei ze. 'Dat ik Aaron heb gebeld. Maar hij is zo behulpzaam geweest.'

'Met uw onderzoek naar Travis Huck,' zei Reed.

'Ja.' Ze duwde haar dikke zwarte haar achter een plat, sierlijk oor. Weer een netwerk van blauwe adertjes waar kaak en oorlel in elkaar overgingen, waardoor haar huid bijna doorschijnend leek.

Ze sloeg haar armen om zich heen. 'Jullie willen zeker weten waarom ik hem heb ingehuurd.'

Reed antwoordde: 'Ja, mevrouw.'

'Aaron was me aanbevolen,' zei ze. Ze zocht in onze gezichten naar een bevestiging of een punt van discussie.

'Wie had hem u aanbevolen?'

'Iemand die met mijn vader heeft samengewerkt, in wat onroerendgoedzaken, zei dat hij de beste was. Ik was er niet van overtuigd, de hele kwestie voelde merkwaardig. Een privédetective inhuren, bedoel ik. Maar ik vond dat ik gewoon niet anders kon, toen ik het nieuws over Selena hoorde.'

'U kende Selena,' zei Reed.

'Ze was de pianolerares van mijn broertje. Soms was ze er als ik er ook was en dan praatten we wel eens. Ze leek me heel aardig. Ik vond het zo erg toen ik hoorde wat er was gebeurd.'

Reed zei: 'Waar sprak u over?'

Simone glimlachte. 'Gewone dingen. Ze leek me heel lief. Kelvin, mijn broertje, mocht haar erg graag. Hij heeft al een boel leraren versleten, strenge, saaie leraren aan conservatoria. Ze waren heel streng en Kelvin had er geen zin meer in. Hij speelt al sinds zijn derde, had genoeg van zes uur oefenen per dag. Dat je een genie bent betekent nog niet dat je een slaaf moet zijn, vindt u niet? Hij had ook zijn buik vol van klassieke muziek, wilde zijn eigen muziek schrijven. Papa en Nadine, Kelvins moeder, vonden dat prima. Ze zijn niet zoals andere ouders in zo'n situatie.'

'Wat voor situatie?'

'Een kind hebben dat een genie is. Een wonderkind,' zei Simone Vander. 'Van wat ik gezien heb, was Selena perfect voor Kelvin. Ze vertelde dat zij hetzelfde had meegemaakt. Een groot talent had en dat iedereen verwachtte dat ze altijd maar oefende.' Ze fronste haar wenkbrauwen. 'Afschuwelijk. Kelvin zal vreselijk overstuur zijn.'

Reed wierp een blik op Milo.

Milo zei: 'U vond Selena aardig.'

'Ze was ook aardig.' Een hand tegen haar wang liet een lichtroze afdruk achter. 'Zoals ik erachter kwam, afschuwelijk. Ik wilde net uitgaan toen ik het op het nieuws zag. Ik luisterde maar half, weet u wel? Ik hoorde Selena's naam wel, maar dacht, dat moet een vergissing zijn. Dus wilde ik het opzoeken op een website van een van de tv-stations, maar daar stond niets en ik liet het zitten. Maar de volgende ochtend stond het er. Ik kon het niet geloven.'

Moe Reed zei: 'Waarom verdenkt u meneer Huck?'

'Ik kan niet echt zeggen dat ik hem verdenk. Zo duidelijk is het niet. Maar... Het eerste wat ik deed toen ik het hoorde, toen ik hoorde wat er met Selena was gebeurd, was mijn vader bellen. Zijn gewone mobiel deed het niet, dus heb ik hem op zijn internationale telefoon gebeld want hij was in Hongkong. Hij zat in een vergadering, maar ik heb het hem toch verteld. Hij was verbijsterd, zei dat hij het Nadine en Kelvin zou zeggen als hij ze aan de telefoon had.'

'Zijn ze niet bij hem?'

'Nee, ze zijn op bezoek bij Nadines familie in Taiwan. Papa is op zoek naar onroerend goed in Hongkong.'

Moe Reed zei: 'Over Huck...'

'Ja. Ik zeg niet dat ik hem verdenk, maar hij heeft me altijd een... naar gevoel gegeven.' Stilte. 'En toevallig weet ik dat hij Selena wel zag zitten.'

'Hoe bedoelt u, mevrouw?'

'Zo hoeft u me niet te noemen,' zei Simone Vander. 'Mevrouw.'

'Meneer Huck zag Selena wel zitten...'

'Uiterlijk. Niet dat ik hem ooit openlijk iets heb zien doen of zeggen, maar zoiets weet je als meisje.' Ze glimlachte even. 'Ik vind tenminste dat ik wel erg opmerkzaam ben.'

'Wat deed hij?'

'Naar haar kijken,' zei Simone. 'U weet wel, op díé manier. Verliefd.' Ze speelde met haar haar. 'Ik wil niemand in moeilijkheden brengen... Eerlijk gezegd, had ik soms ook het idee dat hij naar míj zo keek. Gaf niks, hij deed nooit iets, en normaal gesproken zou ik er ook niet over beginnen. Maar... toen ik hoorde wat er was gebeurd... U zegt het hem toch niet, hè? Dat ik Aaron heb ingehuurd.'

'Natuurlijk niet,' zei Reed. 'Zo'n enge vent, het was uw goed recht.'

Ze slaakte een zucht. 'Dat is wel hard gezegd. Ik wil geen beschuldigingen uiten, maar Travis geeft alles een... niet een achterbakse, maar... een stiekeme sfeer? Als een spion?' Ze fronste haar wenkbrauwen, niet tevreden met haar woordkeus.

'Bedekt?' opperde Milo.

'Precies! Ja, bedekt, alsof alles geheimtaal is. Alsof hij voortdurend over zijn schouder kijkt, waardoor je zelf het gevoel krijgt dat je dat ook moet doen. Ik ben een heel direct mens, dus... Maar mijn vader mag hem, en papa is geniaal, dus wie ben ik?'

'Waarom mag uw vader Huck zo graag?'

'Dat heeft hij nooit met zoveel woorden gezegd, maar dat kun je gewoon merken. Daarom heb ik er nooit moeilijk over gedaan. Papa is een mensenkenner. Daarom is hij zo succesvol.' Ze grinnikte. 'Wie heeft dit huis voor me gekocht, denkt u? Met mijn baan kan ik het zeker niet betalen en ik ben de eerste die dat zal toegeven.'

'Wat doet u?'

'Ik werk met kinderen. Kinderjuffrouw, peuterjuf. Speciaal onderwijs. En... ik zou het waarschijnlijk niet hardop moeten zeggen, maar inderdaad, net als iedereen hier wilde ik actrice worden. Maar willen is niet genoeg. Ik doe het op het moment rustig aan, misschien ga ik wel iets heel anders doen. Maar goed, mijn vader is niet zoals je zou denken bij een man in zijn positie. Hij houdt van mensen en heeft de neiging ze

te vertrouwen. Hij zegt zelf altijd dat hij dan liever een keertje teleurgesteld wordt, dan dat hij als cynicus door het leven moet. "Een cynicus kent van alles de prijs en de waarde van niets." Dat zegt hij altijd.'
Reed zei: 'Travis Huck heeft hem nog niet teleurgesteld.'
'Kennelijk,' zei Simone Vander. 'Misschien omdat Travis zelf geen leven heeft, er altijd is om klusjes op te knappen, of zo. Ik weet dat hij daar papa en Nadine mee helpt, maar misschien is dat juist wat me niet lekker zit. Dat hij te veel bij ze betrokken is.'
Ze leunde naar voren. 'Assistent zijn is meer dan een baan. Hij woont daar.' Ze slaakte een zucht. 'Daarom heb ik Aaron ingehuurd. Om te onderzoeken of ik me ergens zorgen om moet maken. En jullie weten wat hij heeft ontdekt. Travis heeft iemand vermoord.'
Ze sloeg haar armen weer om zich heen.
Moe Reed zei: 'Heeft meneer Fox u de details verteld?'
'Ik weet dat het twee duwende, trekkende kinderen waren. Maar toch. Iemand ging dood en hij ging de cel in. Ik moest daar gisteren aan denken, en heb bepaald niet goed geslapen.' Bruine ogen dwaalden naar Milo. 'Aaron zei dat u iemand bent die de laatste steen boven haalt, inspecteur. Dat u een aanwijzing niet meer loslaat.'

17

We vertrokken terwijl Simone Vander bij het hek bleef staan.
Milo reed langzaam door Benedict Canyon omlaag.
Moe Reed zei: 'Zij kent Travis Huck. Dat legt de aandacht toch wel op hem als solopsychopaat, inspecteur.'
Grom.
Op Lexington Road probeerde Reed het opnieuw. 'Het zal echt geen probleem zijn, inspecteur.'
'Wat?'
'Aaron en ik.'

'Daar ga ik ook niet van uit.'

'Eén ding heeft ze wel duidelijk laten weten: het lijkt er niet op alsof de familie Vander ergens voor op de vlucht is. Hoe zien we die seksfeesten waar Selena speelde?'

'Goeie vraag.'

'Dus ze zijn nog altijd mogelijke verdachten?'

'Geen reden om ze uit te vlakken. Of iemand anders.' Milo glimlachte. 'Met een alternatieve levensstijl. Of dat haar dood is geworden... en die van de andere vrouwen? Wie zal het zeggen?'

Ik zei: 'Selena's verdwenen computer suggereert dat de moordenaar geheimen verborgen wil houden.'

Reed zei: 'Of de dader wil elke band tussen hem en Selena verbreken. In dat geval was het iemand die ze kende. En ze kende Huck. En nu weten wíj dat hij een oogje op haar had. In combinatie met de kale vent die Ramos zag, lijkt het steeds waarschijnlijker.'

'Een enge vent,' zei Milo. 'Maar niet voor de familie Vander. Simon is een uitgekookte zakenman. Goed van vertrouwen volgens zijn dochter, maar ze heeft niet gezegd dat hij een goedgelovige sukkel is. Waarom zou hij Huck een baan geven waarbij hij bij hen zou inwonen?'

'De rare... alternatieve levensstijl?'

Milo gaf pas antwoord toen we alweer anderhalve kilometer op Sunset Boulevard zaten. 'Akkoord, we nodigen meneer Huck uit voor een gesprekje, houden het vriendelijk, misschien neemt hij niet direct een advocaat. Maar vandaag niet. We houden hem nog een paar nachten in de gaten. Als God genadig op ons neerkijkt, zal hij toch een keer het huis verlaten, regelrecht naar Century Boulevard om onder jouw wakend oog een hoertje aan te spreken, rechercheur Reed. Dat zou een fraai scenario zijn. Hij probeert iets akeligs en jij rekent hem heldhaftig in. In dat geval mag jij naar de persconferentie en doe ik alle administratie.'

Reed zei: 'Denkt u dat hij zo dom is? Dat hij teruggaat, terwijl al die lijken opduiken?'

'Jíj wilt hem zo graag in de gaten houden, jongen.'

Stilte.

Milo zei: 'Ja, het zou wel stom zijn, maar zonder stomme criminelen zou deze baan zo leuk zijn als kanker. En wat Huck betreft valt er weinig te vrezen. We hebben een paar minuten met hem gebabbeld, zijn niet terug geweest. Tijdens de persconferentie is gebleken dat er geen duidelijke aanwijzingen zijn. Waarschijnlijk denkt hij dat we niets weten. En dat is niet ver van de waarheid.'

Reed zei: 'Hij is zelfverzekerd, dus doet hij het opnieuw.'

Ik zei: 'Het patroon van de moorden suggereert een bepaalde volgorde van zelfverzekerdheid. Begin met vrouwen die mensen als wegwerpartikelen zien en begraaf ze uit het zicht. Als niemand je betrapt, pak je iemand die ongetwijfeld gemist wordt, spreidt haar tentoon en meldt het ergens om er zeker van te zijn.'

'De man met de sisstem,' zei Reed. 'En alles gaat het moeras in. Blijft hij daarmee binnen zijn vertrouwde geografische terrein?'

Ik zei: 'Misschien hoort het moeras bij de kick.'

'De plek windt hem op? Hoe dan?'

'Dokter Hargrove noemde het gewijde grond. Bij lustmoorden gaat het vaak om macht door ontering. Waar kun je je handwerk beter tonen? Misschien heeft het ook een praktische reden. Het moeras is maar beperkt toegankelijk. Als hij de lijken in de modder was blijven begraven, zou het misschien jaren hebben geduurd voor ze ontdekt waren.'

'In plaats daarvan gaat hij adverteren.' Reed floot zachtjes. 'Het leven is wel erg verknipt.'

Milo zei: 'Dat is de eerste stap om een goeie rechercheur te worden, jongen.'

'Wat?'

'Beseffen dat je in een andere wereld leeft.'

Duiven hadden een feestje gebouwd op Reeds gehuurde Cadillac. Hij mopperde: 'Dat heb ik nou altijd.' Hij klonk verdacht veel als Milo.

Zijn mobiele telefoon ging. 'Reed... Ik vind het heel erg voor u, mevrouw... Ja, absoluut, mevrouw.' Hij haalde zijn notitieboekje tevoorschijn, schreef iets op en hing op.

'Dat was Mary Lewis, de moeder van Sheralyn Dawkins. Ze woont in Fallbrook. Wat is belangrijker, Huck in de gaten houden of met haar praten?'
'Met haar praten,' zei Milo. 'En neem een DNA-set mee. Dan kunnen we op zijn minst de identiteit van Sheralyn vaststellen. Ik hou Huck wel in de gaten.'
'Als ik nu ga, kan ik over acht of negen uur weer bij het huis van Vander zijn, afhankelijk van wat ze zegt.'
'Als je nu gaat, kom je in de file terecht, vergeet het maar. Zorg nou maar voor die DNA-set, pak een weekendtas in en ga als het wat rustiger is. Rij via de kust en neem een kamer in Capistrano of zo. Lekker ergens eten, beetje tv-kijken, dan kun je morgenochtend naar mevrouw Lewis.'
'Nog suggesties voor een hotel?'
'Het bureau gaat niet betalen voor het Ritz-Carlton, je hebt mazzel als er een matras en een snack uit de automaat vanaf kan. En vul nou alsjeblieft die declaratieformulieren in... Nee, laat maar zitten, dat doe ík wel.'
'Ik doe het wel,' zei Reed. 'Dat beloof ik.'
'Ja, vast.'

Ze verlieten met zijn tweeën de parkeerplaats van het Pizza Palazzo en ik ging naar huis.
Onderweg belde ik Robin en stelde voor om een afhaalmaaltijd mee te nemen.
Ze zei: 'Ik ben je een stap voor. We eten lendebiefstuk.'
'Een speciale gelegenheid?'
'De lendebiefstuk. Ik zat erover te denken om Milo en Rick uit te nodigen. Misschien heeft Rick toevallig vrij.'
'In een gastvrije bui?'
'Ik heb mijn gastvrouwenjurkje aan, mijn martinishaker staat klaar en ik heb genoeg koe voor acht personen, dat moet genoeg zijn voor Milo. Ik kwam vanmorgen op het idee toen hij je belde. Ik heb hem al tijden niet gesproken, en we hebben ze samen al helemaal lang niet gezien.'
'Leuk idee,' zei ik, 'maar Milo heeft vanavond een surveillanceklus.'
'O. Vanaf hoe laat?'

'Als het donker wordt.'
'Dan eten we toch vroeg?'
'Voel je je wel goed?'
'Wat?'
'Vanwaar die plotselinge aanval van gezelligheid?'
'Ik ben veel te veel alleen, liever. Jij gaat de wereld in, ont-moet mensen. Ik praat alleen tegen Blanche en stukken hout.'
'Ik zal Milo bellen.'
'Ik bel wel. Tegen mij kan hij geen nee zeggen.'

Een aangename verrassing voor beide genodigden.
Dokter Rick Silverman had geen dienst op de Spoedeisende Hulp.
Milo zei: 'Rood vlees. De openbare veiligheid moet het maar even zonder mij stellen.'
Rick arriveerde als eerste in een kastanjebruin zijden over-hemd, een gestreken spijkerbroek en instappers, met een enorm boeket orchideeën voor Robin. Zijn zilvergrijze haar was lan-ger dan anders en zijn snor toonde zijn chirurgische talent. Robin nam de bloemen aan en gaf hem een zoen. Blanche duw-de haar kopje tegen zijn broek.
Hij ging op zijn knieën zitten en aaide haar. 'Wat een schoon-heid. Mag ik haar mee naar huis nemen als feestaccessoire?'
'Ik ben dol op je, Richard,' zei Robin. 'Maar ook weer niet zó dol.'
Hij speelde nog wat met de hond, keek naar het braadstuk dat knisperend lag te rusten. 'Het ruikt fantastisch, ik ben blij dat ik een extra dosis Lipitor heb genomen. Kan ik je ergens mee helpen?'
'Welnee. Een *manhattan* met ijs, Maker's Mark, een dopje rode vermout, een druppeltje angostura, geen kers?'
'Indrukwekkend,' zei Rick. 'Niet dat ik ooit iets anders neem.'
Hij ging zitten. Blanche ging aan zijn voeten liggen. Een lan-ge arm bungelde over de leuning; gespierde vingers aaiden haar hanglippen. 'Die grote vent zal zo wel komen.'
Robin zei: 'Hij belde een halfuur geleden dat hij naar het hoofdbureau moest en dat hij nog zou bellen als hij het niet zou redden. Daarna heb ik niets meer gehoord.'

'Het hoofdbureau. Dat weer.'

'Wat weer?'

'De nieuwe hoofdcommissaris is nogal een praktijkgerichte bestuurder. Milo heeft dat nog nooit meegemaakt. Het is waarschijnlijk beter dan vroeger, toen was het net Siberië. Maar die persoonlijke aandacht werkt twee kanten op. Nietwaar, Alex?'

Ik zei: 'De druk om te presteren.'

'Precies.'

Rick probeerde Milo op zijn mobiel, kreeg de voicemail, maar sprak niets in.

Robin bracht zijn cocktail en wendde zich tot mij. 'Chivas, schatje?'

'Graag.'

Terwijl zij het inschonk, nam Rick zijn manhattan mee naar het keukenraam en keek naar de bomen en de lucht. 'Ik was vergeten hoe mooi het hier is.' Hij nam een slokje. 'Zo te horen is die moeraskwestie nog lang niet opgelost, Alex.'

Ik knikte.

'Afschuwelijk,' zei hij. 'Die arme vrouwen. Al heb ik wel egoïstische gedachten. Walgelijk narcistisch zelfs. Mij is gevraagd een lezing te geven voor een groep alumni en ik had gehoopt dat we allebei konden gaan. En er na afloop een vakantie in New England aan vastknopen. Milo is er nog nooit geweest.'

Robin zei: 'Brown of Yale?'

'Yale.' Hij lachte. 'Het stelt niks voor, hoor, dat soort gelegenheden zijn altijd akelig saai.'

De voordeur viel in het slot. Een stem bulderde: 'Ik ruik vlees!' Milo kwam stampend de keuken binnen, omhelsde iedereen, zoog alle zuurstof in zich op. De blik op Ricks gezicht was er een van pure opluchting.

Binnen drie minuten had Milo sap uit de koelkast naar binnen geklokt, een biertje genomen, het vlees onderzocht alsof het bewijsmateriaal was en met zijn vinger een druppel jus van het aanrecht opgeveegd en geproefd. 'O, dit wordt lekker. Hoe zitten we met de wijn?'

We aten alle vier met smaak en werkten een fles Nieuw-Zeelandse Pinot weg.

Toen Robin Milo vroeg hoe het met hem ging, nam hij de vraag letterlijk en vertelde hij in grote lijnen over de moerasmoorden.

Rick zei: 'Hè, wat smakelijk.'

Milo liet zijn vinger over zijn lippen glijden.

Robin zei: 'Maar ik vind het echt interessant.'

Milo zei: 'Jíj misschien, maar dokter Rick vindt het weerzinwekkend en dokter Alex verveelt zich kapot. Wil degene die de aardappelen heeft gegijzeld ze even doorgeven?'

Verder ging het over koetjes en kalfjes. Milo zei niet veel, maar bleef zijn eten naar binnen schuiven. Rick deed zijn best om dit te negeren; hij probeert Milo nog steeds zover te krijgen om zich eens te laten onderzoeken.

Blanche kwam binnen getrippeld na haar dutje. Ze is de enige hond die Milo ooit heeft gemogen, maar toen ze langs zijn been streek, negeerde hij haar. Rick zette Blanche op schoot en streelde haar oren.

'Waf,' zei Milo, en hij staarde voor zich uit.

Robin zei: 'Nagerecht?'

'Ik kan niet meer, dank je,' zei Rick.

'Gefeliciteerd,' zei Milo.

'Waarmee?'

'Dat je eindelijk eens voor jezelf spreekt.'

We gingen naar buiten naar de vijver, aten fruit, dronken koffie, keken naar de vissen en probeerden sterrenbeelden te herkennen aan de maanloze hemel.

Milo stak een sigaar op.

Rick zei: 'Je doet het tenminste buiten, zodat je je gastheer en gastvrouw niet vergiftigt.'

Milo woelde door zijn haar. 'Wat attent van me.'

'We zullen het maar niet hebben over wat je met je longen doet.'

Milo hield een hand bij zijn oor. 'Eh, wat zeg je?'

Rick zuchtte.

Milo zei: 'Ik ben meer dan alleen chemie.'

'Ah, de theorie. Bel de Nobelprijscommissie.'
'Wat voor theorie?' vroeg Robin.
'Hij doet dit werk al zo lang dat zijn organen versteend zijn en immuun zijn geworden voor giftige stoffen.'
'De man van graniet,' zei Milo, terwijl hij verwoed aan zijn sigaar lurkte. Toen hield hij zijn Timex onder het vage schijnsel van een lamp en zei: 'Oeps, is het al zo laat?' Hij stond op, trapte zijn sigaar op de stenen uit, omhelsde iedereen en vertrok.
Rick pakte de peuk en hield hem tussen duim en wijsvinger. 'Waar kan ik deze weggooien?'

Rond middernacht lagen Robin en ik in bed onder koele, schone lakens.
Zij viel snel in slaap, maar ik sleepte me door mijn gebruikelijke ritueel, deed mijn best mijn gedachten tot rust te brengen. Ik was weer in Missouri, probeerde mijn vaders Remington te bedwingen, voelde me groter dan mijn vader, groter dan een beer... toen ging de telefoon.
Pa zei: 'Hé Al, dat ging goed.'
Tring, tring, tring, tring, tring.
Stom, er is geen telefoon in het bos. Ik trok de lakens over mijn hoofd.
Het grootse gevoel bleef.

18

Robin was om zes uur al op en was kort daarna in haar studio bezig.
Toen ik binnenkwam, haalde ze net een vlijmscherpe, kleine schaaf over een ongerepte rechthoek sparrenhout. Aan het formaat en de dikte van het hout te zien, moest het het klankbord voor een *archtop*-gitaar worden.
'Een kopie van een Stromberg. Ik wil een schuin meelopende hiel proberen, kijken of dat interessante nuances oplevert.'

'Ik heb koffie voor je,' zei ik.

'Dank je. Je hebt nog slaap in je ogen… Zo, weg. Uitgerust?'

'Heb ik liggen woelen?'

'Een beetje. Heb je de berichten van je telefoondienst al gekregen?'

'Nog niet.' Ik gaapte. 'Hoe laat was dat?'

'Twee telefoontjes. Tien over halfeen en om vijf uur, allebei van Milo.'

Ik belde hem op zijn kamer. 'Heeft Huck iets gedaan?'

'Huck heeft zoals gewoonlijk niets gedaan. Maar er is weer een lichaam in het moeras gevonden.'

'Ach nee. Arme vrouw.'

'Niet precies.'

Van halfacht tot negen uur de vorige avond hadden Silford Duboff en zijn vriendin Alma Reynolds genoten van een veganistisch etentje in Real Food Daily aan La Cienega.

'Ik genoot, moet ik eigenlijk zeggen,' zei Reynolds aan de andere kant van het gespiegelde glas. 'Sil was de hele tijd chagrijnig. Met andere dingen bezig. Waarmee, wilde hij niet loslaten. Ik vond het een frustrerende avond, maar zei niets. Sil bestelde zijn lievelingseten. Meestal kikkert hij daarvan op. Deze keer niet. Hij sloot zich volledig af. Dus na een tijdje probeerde ik het maar niet meer, en aten we gewoon verder.'

Ze vertelde het Milo gedecideerd, maar met een opvallende afstandelijkheid, alsof ze voor de klas stond.

Reynolds was een lange, stevige vrouw van in de vijftig met een haviksneus, een stevige kaaklijn, doordringende blauwe ogen en lang grijs haar dat in een strakke vlecht tot haar middel kwam. De belerende toon klonk oprecht: ze had vijftien jaar als docent politieke wetenschappen en economische geschiedenis gewerkt aan een universiteit in Oregon voordat ze wegens 'bezuinigingen, apathische studenten en de fascistische bureaucratie' met pensioen was gegaan.

Nu zat ze met rechte rug en droge ogen tegenover Milo in de blauwe blouse van de vorige dag, ingestopt in een grijze flanellen broek, en met sandalen van hennep aan. Een hoornen leesbril hing aan een ketting. Turkooizen en zilveren oorbellen gaven haar oren kleur.

Milo vroeg: 'U hebt geen idee wat hem dwarszat?'

'Nee. Zo is hij soms. Gesloten, zoals de meeste mannen.'

Milo ging hier niet tegenin. Het had Alma Reynolds niets kunnen schelen.

Ze zei: 'We namen nog een nagerecht en zijn toen weggegaan. Na de manier waarop Sil zich had gedragen, besloot ik het voor gezien te houden en een avondje lekker te gaan lezen. Dus vroeg ik of hij me naar huis wilde rijden, en ik maakte duidelijk dat het mijn bedoeling was dat hij naar zijn eigen huis zou gaan.'

'U woont allebei in Santa Monica.'

'Twee straten bij elkaar vandaan, maar zelfs de kleinste afstand kan een universum zijn, als je dat wilt. En dat wilde ik gisteravond.'

'Kwam dat vaak voor binnen uw relatie?'

'Niet vaak,' zei Alma Reynolds, 'maar het was ook geen uitzondering. Sil kon soms moeilijk zijn.'

'Zoals de meeste mannen.'

'Ik nam het voor lief omdat hij een goede man was. Als er iets uit dit gesprek blijkt, dan moet het dat zijn, inspecteur.'

Ze haalde diep adem. 'Het heeft geen zin ertegen te vechten.'

'Waartegen?'

'Dit.'

Tranen stroomden over haar wangen. Ze duwde haar handen in haar dikke grijze haar en jammerde luidkeels.

Milo nam de tijd, liet haar het verhaal nogmaals vertellen. Duboff had Alma niet naar huis gebracht, maar was in plaats daarvan in zuidelijke richting naar het Vogelmoeras gereden. Ze had geprotesteerd, maar hij had haar genegeerd. Er was een 'discussie' ontstaan en zij had gezegd dat hij maar eens moest ophouden met die eeuwige obsessie voor het moeras. Hij had gezegd dat het moeras zijn verantwoordelijkheid was. Zij had gezegd dat er niets met dat rotmoeras aan de hand was. Hij had gezegd dat ze het zo niet moest noemen. Zij had gezegd dat hij niet redelijk was, dat de politie het moeras geen ernstige schade toebracht en dat het tijd was om het te laten rusten.

Hij had haar genegeerd.

Dat was de laatste druppel geweest: ze was ontploft. Ze had haar stem verheven zoals ze sinds haar scheiding niet meer had gedaan. Ze had hem laten weten dat haar eco-overtuigingen net zoveel waard waren als die van hem, dat hij ecologisch bewustzijn verwarde met een dwangneurose.

Hij had haar genegeerd.

Ze had hem opdracht gegeven te stoppen.

Hij was doorgereden.

Als ze een mobiele telefoon had gehad, zou ze hem hebben gebruikt, maar die had ze niet en hij ook niet. Wat zé je ook wilden laten geloven, die masten waren kankerverwekkend en een ramp voor vogels en insecten en ze zat nog liever vast in Timboektoe dan dat ze toegaf aan een giftige levensstijl.

Ze had erop gestaan dat hij stopte.

Hij had gas gegeven.

'*Wat héb je toch?*'
Hij deed alsof ze er niet was.
'*Verdomme, Sil! Zeg dan...*'
'*Ik moet ergens naar kijken.*'
'*Waarnaar?*'
'*Iets.*'
'*Dat is geen antwoord!*'
'*Ik ben zo klaar, schatje...*'
'*Noem me geen schatje, je weet dat ik daar...*'
'*Straks gaan we naar huis, drinken we lekker een kopje thee...*'
'*Jij gaat naar jouw huis, en ik ga naar mijn huis, en als er thee wordt gedronken dan is dat verdomme mijn eigen thee.*'
'*Ook goed.*'
'*Wat ik wil, doet er niet toe?*'
'*Doe nou niet zo moeilijk, Alma. Ik moet even iets bekijken.*'
'*Je houdt me hier gevangen, dat is psychologisch giftig gedrag...*'

'Het duurt niet lang.'
'Wat niet?'
'Dat is niet belangrijk.'
'Waarom moet je het dan zo nodig bekijken?'
'Het is voor jou niet belangrijk.'
'Waar héb je het verdomme over?'
'Iemand heeft me gebeld. Zei dat hier het antwoord ligt.'
'Het antwoord waarop?'
'Op wat er is gebeurd.'
'Wat?'
'Met die vrouwen.'
'De vrouwen in het...'
'Ja.'
'Wie? Wie heeft je dan gebeld?'
Stilte.
'Wie, Sil?'
'Dat weet ik niet.'
'Je liegt, dat kan ik aan je zien.'
Stilte.
'Iemand belt jou zomaar en jij doet slaafs wat die persoon zegt?'
Stilte.
'Dit is belachelijk, Sil, ik sta erop...'
Stilte.
'Blinde gehoorzaamheid doodt de ziel...'
'Het gaat om het moeras.'
'Er is niets aan de hand met dat verdomde moeras, kan je dat niet tot die stomme kop van je laten doordringen?'
'Kennelijk niet.'
'Niet te geloven. Iemand belt, en jij hijgt als een schoothondje.'
'Misschien is dat ervoor nodig, Alma.'
'Wat?'
'Een hond. Zo hebben ze die vrouwen ook gevonden.'
'O, dus nu ben je opeens een rechercheur. Is dat wat je wilt zijn, Sil? Een slaaf in uniform?'
'Het duurt niet lang.'
'En wat moet ik in de tussentijd doen?'

'Blijf nou gewoon even zitten. Het duurt niet lang.'
Maar het duurde wel lang.

En zo zat ze aan Jefferson, bij de oostelijke ingang te wachten, eerst zenuwachtig, daarna bang. Ze schaamde zich niet om dat toe te geven. Want eerlijk gezegd had ze het er altijd eng gevonden, vooral 's nachts, en het was er die avond griezelig, een maanloze nacht, de lucht dik en zwart.
Niemand te zien. Niemand.
Die belachelijke flats, gruwelen van egocentrisch narcisme, die op haar neerkeken. In sommige brandde licht, maar het was zo ver weg dat ze er niets aan had. Het kon net zo goed een andere planeet zijn.
En zo wachtte ze op Sil.
Vijf minuten. Zes, zeven, tien, vijftien, achttien.
Waar wás hij, verdomme?
Ze vocht tegen haar zenuwen met boosheid, een techniek die ze had geleerd van een collega in Oregon die cognitieve psychologie gaf. Een machteloze emotie vervangen door een krachtige emotie.
Het werkte. Ze werd bozer en bozer toen ze aan Sil dacht, aan zijn onbeschofte, arrogante, dwangmatige, verdomde zelfzucht.
Hij had haar zomaar in de auto laten zitten.
Als hij terugkwam, zou hij de wind van voren krijgen.

Vijfentwintig minuten later was hij nog altijd nergens te bekennen en veranderde de woede weer in zenuwen.
Erger nog dan zenuwen. Angst, ze schaamde zich niet om dat toe te geven.
Tijd voor een andere strategie. Confronteer de machteloosheid met actie.
Ze stapte uit en liep in de richting van het moeras.
Zag niets dan duisternis en bleef staan.
Riep zijn naam.
Geen reactie.
Riep harder.
Niets.

Ze deed een stap naar voren, zag veel te veel duisternis en bleef staan. Waar was Sils zaklampje? Ze zei: 'Kom verdomme hiernaartoe en breng me naar huis. En je hoeft me voorlopig niet te bellen.'

Door de klap vloog ze naar achteren.

Een harde, gemene vuist in haar buik, met zoveel kracht dat ze het gevoel had dat de hand haar ingewanden doorboorde. Een elektrische pijn schoot door haar lichaam, deed haar adem stokken.

De tweede klap kwam tegen de zijkant van haar hoofd en ze viel op de grond.

Een voet trapte tegen haar rug.

Ze maakte zich klein, bad dat de mishandeling zou stoppen. Even snel als de aanval was begonnen, eindigde hij.

Voetstappen stierven weg in de duisternis.

Ze hoorde geen auto, en dus bleef ze liggen en dacht: hij staat te kijken. Ze wachtte heel lang voordat ze in staat was de grote vraag te stellen.

Was dat Sil?

Zo niet, waar wás Sil dan?

Duboff was op het pad neergestoken. Er lagen bloedvlekken in de modder, vier meter voorbij de plek waar Selena Bass was gedumpt. Met zorg was de aarde aangeveegd zodat er geen voetstappen zichtbaar waren. Geen verdwaalde haren of lichaamssappen die niet van Duboff waren, geen bandensporen aan weerszijden van de straat.

Een diepe wond waar het mes van achteren Duboffs linkerlong had doorboord, een klap die zo hard was geweest dat er een rib was gebroken. Vervolgens was zijn hals van oor tot oor doorgesneden terwijl Duboff op de grond lag.

'De dader heeft hem waarschijnlijk bij zijn hoofd opgetild,' zei Milo. 'Het van achteren gedaan.'

Een onverhoedse aanval in het duister, het had misschien maar een paar seconden geduurd. Alma Reynolds had bijna een halfuur in de auto gezeten, genoeg tijd om de plaats delict schoon te maken.

Doordat ze Duboffs naam had geroepen had ze haar aanwezigheid verraden. Haar daaropvolgende woorden hadden haar locatie verraden en hij had haar aangevallen.

Een mogelijke getuige aanvallen, maar geen moeite doen om haar te doden.

Te zeer gebrand op zijn eigen ontsnapping.

Hij had een ontmoeting met Duboff verwacht, maar Duboff, altijd tegendraads, had Alma Reynolds meegenomen en haar in levensgevaar gebracht.

Milo zei: 'Gaat het nog, mevrouw? Uw verwondingen?'

De vraag was een belediging.

'Zoals ik u de eerste keer al heb gezegd, ik héb geen verwondingen. Alleen mijn ego is gekwetst.' Ze duwde zich overeind, onderdrukte een huivering.

'De klootzak,' zei ze, terwijl ze moeizaam de verhoorkamer uit liep. 'Ik zal hem zo missen.'

Milo en ik liepen naar zijn kamer. Ik zei: 'Duboff was een mensenhater en een chagrijn, maar hij vertrouwde iemand kennelijk genoeg om met hem in het donker af te spreken. Alma Reynolds wist dat hij loog toen hij zei dat hij niet wist wie er had gebeld. Hij werd verleid door de mogelijke oplossing van de moorden.'

'Nogal zwak,' zei Milo. 'Waarom zou hij daarvoor vallen?'

'Een fanatieke activist zet de politie te kakken en weet op die manier zijn gewijde grond onberoerd te laten?'

'Kennelijk.'

'Hij vond het niet eng om in het donker in het moeras te zijn. Alma zei dat hij er wel vaker naartoe ging... net als op de avond dat Selena werd gevonden, toen hij het dumpen net had gemist.'

'Inderdaad, nét, Alex.'

'Bedoel je dat hij erbij betrokken is?'

'Zoals je eerder al zei, zou het met z'n tweeën een stuk makkelijker zijn. En hij is nogal aan het moeras verknocht. Plus dat het gewoon een vreemde snoeshaan is. We hebben hem in het begin als dader bekeken, lieten hem vallen toen we geen ernstige misdrijven of een verband met Huck konden vinden. Misschien was dat een grote misser.'

'Hij ging naar het moeras om zijn partner te ontmoeten?' vroeg ik. 'Waarom nam hij Reynolds dan mee?'

'Hij dacht dat hij snel klaar zou zijn, zoals hij Reynolds had gezegd. Werd verrast.'

'Het zou wel interessant zijn als Hucks naam op een van de mailinglijsten van Red het Moeras staat.'

'Het zou wel interessant zijn om te weten waar Huck gisteravond verdomme was. Daarom zat ik dus op mijn dikke reet naar de bosjes te kijken. Hij is het huis niet in- of uitgegaan, maar dat betekent niets. Misschien was hij al weg toen ik kwam, en kwam hij terug nadat ik was vertrokken om te reageren op de melding over Duboff.'

'Hoe laat kwam die?'

'Kort na middernacht. Maar dat was ver na de daadwerkelijke moord. Die goeie Alma had geen horloge om, maar ze weet dat ze even na negen uur het restaurant hadden verlaten, en ze schat dat ze om een uur of halfelf in elkaar geslagen is. Dan zou Duboff om een uur of tien zijn afgeslacht. Zij heeft zich een halfuur niet verroerd, is uiteindelijk opgestaan om Duboff te zoeken, nogal dom van haar, maar adrenaline doet soms vreemde dingen met iemands gezond verstand. Toen ze hem had gevonden is ze gillend de straat op gerend. Niemand hoorde haar, het is daar 's avonds een spookstad, zoals je al zei. Dus is ze in Duboffs auto gestapt, naar bureau-Pacific gereden en heeft ze daar de moord gemeld. Ze staat daar om 23.32 uur ingelogd. Ze hebben haar in een kamertje gezet en haar verklaring opgenomen, een auto naar het moeras gestuurd, bevestigd dat er een lichaam lag en vervolgens Reed gebeld. Hij zat in Solana Beach en heeft toen mij gebeld. Ik stond net te pissen, zag het bericht, heb hem teruggebeld en ben naar het moeras gescheurd. En zo had Huck meer dan genoeg tijd en gelegenheid om naar huis te gaan.' Hij wreef over zijn gezicht. 'Ik begin het te verleren, Alex. Ik had naar het huis van Vander moeten rijden en moeten aanbellen. Als Huck niet thuis was geweest, had iemand anders misschien opengedaan, een huishoudster of zo, en dan had ik dat geweten.'

'Je kreeg een melding van een moord, dus ging je.'

'De vent was dood, waarom zo'n haast?' Hij vloekte. 'Ja, het

was de logische reactie. Met andere woorden, een totaal ge-
brek aan creatief denken.'
'Het siert je niet,' zei ik.
'Wat niet?'
'Zelfkastijding door de man van graniet.'
'Ja,' zei hij, 'misschien is het toch meer zandsteen.'

19

Een versneld afgevaardigd huiszoekingsbevel voor Silford
Duboffs flat leverde niets waardevols op. De enige verrassing
was van filosofische aard: beduimelde exemplaren van de
complete werken van Ayn Rand, verborgen onder zijn matras alsof het porno was.
'Geen messen, wapens, wurgijzers, seksspeeltjes, vreemde lichaamssappen of belastende papieren,' zei Milo. 'Ook geen
computer, maar volgens Reynolds had hij die ook niet. De
hele koelkast lag vol groente en fruit, alles was volkoren. Hoera voor de gezonde levensstijl.'

Moe Reed keerde terug uit Fallbrook met DNA-materiaal van
Sheralyn Dawkins' moeder en de geschokte vijftienjarige zoon
van de dode vrouw. De moeder werkte als huishoudster op
de avocadoranch van een welgestelde man. Devon Dawkins
was een zeer succesvolle student die in zijn vrije tijd bijklus-
te op de ranch.
Reed zei: 'Aardige vrouw, en wat ze vertelde over de manier
waarop Sheralyn haar been had gebroken, komt precies overeen met Onbekende Vrouw 1. Ze wilde niets zeggen waar
Devon bij was, maar toen ze hem de kamer uit gestuurd had,
kwam het hele verhaal. Sheralyn raakte op de middelbare
school in de problemen. Weinig zelfvertrouwen, drugs, alcohol, de verkeerde mannen.'
Milo zei: 'Het verhaal dat de moeder van Big Laura ook vertelde. Nog verkeerde mannen in het bijzonder?'

'Ze had het over Sheralyns tienerjaren, maar zelfs uit die tijd kende ze geen namen. Dat was het probleem, Sheralyn hield alles voor zich, liet niets los tegenover haar moeder. Ze hadden al jaren geen contact meer. Ik kreeg het idee dat moeder dat wel prima vond en een kans wilde om het met Devon goed te doen. Leuke jongen, moeilijk om hem zulk slecht nieuws te moeten vertellen.'

Ik vroeg: 'Hoe lang woont de familie daar al?'

'Ze zijn naar San Diego verhuisd toen Sheralyns vader uit dienst kwam. Hij was daarna conciërge op een middelbare school en hij is twaalf jaar geleden overleden. Sheralyn is in San Diego geboren, heeft er een paar jaar middelbare school gedaan, totdat ze ermee ophield. Haar moeder had nog nooit van Travis Huck gehoord en de selectie foto's met die van Huck ertussen, maakte niets bij haar los.'

'Waarom zou het leven makkelijk zijn?' zei Milo.

'Ze vertelde wel iets interessants, toen Devon er niet bij was. Sheralyn had iets met pijn. Niet het veroorzaken, maar het zelf ervaren. Haar moeder zei dat ze zichzelf als tiener in de armen sneed, haar wimpers uittrok en zichzelf zo nu en dan aan sigarettenpeuken brandde. Als ze met een jongen uit was geweest, kwam ze soms thuis met blauwe plekken op haar armen en in haar nek. Haar moeder dreigde om haar naar een psychiater te sturen. Sheralyn riep dan dat ze zich met haar eigen zaken moest bemoeien, rende het huis uit en bleef dan een paar dagen weg. De druppel die de emmer deed overlopen was Sheralyns zwangerschap toen ze zestien was. Ze weigerde te zeggen wie de vader was. Ze was toen al aan de drugs, dus de ouders waren bang dat het een drugsbaby zou worden. Toen Devon gezond geboren werd, wilden ze dat Sheralyn het kind liet adopteren. Sheralyn ging door het lint, nam de baby mee en verdween. Drie jaar lang hadden ze geen contact, tot Sheralyn opeens zonder enige waarschuwing op de stoep stond en een paar dagen bleef. Alles leek goed te gaan, tot ze op een nacht verdween zonder Devon mee te nemen.'

'Dus ze had iets met pijn,' zei Milo.

'En blauwe plekken rond haar hals,' zei Reed. 'Ze zou een

makkelijke prooi zijn voor een sadist, of niet? Het begint als een wurgspelletje en zij denkt dat het om geld en lol gaat, maar dan voert hij de druk op en is zij daar niet op bedacht. Kan dat, dokter?'

'Heel goed,' zei ik. 'Het kan ook een verband met Selena betekenen. De feesten waar ze speelde, waren ook wel eens extreem, en ze deed mee.'

Reed zei: 'Ze dacht misschien dat ze alles onder controle had, maar de rollen werden omgedraaid.'

'Milo zei: 'Sheralyns verhaal doet me ook denken aan dat van Selena. Slechte verhouding tussen moeder en dochter, dochter gaat vroegtijdig het huis uit.'

Reed zei: 'Wat nu?'

'Kreeg een telefoontje van de hoofdcommissaris,' zei Milo. 'Caitlin Frostig.'

Reed zakte in elkaar. 'Zit ik in de problemen?'

'Nee, niets aan de hand. Hij wilde weten hoe het met de moerasmoorden stond. Ik heb hem eerlijk antwoord gegeven en hij deed alsof hij begrip en geduld toonde. Toen begon hij over Frostig.'

'Hij is me aan het controleren,' zei Reed.

'Zijne Wreedheid is geïnteresseerd in zijn manschappen.'

'Zei hij dat ik verder moest werken aan Caitlin? Want ik heb alles gedaan wat ik kon bedenken.'

'Hij wilde er zeker van zijn dat je Caitlin vergeet totdat we de moerasmoorden hebben opgelost. Dat was vóór Duboff. Dat zal nu wel dubbel gelden.'

'Oké... Liet hij nog iets los over een speciale eenheid?'

'Hoezo, wil je die?'

'Alsjeblieft niet,' zei Reed. 'Ik vroeg het me gewoon af omdat we weer een lijk hebben, en zo. Ik ben een groentje, heb nog bepaald geen records gebroken...'

Milo's hand viel met een klap op Reeds schouder. 'Het is een mysterie, jongen. Daar worden geen records bij gebroken, het kabbelt wat voort en hopelijk komt er iets bovendrijven. Geen enkele idioot – en de Zonnekoning is beslist geen idioot – zal een oplossing verwachten voor het vierde reclameblok.'

'Oké,' zei Reed. 'Hij noemde Caitlin echt bij naam?'

'Voor- en achternaam.'

'Hij is vast gebeld. Haar vader werkt voor een belangrijke technoloog.'

Ik vroeg: 'Is Caitlin je vermiste persoon?'

Reed knikte. 'Een studente die dertien maanden geleden van haar werk naar huis ging en sindsdien niet meer is gesignaleerd. De zaak is ijskoud en dan krijg ik hem gepresenteerd als mijn tweede zaak. Als iemand mij niet mag en dit is een straf, dan weet ik niet wie of waarom.'

Milo zei: 'Je hebt je eerste zaak opgelost. Daar scoor je mee.'

'Helaas is dit geen sportwedstrijd.' Reed trok zijn stropdas strak aan. 'Wanneer kunnen we Huck spreken?'

Er lagen grote plassen water onder Simon Vanders Aston Martin, Lincoln Town Car en Mercedes. Het vocht gaf de binnenplaats een zwarte glans.

Reed zei: 'Kennelijk is dit de dag om de auto's te wassen. Daar komt iemand voor of Huck doet het zelf. De Lexus is weg, misschien is hij aan het tanken. Of de man van de wasserette.'

Hij drukte op de intercom. Er kwam geen antwoord uit het huis. Twee nieuwe pogingen leverden ook niets op.

Milo zocht het vaste nummer van de familie Vander op, belde het, kreeg de voicemail en sprak een neutraal bericht in voor Huck om contact op te nemen. Zo beleefd als een uitnodiging voor een pokeravond.

We hingen wat rond bij het hek. Twintig minuten later kwam de postbode aanrijden die wat folders in een sleuf in een van de palen deed.

Reed liep naar hem toe. 'Kent u deze mensen?'

De postbode schudde het hoofd. 'Ik zie ze nooit.' Zijn vingers streken langs het hek. 'Als ik pakketjes heb, leg ik ze gewoon hier neer, niemand tekent ervoor.'

'Nogal op zichzelf?'

'Rijk,' zei de postbode. 'Dat soort mensen houdt anderen op een afstand.'

'Wat voor pakketjes?'

'Wijn, fruitmanden, luxe eten. Het goeie leven, hè?' Hij hees zijn zak op zijn schouder en liep weg.

Milo wachtte, liep toen zelf een stuk door Calle Maritimo en verdween in een bocht. Een paar minuten later was hij terug. 'Niks plus niks is tijd om te gaan. Laat je kaartje even achter, Moses.'
Reed deed zijn kaartje in de brievenbus en duwde er nog eentje tussen het hek en de paal. 'Denkt u dat Huck is gevlucht?'
'Die kans bestaat.'

We reden naar de Pacific Coast Highway. De zon was donkergeel, de oceaan een legpuzzel van groen en blauw. Voor het strandhuis van de familie Vander stond geen Lexus en ook hier werd niet gereageerd op de bel.
Moe Reed tikte tegen het hoge houten hek dat het strand afschermde. 'Alleen nog een slotgracht nodig.'
'Als je maar geld hebt,' zei Milo.
We reden over de grote weg heen en weer, keken bij alle benzinestations tot aan Broad Beach of we de Lexus zagen. In de Palisades was benzine bijna vijf dollar per gallon. Dat weerhield automobilisten er echter niet van hun auto aan het petrochemisch infuus te hangen. Huck zat daar niet bij.
Milo zei: 'Laten we maar teruggaan, het gerechtelijk laboratorium bellen om te horen wanneer de sectie op Duboff plaatsvindt. Misschien hebben ze wat voorlopige resultaten, iets meer dan wat we hebben gezien. Dan moeten we aan de slag om te bevestigen dat Onbekende Vrouw 3 inderdaad DeMaura Montouthe is. Dat zal in dit geval niet heel moeilijk zijn, maar we kunnen het ons niet veroorloven om fouten te maken. Volgens dat hoertje kwam DeMaura uit Alabama, maar het zou ook Arkansas of ergens anders in het zuiden kunnen zijn. Allemachtig, het kan net zo goed Arizona of Albanië zijn. Als we naaste familie kunnen vinden, hebben we misschien geluk en heeft DeMaura hun iets verteld over een enge klant.'
'Zoals de vent waar Big Laura aan wist te ontsnappen.'
'Inderdaad,' zei Milo. 'In een volmaakte wereld.'

Op het bureau zei een burgerreceptionist die ik nog niet eerder had gezien: 'Ik heb geprobeerd u te bereiken, inspecteur.'

'Dat is dan niet gelukt,' zei Milo.

'Nou, ik heb het echt geprobeerd.'

'Welk nummer?'

De receptionist las het op. Het laatste cijfer klopte niet.

'Nou, dat is het nummer dat ik heb gekregen,' zei de receptionist zonder enige wroeging. 'Maar goed, er zit boven iemand op u te wachten, hij zit er nog steeds. Dus het is niet erg.'

James Robert 'Bob' Hernandez had blauwe ogen, een gespierd lichaam van een meter drieëntachtig, koperkleurig haar en een sikje in dezelfde kleur. Hij droeg een spijkerbroek met opgerolde pijpen, een paar versleten motorlaarzen en een geruit overhemd met korte mouwen. Zwembad-blauwe tatoeages liepen van zijn dikke polsen tot aan zijn gespierde biceps. Tweety Bird, Popeye, knuffelende engeltjes. Op zijn rechterarm verkondigde hij zijn liefde voor Kathy in sierlijke letters. Professioneel gedaan, geen gevangeniskunst. Hernandez had een onbeduidend strafblad. Rijden onder invloed, verkeersovertredingen, niet verschijnen op een strafzitting.

Nadat Milo hem door het systeem had gehaald, keerde hij terug naar de verhoorkamer en ging zitten. Tijdens de korte pauze, had ik bij Hernandez gezeten en hadden we het over sport gehad.

Moe Reed liet de mooie houten doos onderzoeken die Hernandez had meegenomen. Hij belde eerst het gerechtelijk laboratorium om toestemming te vragen de doos zelf naar het lab van dokter Hargrove te brengen.

'Menselijke botten,' zei Milo.

'Daar lijkt het op,' zei Bob Hernandez. 'Ik bedoel, ik ben geen wetenschapper, maar ik heb het op internet opgezocht en ze lijken op mensenvingers. Genoeg voor drie handen.'

'Dus je hebt wat onderzoek gedaan?'

'Ik wilde uw tijd niet verdoen.'

'Dat stellen we op prijs. Vertel nog eens hoe u ze hebt gevonden.'

'Ik heb ze niet gevonden, ik heb ze gekócht,' zei Hernandez.

'Niet die botten specifiek. Een heleboel spullen. Niet afgehaalde opslag, daar houden ze veilingen voor van de spullen van mensen die de huur niet hebben betaald. Zoals jullie doen met in beslag genomen auto's.' Hernandez glimlachte. 'Zo ben ik eens een El Camino kwijtgeraakt.'

'Wat stond er nog meer in de opslagruimte?'

'Vuilniszakken vol met rotzooi. Een fiets, waarvan ik dacht dat ik er nog wel iets voor kon krijgen, bleek ook waardeloos. Wat oude bordspelletjes, kranten. Ik heb het allemaal weggedaan, behalve die doos. Omdat hij van mooi hout was gemaakt. Later zag ik wat erin zat. Ik ben er redelijk zeker van dat het vingerbotjes zijn, zo zien ze eruit. Dus heb ik bureau-Pacific gebeld en zij stuurden me door naar rechercheur Reed, die zei dat ik hiernaartoe moest komen. Dus hier ben ik.'

'Zat de doos ergens in verpakt?'

'Ja, in een van die vuilniszakken. Het bleek Braziliaans rozenhout te zijn, dat is zeldzaam, met uitsterven bedreigd. Ik had liever sieraden of munten gevonden.'

'Hoe lang geleden was dit, meneer Hernandez?'

'Twee weken. Ik heb gekeken of het niet iets anders kon zijn, van een beest of zo, maar volgens mij zijn het menselijke resten. Daarom heb ik ze niet op eBay gezet, dat zou niet juist zijn.'

'Accepteert eBay dat soort dingen?'

'Zover ben ik niet gegaan,' zei Hernandez. 'Ik heb het niet eens geprobeerd. Ik had ze waarschijnlijk wel kunnen verkopen, maar toen hoorde ik over die moorden. Op tv.' Hij keek naar Milo. 'Vier vrouwen, en dat moeras ligt best dicht bij het opslagbedrijf. Dit zijn botten van drie handen, niet vier, waarschijnlijk betekent het niets, maar ik vond dat ik het moest melden.'

'Dat was een goede beslissing, meneer Hernandez. Waar ligt dat opslagbedrijf?'

'Het heet Pacific Public Storage, aan Culver Boulevard vlak voor de kruising met Jefferson.'

'U woont in Alhambra.'

'Klopt.'

'Da's nog een eindje rijden voor zo'n veiling.'

'Niet vergeleken met andere opslagbedrijven,' zei Hernandez. 'Ik heb er een in San Luis Obispo gedaan.' Een gelige glimlach. 'Ik rij nog naar Lodi als ik denk dat ik er iets op kan verdienen.'

'U leeft van dit soort veilingen.'

'Nee, ik ben eigenlijk tuinarchitect, op zoek naar een baan.'

'Zoekt u al lang?'

'Te lang.' Hernandez leunde achterover en lachte. 'Mijn broers hadden me al gewaarschuwd.'

'Waarvoor? '

'Persoonlijke vragen. "Meld het, Bobby, doe je burgerplicht, maar ze zullen je zien als verdachte omdat dat nou eenmaal zo gaat. Wij vertrouwen niemand."'

'Uw broers zitten bij de politie.'

'Gene in Covina, Craig in South Pasadena. Pa is gepensioneerd brandweerman. Zelfs mijn moeder doet mee. Die werkt in de meldkamer van West-Covina.'

Milo glimlachte. 'U bent het buitenbeentje.'

'Sorry hoor, maar mij kunnen ze niet genoeg betalen om in een auto of een kantoor te zitten. Geef mij maar een graafmachine en twee hectare land, en ik ben blij. Ik moet ervandoor. Ik heb een sollicitatie in Canoga Park. Ze willen er grote palmbomen verplaatsen, en ik weet hoe dat moet.'

Milo noteerde zijn gegevens, bedankte hem en schudde hem de hand.

Bij de deur zei Hernandez: 'Nog één ding. Het is niet de belangrijkste reden dat ik ben gekomen, maar ik heb een rechtszaak vanwege mijn overtredingen, dus als u misschien een goed woordje voor me zou willen doen...'

'Moest u zich van uw advocaat melden?'

'Nee, dat was mijn idee. Maar hij dacht dat het kon helpen. Mijn broers ook. U kunt ze allebei bellen, zij zullen het bevestigen. Als ik mijn boekje te buiten ga, dan moet u het zeggen, dan hebben we het er niet meer over.'

'Wie is uw advocaat?'

'Een pas afgestudeerde pro-Deoadvocaat, daarom zit het me niet lekker,' zei Hernandez. 'Mason Soto. Hij zou liever de oorlog in Irak aanvechten.'

Milo schreef Soto's naam en telefoonnummer op. 'Ik zal de officier van justitie zeggen dat je de politie van Los Angeles uitstekend hebt geholpen, Bob.'

Hernandez straalde. 'Dank u, daar ben ik ontzettend blij om. Die botten, eerst dacht ik dat ze van zo'n anatomisch model kwamen. U weet wel, waar dokters van leren? Maar er zitten geen gaatjes in geboord waarmee je ze aan elkaar kunt verbinden. Het zijn gewoon losse botjes.' Hij trok even aan zijn sikje. 'Wat moet een normaal mens daar nou mee?'

20

Pacific Public Storage was een rij beige bunkers afgeschermd door zes meter ketting. Een schreeuwerig, drie meter hoog bord verkondigde speciale aanbiedingen. Het bedrijfslogo bestond uit een stapel koffers.

We reden er langs en controleerden hoe lang het rijden was naar het moeras voordat we terugreden. Zes minuten heen en zes minuten terug met een matige snelheid.

Boven op de ingang naar het parkeerterrein bij het opslagbedrijf stond een beveiligingscamera. Een barak van golfplaat fungeerde als kantoor. Binnen zat een jonge, mollige man verveeld achter een bureau. Op zijn oranje poloshirt stond het bedrijfslogo en op zijn naambordje stond PHILIP. Er lag een biografie van Thomas Jefferson opengeslagen met de rug naar boven op de balie. Een enthousiaste sportverslaggever schalde uit de radio.

Milo bekeek het boek. 'Een geschiedenisfanaat?'

'Voor school. Kan ik u helpen?'

'Politie.'

Philip knipperde met zijn ogen bij het zien van de penning.

Milo zei: 'In een van de boxen is illegale waar gevonden. Nummer veertien vijfenvijftig.'

'Illegale waar? U bedoelt drugs?'

'Laten we het erop houden dat het illegaal is. Wat kunt u me over die box vertellen?'

Philip bladerde door een register. 'Een vier vijf vijf... Die staat leeg.'

'Dat weten we, meneer...'

'Phil Stillway.'

'De illegale waar in kwestie is verkregen toen de inhoud twee weken geleden werd geveild, meneer Stillway.'

'Ik werk hier nog maar een week.'

Milo tikte tegen het register. 'Wilt u alstublieft nakijken wie de box had gehuurd?'

'Dat staat hier niet in. Hierin staan alleen de boxen die bezet zijn.'

'U bedoelt toch niet dat hier mensen wonen?'

Philips mond viel open. 'Nee meneer, ik bedoel met materiaal. Bezittingen. Er woont hier niemand, dat mag niet.'

Milo knipoogde en grinnikte.

'O,' zei Philip, 'u maakt een grapje.'

'Wie heeft veertien vijfenvijftig gehuurd en wanneer?'

Philip deed twee stappen naar een computer, ging zitten en toetste iets in. 'Hier staat dat er een huurachterstand van zestig dagen was... twee weken geleden... Eh ja, er is inderdaad een veiling geweest, alles is verkocht. Hier staat dat de huurovereenkomst van veertien maanden geleden is... voor twaalf maanden, vooruitbetaald, zestig dagen huurachterstand.'

'Hoe is het betaald?'

Hij typte weer iets in. 'Contant, staat hier.'

'Wie was de huurder?'

'Sawyer komma T, staat hier.'

'Adres?'

'Postbus 3489, Malibu, Californië, 90156.'

De postcode voor Malibu was 90265. Milo fronste zijn wenkbrauwen terwijl hij de informatie noteerde.

'Welke andere informatie heeft Sawyer, T. nog meer gegeven?'

Philip noemde een telefoonnummer met kengetal 818.

Het kengetal voor Malibu was 310, maar omdat tegenwoordig alles mobiel gaat, is logica niet langer van toepassing.

Milo zei: 'Akkoord, dan wil ik nu de beveiligingsbanden zien.'
'Pardon?'
'Van de camera aan de voorzijde.'
'O, die,' zei Philip. 'Die gaat pas aan als het hek om acht uur dichtgaat en er huurders naar binnen willen.'
'Jullie gaan om acht uur dicht?
'Ja, maar mensen kunnen een borg betalen en een keycard aanvragen.'
'Wanneer gaan de camera's aan?'
'Als er niemand op kantoor is.'
'En wanneer is dat?'
''s Avonds,' zei Philip. 'Na achten.'
'Heeft T. Sawyer een keycard aangevraagd?'
Philip richtte zich weer op zijn toetsenbord. 'Het staat hier aangevinkt. Ja... maar zo te zien hebben we hem nooit teruggekregen, dus de borg is geconfisqueerd. Tweehonderd dollar.'
'Akkoord,' zei Milo. 'Dan nu die banden. Alles vóór de afgelopen twee weken, is prima.'
'Dat zal wel prima zijn,' zei Philip, 'maar het is ook onmogelijk. De banden worden hergebruikt na achtenveertig uur.'
'Twee dagen en het is weg? Da's nog eens een strak beveiligingssysteem.'
'Die illegale waar, was die gevaarlijk? Gif, of zo? Mijn ouders zijn al niet blij dat ik hier werk, ze maken zich zorgen over de dingen die mensen hier opslaan.'
'Niets giftigs of radioactiefs,' zei Milo. 'Is er binnen het bedrijf iemand die ons iets over meneer Sawyer kan vertellen?'
'Ik kan eens vragen, maar ik denk het niet. Alles wat we moeten weten staat hierin.' Hij tikte tegen de computer.
'Laten we dan maar eens naar een band van de afgelopen achtenveertig uur kijken.'
'Best.' Philip schoof naar links en zette een videorecorder aan. Hij was aangesloten op de computer en het scherm werd grijs. En bleef grijs. 'Eh,' zei hij, terwijl hij met het toetsenbord speelde en er niets veranderde. 'Da's niet veel, ik weet het niet...'
'Hou vol, Phil.'
Na het uitpluizen van het Help-menu en verschillende mis-

lukte pogingen, staarden we naar een korrelige zwart-wit-close-up van het toegangshek van het opslagbedrijf. De camera stond schuin zodat een afgevlakt deel van het terrein zichtbaar was, zo'n vierenhalve meter asfalt, lang niet tot aan de parkeerplaatsen.

Ik zei: 'Alles Wat U Wilde Weten Over de Oprit Maar Niet Durfde te Vragen.'

Phil begon te grijnzen, maar veranderde van gedachten toen hij de blik op Milo's gezicht zag.

Het scherm werd weer grijs.

Een foutmelding.

Philip zei: 'Zo te zien is hij kapot. Ik zal er maar een melding van maken.'

Milo zei: 'Spoel eens door om te kijken of hij echt leeg is.

Philip deed wat hem werd gevraagd. De rest van de band was leeg.

'Geef de sleutel van veertien vijfenvijftig maar.'

'Dat zal wel goed zijn.'

'Zie het maar zo,' zei Milo. 'Als er iets gevaarlijks ligt, zijn wij de pineut, jij niet.'

'Ik moet hier sowieso blijven,' zei Philip, terwijl hij in een la rommelde. 'Deze zou het moeten doen. Anders weet ik het ook niet.'

Op weg naar de opslagruimte zei ik: 'T. Sawyer.'

'Het maatje van Huck, haha.'

Het bedrijf bestond uit een serie gangen met rechte hoeken, een kapotte slang van cementblokken. Achter elkaar triplex deuren, een veelheid aan sloten, waarvan sommige indrukwekkend.

Op de beugel van 1455 een bedrijfsslot. Milo deed handschoenen aan, maakte het slot open, duwde de deur open naar een onverlichte ruimte van vierenhalve vierkante meter. De vloer was schoon, geen pluisje stof. De geur van bleekmiddel dwarrelde de hal binnen.

Milo wreef in zijn ogen en liet zijn zaklamp over alle oppervlakken gaan. 'Moet ik nog de moeite nemen de technische recherche erbij te roepen?'

'Hangt ervan af hoezeer je jezelf wilt indekken.'

'Ik zal zeggen dat ze luminol mee moeten nemen, misschien hebben we mazzel.'

We liepen terug naar het kantoortje. Philip zat een spelletje te spelen op de bedrijfscomputer, een felgekleurd gebeuren met ninja's en ruimtewezens en vrouwen met blauwzwarte ogen en borsten die de zwaartekracht tartten.

'Hoi,' zei hij, terwijl hij verder speelde.

Milo zei: 'Worden lege ruimtes door het bedrijf schoongemaakt?'

'Ja.'

'Met bleekmiddel?'

'Met een speciale oplossing die ze van het hoofdkantoor sturen,' zei Philip. 'Dat doodt alles. Zodat de volgende huurder zich geen zorgen hoeft te maken.'

'Wat attent,' zei Milo.

'Ja.' Philip, die een demon met een lans tegenkwam die uit een enorme paarse wolkbreuk afdaalde, kneep zijn ogen samen, leunde naar voren en zette zich schrap voor het gevecht.

Milo gaf een dot gas en scheurde als een coureur via zijstraten de hele weg lang naar het bureau. Hij kon niet wachten om te zien of een huiszoekingsbevel voor Travis Hucks leefruimte in het huis van de familie Vander haalbaar was.

De hulpofficieren van justitie die hij tot nu toe had gesproken waren niet bemoedigend, maar hij had er nog een paar te gaan. 'John Nguyen wil nog wel eens helpen.'

'Je shopt bij alle advocaten,' zei ik.

'Over vergif gesproken.'

Ik liet hem achter in het juridisch systeem en reed naar huis terwijl ik dacht aan kiezen en snijtanden.

DeMaura Montouthe, de meest waarschijnlijke kandidaat voor Onbekende Vrouw 3, was eenenvijftig, een fossiel naar straatnormen. De tien jaar oude politiefoto die Moe Reed had weten op te duiken toonde een rimpelig gezicht met hangende ogen, ingevallen kaken en een wild platinablond kapsel. Het leven dat ze had geleid was een pad naar geestelijke en

lichamelijke aftakeling en ze zag er ver in de zestig uit.
En toch had ze haar eigen tanden nog.
Goede genen? Of was een goed gebit haar laatste beetje waardigheid, het resultaat van bijzondere zorg?
Ik zocht praktijken op die gratis tandheelkundige zorg boden in L.A. County, vond er acht en begon te bellen. Ik maakte daarbij gebruik van mijn titel.
Bij nummer vier had ik succes, een inloopkliniek die door de faculteit Tandheelkunde van de universiteit werd geleid.
Rose Avenue, ten zuiden van Lincoln. Op loopafstand van Selena Bass' garagewoning.
En een kort autoritje naar het Vogelmoeras.
Ik vroeg de receptioniste wanneer mevrouw Montouthe voor het laatst was geweest, maar mijn titel had zijn beperkingen.
'Ze staat in de boeken, meer kan ik u niet zeggen.'
'Wie is haar tandarts?'
'Dokter Martin. Ze is met een patiënt bezig.'
'Wanneer heeft ze tijd?'
'Ze is de hele middag bezig... kan ik u even in de wacht zetten?'
'Niet nodig.'

Het Western District Community Tandheelkundig Centrum was een verbouwde winkel tussen een luxe ijssalon en een vintage kledingzaak. Mooie mensen bezochten de buren. Twee dakloze mannen stonden bij de openstaande deur naar de kliniek te roken en te lachen. De bezittingen van een van de mannen lagen in boodschappentassen op de stoep. De ander hield een kunstgebit omhoog en bulderde van het lachen met een zwarte gapende mond. 'Ze hebben me goed te pakken genomen, meneer Lemon!'
Boodschappentas zei: 'Laat mij 'm eens passen!'
'Geef me een blik soep!'
'Ja, vast!'
Ze zwegen toen ze mij zagen aankomen. Twee gerafelde palmbomen stonden me in de weg, toen ze bij me kwamen bedelen.
'Geld voor een ontbijtje, *Perfesser*?'
'Het is middag, meneer Lemon. Pannenkoeken voor het volk!'

166

'Poeder voor het volk!'

Ze gaven elkaar een high five en lieten een rauwe, rochelende lach horen.

Ik gaf ze allebei een briefje van vijf, ze joelden en lieten me langs. Toen ze hetzelfde probeerden bij een vrouw in een dansmaillot die met een grote hoorn met ijs met stukjes snoep erin in haar handen geklemd de salon uit kwam, zei ze: 'Flikker op!'

In de azuurblauwe wachtkamer van de kliniek zat een dikke vrouw met angstige ogen die een krijsende baby op schoot had en heimelijke blikken wierp op een in elkaar gezakte oude vent met een ingevallen gezicht die zat te slapen. Zijn kleren waren smerig. Hij had van het tafereel buiten de *Three Amigos* kunnen maken. In de hoek zat een magere jongen van een jaar of twintig met een hanenkam, armen vol tatoeages, een ontbrekende snijtand en een boosaardige blik.

De receptioniste was aantrekkelijk, rondborstig en blond. De huid die onder haar zwarte tanktop vandaan kwam was glad en gebruind. Ze herkende mijn naam, waarop haar glimlach verdween.

'Dokter Martin is nog steeds bezig.'

'Dan wacht ik wel.'

'Het kan wel een tijd duren.'

'Als ze even een momentje heeft, kunt u haar misschien laten weten dat DeMaura Montouthe mogelijk dood is.'

'Doo...' Ze sloeg haar hand voor haar mond. 'Wat voor dokter bent u?'

Ik toonde haar mijn adviseurspasje van de politie van Los Angeles.

Haar lippen begonnen te trillen. Ze zag eruit alsof ze misselijk werd. 'O, mijn god. Een ogenblikje.' Ze haastte zich door de deur achter zich.

De jongen met de hanenkam zei lijzig: 'Iedereen gaat dood.'

Faye M. Martin, tandarts, was een jaar of dertig en beeldschoon. Ze had een porseleinen huid en een hartvormig gezicht dat werd omlijst door glanzend roodbruin haar. Ze had donkere ogen en een figuurtje dat een witte jas niet kon verhullen.

Een verbluffende gelijkenis met Robin. Ze had haar jongere zus kunnen zijn, en god help me, ik voelde vanbinnen iets kriebelen.

Ik deed mijn best om zakelijk over te komen toen we elkaar de hand schudden. Haar zakelijke houding en mijn gedachten aan DeMaura hielpen.

Toen ze me naar een lege behandelkamer bracht, vroeg ze wat een psycholoog voor de politie deed. Ik gaf haar de korte versie en daar leek ze genoegen mee te nemen.

De kamer rook naar rauw vlees en pepermunt. Aan de muur hingen posters over tandvleesverzorging en dreigende foto's van wat er gebeurde als tandvlees niet goed werd verzorgd. Dozen gratis tandenborstels en tandpasta en verchroomde tandenstokers en schrapers en bussen watten. Iets verderop lag een felrood patiëntendossier.

Faye Martin ging op een kruk op wielen zitten en legde haar hand op het dossier. Ze sloeg haar benen over elkaar, knoopte haar jas los, waaronder een zwarte blouse, een zwarte broek en een gouden ketting met daaraan een grote amethist zichtbaar werden. Ze had een iets voller lichaam dan ik eerst dacht. Ze leek zich niet bewust van haar schoonheid.

De enige andere zitplaats was de tandartsstoel die nog helemaal achterover stond. 'O, sorry,' zei ze. Ze stond op en zette de leuning recht. Ik ging in de stoel zitten.

'Doe maar even wijd open, nu u hier toch bent... Neem me niet kwalijk, het is afschuwelijk van DeMaura, ik mag geen grapjes maken.'

Ik zei: 'Er is geen betere reden om grapjes te maken.'

Faye Martin zei: 'Dat zal wel... Ik neem aan dat het een gewelddadige dood was.'

'Als het lijk dat we hebben inderdaad van haar is, dan wel.'

'Het lijk.' Ze ging weer zitten. 'Arme DeMaura. Hebt u enig idee wie het heeft gedaan?'

'Nog niet. Het zou helpen als we de identiteit kunnen vaststellen.' Ik beschreef de gebitsonregelmatigheden die dokter Hargrove had genoemd.

'Dat is ze,' zei Faye Martin. 'Jeetje.'

'Hoeft u de röntgenfoto's niet te zien?'

'Voordat ik het zwart op wit zou zetten, wel, maar zij is het. Die combinatie van afwijkingen is zeldzaam. DeMaura en ik maakten er wel eens een grapje over. Melktanden. "Ik ben zeker nooit opgegroeid, dokter."'

Ze pakte het dossier, las een paar seconden en legde het toen weg. 'Ze had een mooie lach. Voor de rest was ze... wat je mag verwachten van iemand met die levensstijl. Maar haar tanden hadden van een gezonde vrouw kunnen zijn.'

Een ongelakte vingernagel frunnikte aan een knoop van haar witte jas. 'Ze was een aardig mens, dokter Delaware. Bijna altijd vrolijk. Gezien haar situatie vond ik dat vrij bijzonder.'

'Zo te horen kende u haar behoorlijk goed.'

'Voor zover je iemand goed kunt kennen in deze omstandigheden,' zei ze. 'Op de kinderen na, behandelen we hier voornamelijk mensen die hier maar kortstondig wonen. Maar DeMaura kwam haar afspraken altijd keurig na.'

Ze keek weer in het dossier. 'Ze komt hier al drie jaar. Het eerste halfjaar kwam ze bij dokter Chan. Die ging met pensioen en zo kwam ze bij mij.'

'Hebben de patiënten een vaste tandarts?'

'Als het even kan wel. We proberen zo veel mogelijk als een privépraktijk te functioneren. Voor DeMaura was het geen probleem, want zij kwam alleen maar voor controles... o, en we hebben een keer een amalgaamvulling vervangen, heel in het begin.'

'Waarom had ze een vaste tandarts, terwijl ze alleen maar voor controle kwam?'

'Ze had last van plaquevorming, maar verder niets bijzonders.' Ze speelde met het dossier. 'Dokter Chan zag haar twee keer per jaar, maar ik liet haar elke drie maanden komen. Om haar een beetje in de gaten te houden, niet alleen op tandheelkundig gebied, maar meer in het algemeen. Ik had de indruk dat ze alleen regelmatige medische zorg kreeg als ik haar doorverwees.'

'Ze vertrouwde u.'

'Ik nam de tijd om naar haar te luisteren. Ik vond het eerlijk gezegd leuk. Ze kon heel grappig zijn. Helaas dateert haar laatste bezoek van...' Ze bladerde door het dossier. '... vijftien maanden geleden. Wanneer is ze overleden?'

'Mogelijk rond die tijd.'

'Ik had moeten weten dat er iets aan de hand was, ze kwam altijd zo trouw. Maar het telefoonnummer dat ze had opgegeven klopte niet en ik had geen enkele mogelijkheid om contact met haar op te nemen.'

'Ik vond het opvallend dat ze haar eigen tanden nog had.'

'Ze had superlange wortels, veel ruimte voor problemen,' zei Faye Martin. 'Dat had een andere tandarts haar jaren geleden een keer verteld, en ze was er haast trots op. En op haar naam ook. "Mon-*touthe*, het is karma, dokter, ik ben een wereldkauwer." En wat betreft haar gezondheid had ze niet veel om trots op te zijn.'

'Wat voor lichamelijke problemen had ze?'

'Van alles,' zei Faye Martin. 'Artritis, slijmbeursontstekingen, acute aanvallen van alvleesklierontsteking, leverproblemen, ten minste één keer hepatitis A voor zover ik weet, en de gebruikelijke geslachtsziekten. Ze was volgens mij niet seropositief, dat wist ze gelukkig te voorkomen. Niet dat het er nu nog toe doet.'

'Naar wie verwees u haar voor die problemen?'

'Naar de Marina Free Clinic. Ik heb één keer gebeld om te weten te komen of ze echt gegaan was. Ze kwam alleen om medicijnen te halen, verder niet.'

Ik zei: 'Ze vertrouwde daar niemand.'

Faye Martins bruine ogen met de lange wimpers keken me aan. Haar wangen waren roze. 'Ik heb geloof ik uw beroep uitgeoefend zonder diploma.'

'Maar goed ook. U bent de eerste die we hebben gevonden die iets over haar weet. We hebben helemaal geen familieleden of vrienden kunnen traceren.'

'Omdat ze geen vrienden had. Dat beweerde ze althans. Ze zei dat ze niet van mensen hield, dat ze het gelukkigst was als ze alleen was. Ze noemde zichzelf een eenzaam, stout meisje. Verstoten door haar familie toen ze nog in Canada woonde.'

'Waar in Canada?'

'Alberta.'

Ik moest lachen. 'Wij hadden gehoord dat ze uit Alabama kwam.'

'Ach, een A is een A,' zei Faye Martin.

'Waarom werd ze verstoten?'

'Het waren boeren, religieuze fundamentalisten. DeMaura heeft nooit de details verteld. Ze kwam hier om haar gebit te laten reinigen, praatte wat, en ik luisterde. Dat gebeurt vaker dan u denkt.' Ze veegde een lok haar uit haar gezicht. 'Ik heb tijdens mijn opleiding een klein beetje psychologie gehad, soms kan het goed van pas komen.'

'Staat er nog iets in het dossier wat ons kan helpen?'

'In het dossier staat alleen alles over haar tanden en tandvlees. Wat ze me verder vertelde, bleef tussen ons. Maar ik zal een kopietje voor u maken. Als uw forensisch odontoloog tijd heeft kan hij of zij de officiële identificatie doen. Of u kunt mij uw gegevens sturen, dan doe ik het.'

'Dat is fijn. Wat was er precies tussen u en DeMaura?'

'Waar ze haar geld mee verdiende. Ze wilde direct dat ik wist dat ze een "stout meisje" was. Alleen vrijde voor geld – dat zijn niet de woorden die zij gebruikte. Maar ik wil niet suggereren dat het een belangrijk onderwerp van gesprek tussen ons was. Meestal babbelden we gewoon wat. Dan kwam ze in een melige bui binnen, begon ze te lachen over een mop die ze op straat had gehoord, probeerde hem na te vertellen, maakte er een potje van en dan lagen we allebei dubbel. Even vergat ik dan wat... wie ze was, en dan was het net of ik met een vriendin zat te kletsen. Maar haar laatste afspraak, vijftien maanden geleden, was anders. Om te beginnen zag ze er beter uit. Mooie make-up, niet dat absurde spul dat ze voor haar werk op had. Nette kleren en haar haar was schoon en gekamd. Niets zou die zware jaren kunnen wegpoetsen, maar die dag ving ik een glimp op van hoe ze eruit had kunnen zien als haar leven anders was gelopen.'

Ik zei: 'De enige foto die ik heb gezien is een politiefoto.'

Faye Martin fronste haar wenkbrauwen. 'Als ik ergens verstand van heb, dan zijn het gelaatsstructuren, en die van De-

Maura hadden mooie verhoudingen en waren heel symmetrisch. In aanleg kon ze een aantrekkelijke vrouw zijn, dokter Delaware. Die dag kon je dat zien. Ik vertelde haar dat ze er zo mooi uitzag en vroeg of ze iets speciaals van plan was. Ze beweerde dat ze een afspraakje had met haar vriend. Dat verbaasde me want als ze het over mannen had, waren het altijd klanten.'

'"Ze beweerde", zegt u. Geloofde u haar niet?'

'Zelfs met een net gebit was DeMaura verre van betoverend. En de man die ze beschreef, was jonger en aantrekkelijk.'

'Hoeveel jonger?'

'Dat zei ze niet, maar ze noemde hem een jongen. "Een bloedmooie jongen, ik zou zijn moeder kunnen zijn, maar hij houdt van rijpe vrouwen." Ik dacht eigenlijk dat ze het verzon. Of op zijn minst overdreef. Toen ik haar gebit had gecontroleerd en mijn assistente de kamer uit was, begon ze over de seksuele kant van hun relatie te praten en voor het eerst zag ik iets van… opwinding, is het woord denk ik. Alsof ze dat nog altijd kon voelen. Dus misschien was deze man, wie hij ook was, als hij werkelijk bestond, in staat om haar op te winden. Al vroeg ik me ook af of DeMaura niet het slachtoffer was van een wrede grap. Dat ze een van haar zakelijke relaties aanzag voor een persoonlijke.'

'Verliefd op een klant,' zei ik.

'Maar dan wel het verkeerde soort klant. Ze zei namelijk dat hij haar graag pijn deed. En dat zij dat fíjn vond.'

'Op welke manier?'

'Dat heb ik niet gevraagd. Ik hoefde de obscene details niet te weten, integendeel. Eerlijk gezegd vond ik het weerzinwekkend. Ik heb haar wel gezegd dat ze voorzichtig moest zijn, maar ze zei dat het gewoon spelletjes waren.'

'Gebruikte ze dat woord?'

'Ja, spelletjes. En toen legde ze haar handen rond haar nek, stak ze haar tong uit en wiebelde met haar hoofd. Alsof ze werd gewurgd.'

Ze kneep haar donkere ogen samen. 'Is ze zo overleden?'

'Er zijn tekenen van wurging, maar we hebben alleen botten gevonden.'

'Mijn god,' zei ze. 'Het was niet alleen haar fantasie, het is echt gebeurd.

'Wat heeft ze nog meer over die vriend verteld?'

'Eens denken.' Ze masseerde de gladde huid tussen haar twee welgevormde wenkbrauwen. 'Ze zei... Nu vind ik het erg dat ik nooit heb doorgevraagd. O ja, ze zei dat ze het fijn vond om over zijn hoofd te wrijven, hij was haar geluksamulet. Het was een van de spelletjes die ze speelden. Dan wreef ze over zijn hoofd en deed hij met haar wat hij wilde... Haar woorden, hij deed wat hij wilde. Ze zei dat ze zo gek was op zijn hoofd, dat het zo lekker glad was, "als babybilletjes". Hij zal wel kaal zijn geweest.' Ze fronste haar wenkbrauwen. 'Ik gaf haar een nieuwe tandenborstel en een tandenstoker en een tube Colgate Total.'

Ze sprong overeind. 'Ik zal dit even voor u kopiëren.'

Ik zei: 'U hebt erg geholpen. En u hoeft nergens spijt van te hebben.'

Ze draaide zich om en glimlachte. 'Is er tenminste iemand met een echte psychologieopleiding.'

21

Hulpofficier van justitie John Nguyen wreef over een honkbal. Een nooit gebruikte Dodger-bal met allemaal handtekeningen. Drie andere ballen in plastic vitrinekastjes stonden op een plank met wetboeken en dossiermappen. Nguyen had lang genoeg bij het Openbaar Ministerie gewerkt om een hoekkantoor met uitzicht op de zestiende verdieping van het Clara Shortridge Foltz-gebouw te hebben verdiend. Foltz was de eerste vrouwelijke advocaat van de westkust geweest. Ik vroeg me af wat ze zou hebben gedacht van de zielloze, negentien verdiepingen hoge koelkast waar haar naam op stond. Het uitzicht bestond uit daken en parkeerterreinen vol chroom. Groot was het niet. Milo, Moe Reed en ik stonden rond Nguyens bureau en konden onze kont niet keren.

'Dat is het?' vroeg Nguyen, terwijl hij over een strak genaaide naad van de bal wreef. 'Een mogelijk slachtoffer heeft een mogelijke dader, maar het zou net zo goed een denkbeeldig vriendje zonder haar kunnen zijn?'

Reed zei: 'Plus Big Laura Chenoweth die aan een moordlustige skinhead ontsnapte en Selena Bass die bij een kale man in de auto stapte.'

'Beide verhalen heb je verkregen van derden die zich iets menen te herinneren. Volgen jullie de popcultuur dan niet? Kaal is in.' Nguyen streek over zijn eigen dikke zwarte bos. 'Sorry, maar op basis daarvan gaat niemand je iets geven.'

Milo zei: 'Kom op, John, het is wel wat meer. Travis Huck heeft duidelijk vluchtgedrag getoond.'

'Niet thuis zijn op het moment dat jullie langskomen, is dat vluchtgedrag? En hij droeg een muts, dus je weet niet of hij kaal is.'

'Wat onder de muts zichtbaar was, was duidelijk kaal.'

'Misschien scheert hij zich van opzij kaal en heeft hij bovenop een dikke bos. Zoals die idioot in die film van David Lynch, jaren geleden... Je weet wel welke ik bedoel.'

Stilte.

Nguyen zei: '*Eraserhead*. Jemig, stel dat je die muts afrukt en er komt een meterhoog afrokapsel onder vandaan? Jullie gaan af op een waardeloze uiterlijke beschrijving die nog geen muggenpoepje waard is. Maar laat je door mij niet tegenhouden, vis gerust verder. Ik kan alleen geen goed woordje voor je doen, daarvoor is dit veel te armoedig.'

Hij liet zijn blik vallen op de meest recente rijbewijsfoto van Travis Huck. 'Hier heeft hij meer dan genoeg haar. Maar goed, wie weet heeft hij zich kaalgeschoren. Dan moet je nog wel kunnen aantonen dat hij dat heeft gedaan in de periode dat hij met Selena zou zijn gezien. Nee, eerder nog... met Montouthe. Wanneer was dat, twee jaar geleden?'

'Vijftien maanden,' zei Milo.

Nguyen speelde nog wat met de honkbal. 'Je gevoel klopt vast, maar de feiten zijn oppervlakkig. En stel dát je informatie hebt waarmee meneer Huck een serieuze verdachte wordt, dan nog hebben we een probleem om het huis binnen te komen. Het is niet zijn huis, het is het eigendom van zijn werkgever. Die geen verdachte is.'

'Nog niet,' zei Moe Reed.

Nguyen liet de honkbal tussen zijn vingers rollen. 'Probeer je me iets te vertellen? Wat is het hele verhaal?'

Milo vertelde hem over de swingerfeesten waarover Selena Bass haar broer had verteld en over het feit dat ze was ingehuurd als Kelvin Vanders pianolerares. Het feit dat de familie Vander de stad had verlaten.

'Oei, dus ze is van ondeugend meisje op Bach overgegaan,' zei Nguyen. 'Nou, en?'

Reed zei: 'Of Bach was een dekmantel zodat ze regelmatig naar dat huis kon.'

'Perverse rijkelui,' zei Nguyen. 'Tjongejonge, dat hebben we in Hollywood nog nooit gezien. De vraag blijft hetzelfde, jongens. Wie zegt dat swingerfeestjes iets anders zijn dan gewoon volwassen vertier? Jullie hebben geen enkel verband kunnen leggen met de sm waar die twee hoertjes naar verluidt aan deden. En dat andere hoertje... Chenoweth? Zo te horen liet die zich door niemand vastbinden. Integendeel.'

'Er lag een rijzweepje in Selena's...'

'Dus ze houdt van paarden. Meisjes houden van paarden.'

Nguyen draaide zich om, legde de honkbal op een plastic houder en schoof daar liefdevol een plastic kap overheen. 'Ik weet dat ik stomvervelend doe, maar van de andere kant kun je nog veel erger verwachten, dus ik zou maar voorzichtig zijn.'

'Wat betekent dat?'

'Zorg dat je beter bewijsmateriaal hebt.'

Ik zei: 'Als de Vanders toestemming geven voor een huiszoeking, geldt dat dan ook voor Hucks leefruimte?'

Nguyen leunde achterover. 'Dat is een interessant vraagstuk... Het hangt mogelijk af van de aard van Hucks afspraken met de familie Vander. Is zijn kamer een vastgelegd onderdeel van zijn salaris? Zo ja, dan zou het een legaal overeengekomen verblijfplaats zijn, net als een verhuurde of geleasde ruimte, en in dat geval kan alleen de bewoner toestemming geven.'

'Ervan uitgaande dat de bewoner er nog steeds woont.'

Nguyen glimlachte. 'U had advocaat kunnen zijn, dokter. Ja, als hij vertrokken is en de familie Vander geeft toestemming, kun je je gang gaan. En als er geen formele overeenkomst was aangaande de baan en hij is daar gewoon ingetrokken, zou je kunnen hardmaken dat hij een gast is. Hoe lang zit hij er al?'

'Drie jaar,' zei Reed.

'O nee, dan ben je geen gast meer. Nog één ding waar je op moet letten: zelfs als je iemand zover krijgt een bevelschrift te bekrachtigen, zouden Hucks bezittingen niet onder de bepalingen vallen, tenzij hij ze heeft achtergelaten. En daar kun je niet voorzichtig genoeg mee zijn. Het moet heel duidelijk zijn dat hij ze heeft afgedankt. Het is een privacykwestie waar het hof heel moeilijk over kan doen... Maar de oppervlakten van vast meubilair dat eerder van de familie Vander was, vallen er misschien wel onder... Mogelijk zou je het meubilair op vingerafdrukken kunnen controleren.'

Hij krabde achter zijn oren. 'Eerlijk gezegd, heb ik geen idee zonder wat diepgaand onderzoek. Dit komt nooit voor.' Hij glimlachte. 'Straks vorm je jurisprudentie, maar raak je je dader kwijt.'

Milo zei: 'Als we toestemming van de familie Vander krijgen en we zien open en bloot iets verdachts liggen...'

Nguyen sloeg zijn handen voor zijn oren.

'Wat?' vroeg Milo.

'Dat werkt misschien bij een hersendode alcoholist. Open en bloot, schei toch uit. Huck reageert niet op jullie telefoontjes, dus is het wel duidelijk dat hij niet van plan is mee te werken. Wie gelooft dat hij bewijsmateriaal laat slingeren?'

'Stomme criminelen,' zei Moe Reed. 'Zonder stomme criminelen zou deze baan zo leuk zijn als een hartaanval.'

Milo keek hem scherp aan met een blik die vermakelijk was. Daarna wendde hij zich weer tot Nguyen. 'Rechercheur Reed spreekt een waar woord, John. Stel dat Huck denkt dat hij gebeiteld zit en arrogant wordt. Als we onszelf op de een of andere manier toegang weten te verschaffen, hem overrompelen, wie weet wat we dan vinden.'

'Als hij er is, Milo. Jullie hebben hem al twee dagen niet zien komen of gaan en de Lexus is verdwenen. Jullie zijn de rechercheurs, zeg het maar. Klinkt dat niet alsof hij ervandoor is?'

'Wil je soms voorzitter worden van de Pessimistenclub, John?'

'Heb het overwogen,' zei Nguyen. 'Maar die lui zijn veel te jolig.'

Moe reed zei: 'Hij kan toch niet van twee walletjes eten? Als hij ervandoor is, doet hij afstand van wat hij heeft achtergelaten, of niet?'

Nguyen bestudeerde de jonge rechercheur. 'Levert de politie van Los Angeles ze tegenwoordig zo intellectualistisch? Ja, als onmstotelijk kan worden aangetoond dat hij voorgoed vertrokken is. En geloof me, dat wordt nog moeilijk. Ze zullen zeggen dat hij even weg wilde, verwachtte dat zijn privacy bewaard zou blijven.'

'Even weg van ons?' zei Reed. 'Dat duidt op schuld.'

'Even weg van zijn werk, van de sleur, wat dan ook, rechercheur Reed. Waar het om gaat, is dat de grondleggers van onze maatschappij wilden dat mensen van ons land konden genieten, zonder thuis een wanboel aan te treffen omdat de politie de boel overhoop had gehaald. En deze verdachte kan makkelijk zijn vertrokken om een andere reden dan schuld. Hij heeft als kind onterecht in de gevangenis gezeten en heeft als geen ander een reden om de politie te ontlopen.'

Reeds mondhoeken zakten omlaag. Hij liet zijn vinger langs zijn kraag glijden.

'Moet je horen,' zei Nguyen, 'als je toestemming van de familie Vander krijgt, heb je wat speelruimte. Zorg dat je het zwart op wit hebt. Dan kom je in elk geval het huis binnen, kun je de sfeer opsnuiven, contact maken met andere mensen, de werkster, een tuinman, wie dan ook, misschien dat zij de verdenking op Huck kunnen laden.'

Milo zei: 'Voor zover we weten is Huck het enige personeelslid.'

Reed zei: 'Maar het is een kast van een huis, er moeten toch meer mensen werken.'

Nguyen stond op. 'Het was me weer een waar genoegen, heren. Ik heb een vergadering.'

Toen we bij de parkeerplaats waren, kreeg Reed een telefoontje.

'Liz Wilkinson,' zei hij blozend, toen hij had opgehangen. 'Dokter Wilkinson. Ze wil me spreken over de handbotjes.'

'Het gerechtelijk lab is tien minuten rijden,' zei Milo. 'Ga maar gauw.'

'Ze is in het moeras. Ze bestudeert de luchtfoto's die de helikopter vanmorgen heeft gemaakt.'

Reed had de luchtfoto's geregeld.

'Is daar al iets uit gekomen?' vroeg Milo.

Reed schudde het hoofd. Daarna haastte hij zich naar zijn Crown Vic en reed snel weg.

Wij liepen verder naar Milo's auto. 'Wil jij rijden, Alex? Ik moet wat telefoontjes plegen.'

'Is dat niet tegen de regels?'

'Ja, natuurlijk. Gun mij ook een lolletje.'

Ik stuurde de grote, logge auto in westelijke richting, terwijl hij belde met het veertigkoppige advocatenkantoor in Beverly Hills dat al Simon Vanders juridische belangen behartigde. De eerste advocaat die niet meewerkte, was Sarah Lichter, maar toen Milo bleef aandringen bij haar secretaresse, werd duidelijk dat mevrouw Lichter meneer Vander had vertegenwoordigd bij 'een zakelijke kwestie van enkele jaren geleden', maar dat meneer Alston B. Weir 'de overgrote meerderheid van meneer Vanders zakelijke kwesties' behartigde.

Weirs secretaresse was vriendelijk, maar net zo onbehulpzaam en stuurde hem door naar Weirs assistent die hem in de wacht zette. Milo zette de telefoon op de speaker, gaapte, rekte zich uit en bestudeerde de straten van het centrum.

De ongemarkeerde politieauto was absoluut niet goed uitgelijnd, waardoor ik constant met het stuur in gevecht was. Mijn waardering voor Milo's stuurmanskunsten schoot omhoog.

Een vrolijke, stroperige stem zei: 'Buddy Weir. Wat kan ik voor u doen?'

Milo deed zijn verhaal.

'Travis? Dat is een schok,' zei Weir.

'Kent u hem?'

178

'Ik heb hem wel eens ontmoet. Maar ik bedoel het feit dat iemand die Simon of Nadine heeft ingehuurd, dat die... Ik hoop oprecht dat dat niet het geval is. Wat betreft het huis... Ik denk dat noch Simon, noch Nadine bezwaar zouden maken tegen een bezoek onder toezicht, gezien de omstandigheden. Denkt u echt dat het nodig is?'

'Ja.'

'Och, jee,' zei Weir. 'Als Travis inderdaad betrokken is bij iets crimineels... dit is écht een schok... dan zullen Simon en Nadine uw hulp zeker op prijs stellen.'

'Het is onze taak om te helpen, meneer Weir.'

'Dank u, rechercheur. Ik zal zien of ik Simon... meneer Vander kan bereiken.'

'Simone vertelde dat hij in Hongkong was.'

'O, ja? Dat is nuttig om te weten. Eén ding, rechercheur. Strafrecht is niet mijn specialisme, maar ik weet niet zeker of de toestemming van Simon of Nadine om het huis binnen te gaan u zal vrijwaren van juridische obstakels in de toekomst.'

'Wat voor juridische obstakels, meneer Weir?'

'Advocatentactieken,' zei hij. 'Als het zover komt.'

'Waar denk u dan aan?'

'Zoals ik al zei, is het niet mijn specialisme, maar uit het blote hoofd kan ik allerlei huurkwesties bedenken. Als Travis een formele huur- of leaseovereenkomst had, direct of in de vorm van een extra verdienste...'

Hij ratelde verder, herhaalde John Nguyens eerdere verhaal bijna woord voor woord. Milo hield zich stil, hij bootste met zijn hand een kwekkende eendenbek na.

Toen Weir uitgesproken was, zei hij: 'Daar zullen we rekening mee houden, meneer Weir.'

Weir zei: 'Maar eerst het belangrijkste: Simon en Nadine in Hongkong te pakken krijgen.'

'Zij is op familiebezoek in Taiwan.'

'O,' zei Weir. 'Fijn, dat is goed om te weten. Als ik iemand te pakken krijg... laten we positief denken en zeggen zodrá ik iemand te pakken krijg... zal ik ze vragen om me een beperkte volmacht te faxen. Op die manier kan ik voor toegang tot het huis zorgen.'

'Dank u, meneer Weir. Zet daar alstublieft ook het strandhuis bij.'

'Het strandhuis,' zei Weir. 'Ik zie niet in waarom niet.'

'Nog één vraag,' zei Milo. 'Wie werkt er nog meer in het huis behalve Travis Huck?'

'Dat zou ik echt niet weten,' zei Weir.

'Werksters, huishoudsters, dat soort mensen?'

'De keren dat ik er ben geweest, heb ik alleen tuinmannen gezien, maar geen vast personeel.'

'Zo'n groot huis?' zei Milo vragend. 'Wie houdt het dan schoon?'

'Travis beheert het landgoed, misschien regelt hij die dingen... zo'n schoonmaakbedrijf dat je belt als het nodig is. Ik weet het echt niet, inspecteur. Wij zien de rekeningen niet, die worden afgehandeld door een bank in Seattle... Hier heb ik het, Global Investment.'

Hij las het nummer voor. 'O jee.'

'Wat?'

Buddy Weir zei: 'Als Travis bepaalt wanneer het huis wordt schoongemaakt, verkeert hij in de positie om bewijsmateriaal te verduisteren, of niet?'

'Daarom willen we ook zo snel mogelijk het huis binnen.'

'Natuurlijk... Inspecteur, op een schaal van een tot tien, hoe ernstig is dit?'

'Het gaat om moord, meneer Weir, maar ik kan u niet met zekerheid zeggen dat meneer Huck de dader is.'

'Maar u verdenkt hem wel.'

'Hij is iemand die we in de gaten willen houden.'

'Geweldig,' zei Weir. 'Echt geweldig. Ik moet Simon echt dringend te pakken krijgen.'

22

Ik reed in westelijke richting over Beverly Boulevard terwijl Milo Global Investment in Seattle belde.

Verschillende ondergeschikten en een *private banker* later,
wist hij los te peuteren dat schoonmaakbedrijf Happy Hands
uit Palisades beide huizen van de familie Vander schoon-
maakte wanneer dat nodig was.

'Wie bepaalt wanneer het nodig is?' vroeg Milo.

'Hoe moet ik dat weten?' zei de private banker.

Klik.

Milo staarde woest naar de telefoon en stopte hem toen weg.

'Dus Huck regelt het allemaal. Mijn gevoel zegt me dat hij
ervandoor is. Maar zoals ik al zei, snijdt het mes aan twee
kanten, als je het openbaar maakt. Huck heeft zich na zijn
vrijlating uit de jeugdgevangenis tot drie jaar geleden schuil-
gehouden. Als hij onder druk wordt gezet, kruipt hij misschien nog verder weg.'

Ik zei: 'Ondergronds leven kan ook een leerschool zijn.'

'Hoe bedoel je?'

'Misschien was hij onschuldig toen hij de jeugdgevangenis in
ging, maar die ervaring en wat daarna volgde kunnen hem
akelige gewoonten hebben geleerd.'

'Wurging en verminking voor lol en winst... Hoe komt zo iemand in aanraking met de familie Vander?'

'Misschien zijn ze goed van aard.'

'Vriendelijke, koesterende rijkelui.'

'Het kan.'

'Denk je?'

'Jij niet?'

'Zulke mensen bestaan vast, maar ik vraag me af of een ego
dat ervoor nodig is om zoveel geld te vergaren tot zoveel vrien-
delijkheid in staat is.'

'Eersteklas detective Vladimir Lenin.'

'Macht aan het volk.' Hij stak een gebalde vuist op, moest
zijn arm buigen om niet tegen het dak van de auto te slaan.

'Rij maar naar Moghul. Ik krijg honger van al dat falen.'

'Dat zeg je bij succes ook.'

'Ben ik in elk geval consequent.'

We zetten de auto op de personeelsparkeerplaats en liepen
naar het restaurant. Het was er een geroezemoes van jewel-

ste; twee lange tafels vol met mensen, collega's zo te zien, en in een hoekje zaten Moe Reed en Liz Wilkinson.

Ze zaten dichter bij elkaar dan zakelijk gezien noodzakelijk was. Hun eten was onaangeroerd. Reed had zijn jasje aan, maar had zijn stropdas afgedaan en zijn kraag losgetrokken. Liz Wilkinsons haar zonder netje was een weelderige bos glanzende krullen. Haar blauwe jurk stond mooi bij haar huidskleur.

Hij glimlachte, zij lachte. Hun ellebogen raakten elkaar. Ze lachten allebei.

Toen ze ons zagen, reageerden ze geschrokken, als kinderen die zijn betrapt op doktertje spelen.

Reed schoot overeind. 'Inspecteur. Dokter. Dokter Wilkinson heeft allerlei interessante dingen te vertellen over de vingerbotten. Het werd wel eens tijd dat we met iets kwamen, hè?'

Hij ratelde verder. Liz Wilkinson staarde hem aan.

Milo keek naar het lamsgerecht op Reeds bord. 'Heb ik je tot curry bekeerd, rechercheur Reed?'

'Zij... dokter Wilkinson houdt ervan.'

Liz Wilkinson zei: 'Ik ben dol op Indiaas, dus toen Moses het voorstelde, was ik enthousiast. Dit restaurant komt op mijn lijstje te staan.'

'Kom erbij,' zei Reed luider dan nodig.

De vrouw met bril kwam van achteren uit het restaurant. De sari die ze vandaag droeg was bloedrood.

Toen ze Milo zag, begon ze te glunderen. Ze haastte zich weer naar de keuken.

'Zij kijkt blij,' zei Liz Wilkinson.

'Hij is een goede klant,' zei Reed. 'De inspecteur.'

Even later arriveerde er met veel zwier een schaal zeekreeft.

Liz zei: 'Wauw, iemand is hier belangrijk. Lekker dat we mogen meegenieten, inspecteur.'

'Noem me maar Milo, dokter. Wat hebt u voor ons?'

'We hebben de kootjes uit de doos bij elkaar gevoegd en het zijn drie complete setjes. Gezien de afmetingen van de linkerhand van de begraven slachtoffers is het vrij makkelijk ze bij elkaar te zoeken. Laura Chenoweths vingers waren zichtbaar langer dan die van de andere twee. En Onbekende Vrouw 3 – mevrouw Montouthe – vertoonde tekenen van artritis. De andere vondst is dat de botten in een zuurbad hebben gelegen. Zwavelzuur om precies te zijn, zodanig verdund dat het zachte weefsel oploste, maar de botten redelijk intact bleven. Dat vermoeden had ik direct al. De botoppervlakken zijn veel gladder dan je zou verwachten na al die tijd, het water en de staat van ontbinding – gepolijst, bijna. Ik heb het bot onderzocht en bij alle drie de slachtoffers zwavelzuur in de buitenlaag aangetroffen.'

Moe Reed zei: 'Ze laten glimmen past bij een trofee.'

'Net als de mooie doos waar ze in zaten,' zei ik. 'De vraag is waarom iemand al die moeite doet en ze vervolgens achterlaat op een manier waarop ze wel gevonden moeten worden. Misschien begon het als een souvenir, maar veranderde het daarna: in spot.

'"Kijk eens wat ik heb gedaan,"' zei Milo.

'Het komt ook overeen met de spelletjes die Hernandez in de opslagruimte heeft gevonden.'

'Hij speelt met ons.'

Liz Wilkinson zei: 'Wat voor spelletjes?'

Reed zei: 'Bordspelletjes... Monopoly. Levensweg.'

'Geld en fundamenteel bestaan,' zei ze. 'Oerdriften.'

Reed zei: 'Geld, bestaan, het beëindigen van iemand anders' bestaan.' Hij schoof wat dichter naar haar toe. Zij vond het niet erg.

Ik zei: 'De moord op Selena past ook bij een exhibitionistische invalshoek. Tot aan Selena koos de moordenaar slachtoffers die hij als wegwerpartikelen beschouwde, en hij begroef ze waar ze eeuwig hadden kunnen blijven liggen. De moord op Selena werd gemeld, haar lichaam lag open en bloot met haar legitimatie nog in haar tas. Hij wilde dat we wisten wie ze was en wat hij met haar had gedaan.'

Reed zei: 'En op die manier hoopte hij dat we het moeras verder zouden doorzoeken en de anderen zouden vinden.'

'Anders zouden er vast andere hints zijn gekomen.'

Milo zei: 'Hij geeft zijn opslagruimte op, weet dat de spullen worden vrijgegeven rond de tijd dat hij Selena gaat ver-

moorden. Is het soms allemaal één grote theaterproductie?'
Liz Wilkinson grimaste. 'Het feit dat hij de vingers heeft be-
handeld, geeft aan dat hij de lichamen bewaarde. Misschien
om mee te spelen.'
Reed vroeg: 'Gaat het?'
'Ja, hoor. Alleen maak ik een zaak meestal niet van deze kant
mee.' Toen ze haar haar uit haar gezicht wilde strijken, gleden
haar vingers langs zijn mouw. 'Mensen vragen me heel vaak
of ik het werken met menselijke resten niet goor vind. Als ik
zeg dat ik het geweldig vind, kijken ze me heel raar aan. Maar
op weefselniveau kun je jezelf voor de gek houden. Als ik denk
aan de mens die hoort bij wat er op mijn tafel ligt...' Ze duwde haar bord weg. 'Ik moet weer terug. Als je wilt, kunnen we
straks nog wel over die andere dingen praten, Moses.'
'Ik loop even met je mee.'
Toen Reed terugkwam, vroeg Milo. 'Welke andere dingen?'
'Sorry?'
'Over welke dingen ga je nog met die aardige dokter praten?'
Reed werd vuurrood. 'O, dat. Ze stelt een forensische lees-
lijst voor me samen. Het lijkt me iets waar ik wat meer van
moet weten.'
'Kennis is macht... Wil jij dat lam nog?'
'Ga uw gang, inspecteur. Ik moet er ook maar eens vandoor.'
'Waarom?
'Ik was van plan bij Vander langs te gaan, misschien dat ik
Huck toevallig tegenkom.'
Milo schudde het hoofd. 'Dat doe ik wel via Zijne Hoogheid,
laat wat agenten in burger een paar diensten draaien. Jij hebt
betere dingen te doen.'
'Zoals?'
'Landelijk op zoek gaan naar onopgeloste zaken met vermis-
te ledematen, lichaamsdelen die met chemicaliën zijn behan-
deld. Begin met handen, maar beperk jezelf niet.'
Reed zei: 'Armen, benen, alles.'
'Hoofd, schouders, knie en teen. Kan me niet schelen als het
maar is afgehakt.'
'Denkt u dat hij misschien van techniek is veranderd?'
'Zoals dokter Delaware me graag voorhoudt: patronen zijn

bedoeld voor textiel.' Hij wendde zich tot mij. 'Als de lichamen bewaard zijn om mee te spelen, is het huis van Vander waarschijnlijk niet de plaats delict. Dan kun je er nog zo de manager zijn, maar een Dr. Frankensteinlab opzetten zou veel te riskant zijn.'

Reed zei: 'Niet als de familie Vander bij zijn rare toestanden betrokken is.'

'Maar dan nog, Moses. Er woont een kind. Perverse feesten als junior in bed ligt, is één ding. En zelfs daar twijfel ik aan, want we hebben geen enkele aanwijzing dat deze mensen pervers zijn. Maar lijken aan stukken hakken terwijl junior door het huis loopt, dat gaat te ver.'

'Dus Huck zou ergens anders een woning kunnen hebben.'

'Misschien hebben we hem daarom niet gezien, houdt hij zich schuil in zijn moordpand. Controleer bij het kadaster of hij ergens vermogensbelasting voor betaalt. Een huurpand zou een probleem zijn, dat kunnen we niet traceren, tenzij we het openbaar maken, en dat wil ik nog niet.'

Ik zei: 'Toen we bij het opslagbedrijf waren maakte je een grapje over mensen die daar wonen en die jongen ontkende dat. Maar het gebeurt vast.'

Milo dacht hierover na. 'Het is de moeite waard om uit te zoeken. Ook bij het bedrijf zelf. We hebben die jongen nooit Hucks foto laten zien. Heb je te veel op je bordje, Moe?'

'Bij lange na niet,' zei Reed. 'Geef me meer.'

'Er is niets meer. Weet je zeker dat je niet een hapje wilt eten?'

'Nee, dank u, laat mij maar aan de slag gaan.'

Toen hij het eten van Reed en Wilkinson ophad, sloot Milo zijn maaltijd af met zeekreeft en twee kommen rijstpudding. Daarna ging hij terug naar zijn kantoor. Ik ging naar huis en deed nieuwe zoekpogingen naar *Travis Huck, Edward/Eddie/Eddy/Ed Huckstadter*, maar vond niets.

De zoekopdracht *Simon Vander* leverde hits op over de miljoenendeal met betrekking tot de supermarktketen en een paar hits over Vander en zijn vrouw als leden van diverse liefdadigheidscomité's: het kunstmuseum, de dierentuin, Huntington Library. Typische verfijnde liefdadigheid.

Als Simon en Nadine Vander al een duistere kant hadden, dan wisten ze die goed voor het internet te verbergen.

Om halfvijf zette ik de computer uit en vroeg ik Robin wat ze wilde eten. Pasta leek ons allebei lekker. Zij bleef werken en ik ging naar de markt boven aan Glen en belde mijn boodschappendienst.

Eén bericht van Alma Reynolds.

De telefoniste zei: '"Sil Duboffs minnares," zei ze, voor het geval u niet meer wist wie ze was.'

'Ik weet wie ze is.'

'Merkwaardige manier om jezelf te omschrijven, vindt u niet, dokter Delaware? Iemands minnares? Maar goed, u krijgt met allerlei soorten mensen te maken.'

Alma Reynolds' telefoon ging acht keer over. Ik wilde net ophangen toen ze opnam.

'Inspecteur Sturgis heeft me niet teruggebeld, ik ging ervan uit dat ik van u hetzelfde kon verwachten,' zei ze. 'Ik wilde net naar het mortuarium. Sils lichaam wordt over een paar dagen vrijgegeven. Hij zei altijd dat hij gecremeerd wilde worden, zolang het ecologisch verantwoord kon. Het ideaal zou natuurlijk zijn dat we allemaal op één grote composthoop terechtkomen.'

'Wat was de reden van uw telefoontje?'

'Zijn er nog nieuwe ontwikkelingen in de zaak?'

'Nog niet, helaas.'

'Tja, ik heb zitten piekeren over waarom Sil die avond naar het moeras wilde. Niet dat hij een reden nodig had, hij ging er om de haverklap naartoe. Om rommel op te ruimen, ervoor te zorgen dat niemand zomaar het terrein opkwam. Hij had iets met die plek. De waarheid is dat het een obsessie voor hem was. Ik weet waarom. Zijn ouders waren beatniks die van Ann Arbor naar een landelijk deel van Wisconsin verhuisden. Het gezin woonde in een huisje in de buurt van... drie keer raden.'

'Zoetwater en riet.'

'Een enorm moeras dat werd gevoed door een van de Great Lakes. Volgens Sil was het er volmaakt... idyllisch, totdat er in de buurt een papierfabriek kwam die de hele boel vervuilde. De vissen gingen dood, de lucht stonk en uiteindelijk is Sils familie naar Milwaukee verhuisd. Beide ouders zijn aan kanker overleden en hij was ervan overtuigd dat het door het vervuilde water en de vervuilde lucht kwam. Ook al rookte zijn vader, die longkanker had, drie pakjes per dag en kwam in de familie van zijn moeder veel borstkanker voor. Maar daar hoefde je bij Sil niet mee aan te komen. Bij Sil hoefde je nergens mee aan te komen.'

Ik zei: 'Ik kan me voorstellen waarom het Vogelmoeras zo belangrijk voor hem was.'

'Het was een obsessie,' zei Alma Reynolds. 'Soms was het echt vervelend.'

'In welk opzicht?'

'Dan kwam het tussen ons. Wilden we ons lekker ontspannen, sprong hij opeens op, zei dat hij naar het moeras moest om te kijken of alles er goed was. Dat vond ik wel eens vervelend, maar ik zei er zelden iets van, omdat ik de psychologie achter het idealisme zag. Maar die avond was hij... Die avond wilde ik echt niet mee, maar hij weigerde naar me te luisteren. Dus moest het wel heel belangrijk zijn.'

'Hij vertelde u dat de beller beloofde de moorden op te lossen.'

'En ik geloofde hem. Toen die lijken werden ontdekt, vatte Sil het persoonlijk op. Alsof het zijn schuld was dat dit zijn grote liefde was overkomen. Hij was ook bang dat mensen zouden zeggen dat het moeras door de moorden niet langer ongerept was en dat projectonwikkelaars daarmee vrij spel zouden krijgen. Ik weet dat het paranoïde klinkt, maar Sil danste naar niemands pijpen. Integendeel, als de wereld walste, deed Sil de twostep.'

Ik zei: 'Onder die druk zou hij elke aanwijzing hebben opgevolgd.'

'Precies. Ik ben blij dat ik u te pakken heb gekregen en niet Sturgis.'

'Liet Sil merken of hij wist wie de beller was?'

'Nee,' zei ze. 'Daar heb ik over nagedacht en ik heb geprobeerd het me te herinneren, maar dat heeft hij niet gedaan.

U denkt dat het misschien iemand is geweest waar hij respect voor had.'

'Iemand die zijn werk steunde. Hebt u een ledenlijst van Red het Moeras?'

'Nooit gezien, ik weet niet of die bestaat.'

'Wie beheert het kantoor nu?'

'Dat weet ik niet en dat wil ik ook niet weten,' zei ze. 'Ik wil er niets meer mee te maken hebben.'

Niemand nam op bij Red het Moeras.

De raad van bestuur bestond uit de progressieve miljardairs die hadden geprobeerd het land te bebouwen, Silford Duboff, een dame die Chaparral Stevens heette en twee mannen: dokter Tomas Friedkin en ingenieur Lionel Mergsamer.

Chaparral Stevens was een sieradenontwerpster uit Sierra Madre, dokter Friedkin was een negentigjarige professor emeritus oogheelkunde, en Mergsamer was astronoom aan de universiteit van Stanford.

Niet direct geloofwaardige criminelen, maar toch drukte ik hun namen af.

Ik zocht naar geldinzamelingsacties die voor het moeras waren gehouden, en vond drie cocktailfeesten in Westside, zonder gastenlijst.

Ik nam afstand van de bomen en dacht aan het bos: waarom was Silford Duboff de dood in gelokt?

Hem wegwerken paste niet in het sensatiebeluste patroon van een seksuele psychopaat. Het enige logische motief was dat hij te veel had geweten... Kennis waar hij op onschuldige wijze of anderszins aan was gekomen.

Meer botten onder de modder? Luchtfoto's hadden niets opgeleverd, maar de aarde was goed in het verzwelgen en verteren van de dood.

Of had Alma Reynolds gelijk en had Duboffs verlangen om de grote redder te zijn – zich los te maken van zijn jeugdtrauma – hem in een val gelokt?

Analytisch was dat wel heel gemakkelijk en ik piekerde er verder over, maar kon niets anders bedenken. Een zachte roffel op mijn deur onderbrak mijn gedachtestroom.

'Je lijkt in gedachten verzonken,' zei Robin.

'Nee. Ik ben klaar.'

'Anders wil ik wel koken, hoor.'

Ik stond op en we liepen samen naar de keuken.

Ze zei: 'Sa-men-wer-ken, net als bij *Sesamstraat*. Wil je Bert of Ernie zijn?'

'Misschien wel Oscar Mopperkont.'

'O jee, was het zo'n dag?'

Blanche kwam binnenwaggelen en glimlachte.

Ik zei: 'Zij mag tafeldekken.'

23

'Hoofd, armen en benen in Missouri,' zei Moe Reed. 'Hoofd, handen en voeten in New Jersey. Drie handen en voeten in...' Hij tuurde naar zijn aantekeningen. 'Washington State, West Virginia en Ohio.'

Milo zei: 'Geen enkele zaak met alleen handen.'

'Nee. En geen zuurbaden. En in drie gevallen hebben ze een aardig idee wie de schuldige is, maar is er niet genoeg bewijsmateriaal om de dader in staat van beschuldiging te stellen.'

Het was het eind van weer een saaie dag en we zaten in een verhoorkamer in bureau-Westside. Milo's vervolgtelefoontje naar Buddy Weir had alleen een bericht van diens assistent opgeleverd dat 'er nog aan werd gewerkt'. De surveillance aan Calle Maritimo door agenten in burger had niets opgeleverd, er was alleen een ploegje tuinmannen het terrein opgegaan.

Geen van hen had enig idee gehad of Huck binnen was, en toen Milo een van hen had overgehaald om aan te bellen, had er niemand opengedaan.

Huck bleef weigeren om op telefonische uitnodigingen van de politie in te gaan.

Reed zei: 'De zaak in Jersey is zeer waarschijnlijk een maffiakwestie. Het slachtoffer kon alleen geïdentificeerd worden op basis van een operatielitteken op zijn rug.'

'Een of andere spaghettivreter met een hernia. Verder nog iets?'

Reed schudde het hoofd.

Ik vroeg: 'Zaten er ook amputaties bij waarbij één hand was gespaard?'

'Nee.'

'Omdat het afhakken was bedoeld om het onderzoek te bemoeilijken. Onze zaak heeft daar niets mee te maken. Onze handen zijn symbolisch.'

'Waarvoor?' wilde Milo weten.

'Ik ben goed in vragen, niet in antwoorden,' zei ik. 'Maar misschien heeft het iets te maken met het pianospelen van Selena.'

'Pianospelen doe je met twee handen, Alex.'

'De rechterhand speelt de melodie.'

Ze keken me alle twee aan met een blik van: dus echt niet.

'Een alternatief is iemand die de moorden bizar wil laten lijken,' zei ik.

'Een psychoseksuele bedrieger?' vroeg Milo. 'Wat wil hij dan verbergen?'

'Ik kom toch steeds weer bij Selena terug. Ze past totaal niet bij de anderen. En stel dat het allemaal om háár draait en dat de andere vrouwen deel uitmaakten van de voorbereiding.'

Milo zei: 'Meer dan een jaar voorbereiding? Wat was er zo belangrijk aan Selena?'

'Ze wist iets waardoor ze een bedreiging was. Iets wat zo serieus was dat haar computer ervoor is gestolen. En om dezelfde reden werd Duboff vermoord.'

'Bij een langetermijnplanning draait het meestal om geld.'

Reed zei: 'En de Vanders hebben veel geld – we komen ook steeds weer bij hen terug. En bij Huck, die werkt voor ze.'

Milo zei: 'Als je gelijk hebt, is het weinig zinvol om achtergrondinformatie over die andere vrouwen te zoeken.'

Ik zei: 'De moordenaar moet op de een of andere manier contact met hen hebben gelegd, dus het zou wel iets kunnen opleveren.'

Reed zei: 'Ik ben de hele tippelzone bij het vliegveld langsgegaan, maar niemand kent Huck.'

'Het is een vluchtig publiek. En mensen zijn om allerlei redenen kort van memorie.'

Milo stond op, ijsbeerde wat en haalde een sigaartje tevoorschijn. Moe Reed ontspande zich toen de sigaar weer in een zak verdween. 'Een vent die voor hoertjes gaat... Wie zegt dat hij zich tot één buurt beperkt?'

'Een andere tippelzone?' vroeg Reed.

'Huck woont in de Palisades,' zei ik. 'Als het om zijn pleziertjes gaat, blijft hij misschien aan de kant van Westside. Maar als hij op zoek is naar slachtoffers, gaat hij naar een plek waar hij minder snel zal worden herkend.'

'Misschien dichter bij zijn moordhuis,' zei Reed. 'Dat kan relatief dicht bij het huis van Vander zijn. Niet dat ik iets in het archief van het kadaster of ergens anders heb gevonden.'

Milo zei: 'Het vliegveld, het moeras, het opslagbedrijf... Ze liggen allemaal vrij dicht bij elkaar. Het moordhuis zou daar ook in de buurt kunnen zijn.'

Reed zei: 'Als we een huurhuis willen vinden, moeten we het openbaar maken, hopen dat iemand een tip heeft.'

'Zover komt het misschien nog wel, Moses, maar nu nog niet. Laten we maar eens wat andere tippelzones af gaan. Als we andere hoeren vinden waar Huck kwam, te weten komen dat hij van ruwe seks houdt, misschien zelfs wel zijn handen om iemands nek wilde leggen, dan hebben we gegronde redenen voor een bevelschrift.'

'Ik kan wat verder naar het noorden gaan, naar Lincoln Boulevard.'

'Goed idee, en als dat niets wordt, gaan we naar de Strip. Weet je wat, laten we dat maar direct doen. Jij doet vanavond Lincoln en dan Sunset van Doheny tot aan Fairfax. Ik neem Sunset East tot aan Rampart, en het centrum. Ik zal Hucks rijbewijs nog eens naar Zedenzaken faxen, misschien herinnert iemand zich iets.'

'En de surveillance van het huis?'

'Dat laten we aan agenten in burger over. Als Huck zich niet snel laat zien, zal ik met de hoge omes over een persconferentie moeten beginnen. Dan lopen we niet alleen het risico dat hij helemaal verdwijnt, maar ook dat het bureau ervanlangs krijgt. We hebben geen enkel bewijsmateriaal tegen hem en hij ís al eens het slachtoffer geweest van een gerechtelijke dwaling. Kun je zijn advocaat al horen?'

Hij wendde zich tot mij. 'Dat Duboff misschien door een andere moerasliefhebber is vermoord... misschien, maar het doorzoeken van de ecomassa is geen prioriteit.'

Ik zei: 'Ik zal zien wat ik zelf nog kan vinden.'

Reed zei: 'U kunt hier net zo goed in vaste dienst komen, dokter.'

Milo zei: 'Zeg, je hebt het over mijn vriend, hoor. Pas een beetje op je woorden.'

Het hoofdkantoor van Red het Moeras: een Burgercomité was gesitueerd in een beige bungalow in Playa del Rey, waar het district een schattig dorpje met cafés en winkeltjes wordt. Drie kilometer van het moeras, nog dichter bij het opslagbedrijf Pacific Storage.

De rolluiken voor het gebouw zaten dicht. Er stonden geen auto's op het kleine parkeerterrein.

Geen spontane herdenking van Duboff – geen enkel teken dat hij vermoord was.

Ik stak de straat over naar een eetcafé dat Chez Dauphin heette. Wit hout, blauwe luiken, een afgeschermde veranda, en een handjevol gasten. Ik bestelde een broodje en een kop koffie en had het half op toen ik de Franse eigenaresse vroeg of ze wist met wie ik in de bungalow contact kon opnemen.

Ze zei: 'Nee, *monsieur*, ik heb daar nog nooit iemand gezien.'

Ik begon de mensen uit de raad van bestuur van Red het Moeras te bellen.

Op de achtergrond van het voicemailbericht van Chapparal Stevens' sieradenbedrijfje klonken vogels, stromend water en windgongen. Stevens' stem was laag en zwoel, haar spraak enigszins stamelend. De 'tantrische extase' die ze naar eigen zeggen had ervaren door haar 'zes maanden durende spirituele toevlucht in Monteverde Cloud Forest Reserve in adembenemend Costa Rica' kwam over als een marihuanahigh.

De secretaresse van het universitair oogheelkundecentrum vertelde me dat men al jaren niets had vernomen van dokter Thomas Friedkin.

'Ik heb hem in elk geval nog nooit gezien. Sterker nog, en ik hoop dat ik het mis heb, ik geloof dat hij is overleden.'

'Ach, wat naar,' zei ik.

'Bent u een collega?'

'Een student.'

'O,' zei ze. 'Tja, wacht even, dan vraag ik het even na.'

Enige ogenblikken later: 'Ja, heel naar, hij is vorig jaar overleden. Een van zijn andere studenten, dokter Eisenberg, vertelde dat de uitvaartdienst op een boot was. Om de as uit te strooien, weet u wel?'

'Dokter F. was dol op de natuur.'

'Zo zouden we allemaal moeten zijn, vindt u niet? Teruggaan naar waar we vandaan zijn gekomen en er geen grote bende van maken.'

'Dokter F. was betrokken bij het vogelmoeras.'

'Wat leuk. Ik ben dol op vogels.'

Professor Lionel Mergsamer was een jaar met verlof en werkte momenteel aan de Royal Observatory in Greenwich, Engeland.

Iedereen ging er maar tussenuit. Wanneer had ik dat voor het laatst gedaan? Ik probeerde de studio van de progressieve miljardairs en kreeg precies wat ik had verwacht: lange tijd in de wacht en uiteindelijk niets.

Een afwezige raad van bestuur duidde op ceremoniële titels, met andere woorden: de organisatie werd overgelaten aan iemand die bereid was de verantwoordelijkheid op zich te nemen.

Silford Duboff.

Wie zou er nog meer iets weten over deze groep... de vrijwilliger die het telefoontje van de moordenaar had aangenomen... Chance Brandt.

Er stond geen Brandt in de Brentwood-regio, maar Steven A. Brandts advocatenkantoor stond in de gids. Ik dacht aan zijn vijandigheid, schatte in dat hij niet zou willen meewerken of anders een rel zou schoppen en dus belde ik in plaats daarvan de Windward School. Door wat om mijn politiestatus heen te draaien en op resolute toon naar rector Rumley te vragen, wist ik een secretaresse zover te krijgen dat ze me het mobiele nummer van Chance Brandt gaf.

'Ja?'

Ik vertelde hem wie ik was.

Hij zei: 'Ja?'

'Chance, wie kwam er nog meer op het kantoor behalve meneer Duboff?'

'Ja?'

Meisjesachtig gegiechel en een hiphopdreun.

Ik herhaalde de vraag.

'Dat kantoor...' Zijn woorden klonken lijzig. Zijn vriendin bleef lachen.

'Zeg het maar, Chance.'

'Ja?'

Een mannenlach boven het gegiechel uit.

'Wie kwam daar nog meer, Chance?'

'Ja...'

'Prima, dan voeren we dit gesprek verder op het politiebureau.'

'Niemand, nou goed?'

'Niemand behalve meneer Duboff.'

'Dat is zijn ding. De moerasman.' De hilariteit op de achtergrond nam toe. 'Alsof hij het zo waanzinnig geil vindt. Al die modder.'

De tegenwoordige tijd; Duboffs moord was nog niet in het nieuws geweest. Ik overwoog hem het nieuws te vertellen, maar hing in plaats daarvan op.

Niet om de tere gevoelens van het joch te beschermen, maar uit angst dat hij die niet had.

24

Moe Reed stoof Café Moghul binnen, zijn worstelaarsli-
chaam naar voren, zijn schouders omlaag. Een agressieve aanval, maar hij glimlachte alsof hij op de overwinning afste-
vende.

Het was voor het eerst dat ik hem blij zag.

Milo slikte zijn kip tandoori door en veegde zijn mond af. 'Is
er tenminste iemand die een goeie dag heeft.'

Hij was de hele avond bezig geweest met een zinloze zoektocht naar prostituees die Travis Huck kenden. Die ochtend
had hij op kantoor gezeten, had eindeloze telefonische dis-
cussies gevoerd met steeds hogere functionarissen over de
vraag of Travis Hucks identiteit nu wel of niet bekendge-
maakt moest worden.

Het debat had het kantoor van de hoofdcommissaris bereikt
en zojuist was het antwoord van de berg naar beneden gekomen: gezien Hucks geschiedenis van gerechtelijke misstan-
den wachten op nieuw bewijsmateriaal.

Tenzij er een nieuw slachtoffer opdook. 'Er gaat niets boven
slachtofferpolitiek.'

Ik had hem net over Chance Brandts waardeloze houding verteld.

Hij zei: 'Generatie A, voor afgestompt.'

Reed ging zitten en wuifde met zijn notitieboekje. 'Twee hoertjes.'

Milo legde zijn vork neer. 'En de vraag daarbij: "welk we-
kelijkse extraatje hoort bij de functie van congreslid?"'

Reed grijnsde. 'Ik heb ze op de Strip gevonden, inspecteur.
Veertig dollar moest Huck betalen. Ze weten allebei zeker
dat hij het was, tot die scheve mond aan toe. En nog iets. Hij
droeg geen muts en hij is dus echt hartstikke kaal.'

Hij sloeg het schrijfblok open. 'Charmaine L'Duvalier, echte
naam Corinne Dugworth, en Tammy Lynn Adams, zo te zien
haar ware identiteit. Ze werken allebei aan Sunset, voornamelijk tussen La Cienega en Fairfax. Huck heeft Charmaine
ongeveer een maand geleden een keer opgepikt in de buurt

van Fairfax, Tammy Lynn had hem twee straten naar het westen als klant. Volgens haar is dat ongeveer zes weken geleden geweest. Beide keren reed Huck om drie, vier uur 's nachts in een Lexus terreinwagen langs. Kleur en stijl komen overeen met die van Vander. Hij gebruikt de auto van de baas voor zijn eigen pleziertjes.'

'Nog ongewone seksuele gewoonten?'

'Ze vonden hem allebei superstil. Adam gaf toe dat ze hem een griezel vond.'

'"Gaf toe?"'

'Die meisjes doen alsof ze keihard zijn, nergens bang voor. Ik heb een beetje aangedrongen en toen zei ze dat ze hem best wel een griezel vond.'

'Waarom?'

'Omdat hij zo stil was. Hij deed niet eens moeite om vriendelijk te zijn zoals de meeste klanten. Alsof hij er al heel lang voor betaalde en het gewoon een snelle zakelijke transactie was.'

'In tegenstelling tot het hoertje, dat een en al romantiek is,' zei Milo.

'Ik krijg het idee dat die meisjes het gevoel willen hebben dat zij de baas zijn,' zei Reed. 'Daar worden veel klanten zenuwachtig van. Maar Huck niet. Die was zo te horen volkomen ontspannen: hier is het geld, kom maar op met de waren.'

Ik zei: 'Waar had hij voor betaald?'

'Orale seks.'

'Nog agressieve dingen?' vroeg Milo. 'Haren vastgrijpen, vijandig praten?'

'Nee,' zei Reed. 'Volgens mij vonden ze hem allebei een griezel, maar alleen Adams wilde het zeggen. Ze werkt al vijf jaar op straat, zegt dat ze heel goed weet welke mannen niet sporen. En Huck was er een van.'

'Maar ze nam hem toch als klant.'

'Op het eerste gezicht zag hij er goed verzorgd uit, en hij reed in een mooie auto. Pas toen ze was ingestapt, begon hij eng te worden.'

'Door stil en zakelijk te zijn.'

'Hij zei geen woord,' zei Reed. 'Deed geen enkele poging tot een gesprek.'

'Heb je telefoonnummers van die meisjes?'

'Prepaid mobieltjes, voor wat dat waard is. Ze hebben geen van beiden een rijbewijs en beweren alle twee dat ze op zoek zijn naar permanente huisvesting.'

'Ah, het betoverende leven,' zei Milo.

'Ja, het is gelul, maar meer kreeg ik niet uit ze, inspecteur. Ze waren wel allebei bereid om wat rond te vragen over Huck. Misschien is het naïef van me om te denken dat ze zullen meewerken, maar ik denk dat ze door mijn vragen toch wat angstig zijn geworden. Als hij het bij een van beiden nog eens probeert, laten ze me dat vast weten.'

Hij zag de vrouw in de sari en bestelde ijsthee.

Ze zei: 'Niets te eten?'

'Nee, alleen thee, dank u.'

Hoofdschuddend liep ze weg.

Milo zei: 'Uitstekend werk, rechercheur Reed. Jammer dat ik het een uur geleden niet wist.' Hij vertelde in het kort over het debat omtrent een mogelijke persconferentie. 'Niet dat ik denk dat het verschil gemaakt zou hebben. De hoge omes zijn doodsbang dat de hele zaak in elkaar stort wegens gebrek aan bewijs en dat Huck de stad aanklaagt.'

Reed zei: 'Denken ze echt dat hij daar het lef voor heeft?'

'De beste verdediging is een goede aanval, jongen. Als wij hem zonder reden in de schijnwerpers zetten, heeft hij het voor het zeggen. Ik zie hem al voor me in het getuigenbankje met een of andere advocaat die hem laat vertellen over alles wat hij in de jeugdgevangenis heeft meegemaakt.'

'Maar als we zeggen dat hij geen verdachte is, maar iemand die we in de gaten houden?'

Milo zei: 'Daar winnen we misschien wat tijd mee, maar daar wil het hoofdbureau niet aan.' Er schalde Brahms uit zijn telefoon. 'Sturgis. Wie? Waarover? O. Ja, ja, geef me het nummer maar.' Hij kwam overeind. 'Kom, we gaan.'

'Wat is er, inspecteur?'

'Hernieuwd vertrouwen in de bloem van onze jeugd.'

De vrouw in de sari keek ons na met Reeds thee in haar hand. Toen we de deur uit liepen, nam ze er een slok van.

Het meisje was amper een meter tweeënvijftig, zeventien jaar, een gespierd lijf en een gebruinde huid met weelderig rood haar, lichte sproetjes en korenblauwe ogen.
Een jongere versie van haar moeder. Ze zaten met z'n tweeën hand in hand als een paar elfjes op een enorme koningsblauwe damasten bank.
De karmozijnrode zijden zitkamer glansde als bloed onder een Swarovski-kroonluchter. De lange gouden ketting waar hij aan hing was in blauw satijn gewikkeld en hing aan een verzonken, verguld plafond. Ramen met verticale raamstijlen omlijstten een groot fluwelen oppervlak. Enorme haarden aan weerszijden van de kamer. Renoir boven de ene. Matisse boven de andere. Beide schilderijen zagen eruit als originelen.
We hadden een aantal minuten bij het hek van Brentwood Park gewacht voordat we binnengelaten werden.
'Ik ben zo trots op Sarabeth,' zei Hayley Oster. Ze droeg een paars velours joggingpak van Juicy Couture. Het was een warme dag, maar het herenhuis was net een koelafdeling van een supermarkt. Haar dochters bijpassende Juicy maatje nul, was mosgroen.
Oster. Die van die grote winkelcentra.
Milo zei: 'Wij zijn ook trots, mevrouw.' Bij het zien van zijn glimlach schoof Sarabeth wat dichter tegen haar moeder aan.
Hayley Oster zei: 'Wilt u echt niets drinken? Het was bijzonder attent van u om hier te komen en ons een ritje naar het politiebureau te besparen.'
'Nee, dank u, mevrouw. We zijn blij dat u belde.'
'Dat was wel het minste wat ik kon doen, inspecteur. Toen Sarabeth verwikkeld raakte in die toestand op school met Chance Brandt, hebben we heel duidelijk gemaakt dat er het een en ander moest veranderen. Nietwaar, lieverd?'
Ze glimlachte naar haar dochter, maar gaf haar tegelijkertijd een por met haar elleboog.
Sarabeth hield haar blik omlaag gericht en knikte.
Hayley Oster zei: 'Mijn man en ik vinden dat een bevoor-

rechte positie een zegen is die niet misbruikt mag worden. We komen zelf geen van beiden uit een rijk gezin en er gaat vrijwel geen dag voorbij dat we niet in onze handen knijpen dat we het zover geschopt hebben. Harvey en ik vinden dat zegeningen op dezelfde manier moeten worden terugbetaald. We tolereren geen slechte houding. Daarom hebben we ook altijd onze bedenkingen gehad over Sarabeths omgang met Chance.'

Het meisje stond op het punt hiertegenin te gaan, maar bedacht zich toen.

'Ik weet dat je vindt dat ik streng ben, lieverd, maar ooit zal je zien dat ik gelijk heb. Chance is slap. Hij is alleen maar uiterlijk vertoon, heeft geen innerlijke kracht. Erger nog, hij heeft geen ruggengraat. In zekere zin ben ik daardoor nog trotser op Sarabeth. Te midden van dat gebrek aan zedelijke normen heeft ze ervoor gekozen zelfstandig na te denken.'

Het meisje rolde met haar ogen.

Milo zei: 'Vertel het zelf eens, Sarabeth.'

'Ik heb het mama al verteld.'

'Zeg het,' zei Hayley Oster. 'Ze moeten het uit jouw mond horen.'

Sarabeth haalde diep adem en schudde haar haar los. 'Oké... oké. Er belde gisteravond iemand. Bij Sean thuis.'

'Sean wie?' vroeg Reed.

'Capelli.'

Hayley zei: 'Nog zo'n oppervlakkige jongeman. Het lijkt wel of ze ze ervoor opleiden op die school.'

Milo zei: 'Iemand belde Sean?'

'Nee,' zei Sarabeth. 'Chance. We waren bij Sean thuis.'

'Een beetje aan het rondhangen.'

'Ja.'

'Vertel eens over het telefoontje.'

'Hij zei dat hij van de politie was – een van jullie. Vroeg of er wel eens iemand anders op kantoor kwam als Chance er was. Chance bleef maar geinen en zei de hele tijd "ja, ja". Dat vond hij grappig.'

'Het telefoontje?'

Het meisje antwoordde niet.

Na nog een por van een elleboog zei ze: 'Au.'

'Arme schat,' zei Hayley Oster door op elkaar geklemde kaken. 'Schiet op, Sarabeth.'

'Hij loog,' zei Sarabeth. 'Chance. Want er was wél iemand.'

'Die naar het kantoor kwam.'

'Ja.'

'Wie?'

'Hij zei alleen dat hij hem kende, maar niet van plan was dat te zeggen omdat hij dan weer door de politie meegenomen zou worden en zijn vader weer zou gaan zeik...'

'Sara!'

'Best,' zei het meisje.

'Niets daarvan, jongedame. Gebruik woorden waaruit blijkt dat je een keurig meisje bent.'

Sarabeth haalde haar schouders op.

Milo zei: 'Chance zei tegen jou dat hij had gelogen omdat hij er niet bij betrokken wilde worden.'

'Ja.'

Hayley Oster grijnsde: 'Daar komt hij dus mooi niet mee weg.'

We troffen de jongen op de Riviera Tennisclub waar hij een enkelspel met zijn moeder speelde. Ze liet haar racket bijna vallen toen we de baan op liepen.

'Wat nu weer?'

'We hebben u gemist,' zei Milo. 'En in het bijzonder uw zoon.'

'O, shit,' zei Chance.

'Inderdaad.'

De informatie kwam snel. Chance stond te zweten in de volle zon en de arrogante uitdrukking was van zijn gelikte gezicht verdwenen.

Niet iemand die hij kende, iemand die hij herkende.

Milo zei: 'Van een feest.'

'Ja.'

'Wiens feest?'

'Van hen.' Hij wees met zijn duim naar Susan Brandt.

Zij zei: 'Waar heb je het over? Wanneer hebben wij voor het laatst een feest gegeven, je vader heeft er een hekel aan.'

'Niet dat,' zei haar zoon op zeurderige toon. 'Zo'n liefda-digheidsfeest. Een van die saaie toestanden waar ik van jullie naartoe moet.'

'Welke saaie toestand in het bijzonder?' vroeg Milo.

Chance veegde wat blond haar uit zijn gezicht. 'Eentje, weet ik veel.'

'Dat moet beter, jongen.'

'Zal wel...'

'In godsnaam,' zei Susan Brandt, 'zeg ze wat ze willen weten, dan zijn we hier eindelijk vanaf.'

Chance liet een tennisbal stuiteren.

Zijn moeder slaakte een zucht. Nam haar racket over in haar linkerhand en sloeg hem met haar rechterhand hard in zijn gezicht. Zweetdruppeltjes spatten op. Vingerafdrukken op de wang van de jongen.

Hij was een kop groter en zeker twintig kilo zwaarder. Hij leek te groeien toen hij zijn vuisten balde.

Ze zei: 'Als je zo door blijft gaan, doe ik het nog een keer.'

Milo zei: 'Dat is niet nodig, mevrouw. Laten we het rustig houden.'

'Hebt u kinderen, inspecteur?'

'Nee, mevrouw.'

'Dan hebt u geen idee.'

'U hebt vast gelijk. Niettemin...'

Chance zei: 'Een man, oké? Het was dat flauwe zeikfeest in Malibu waar iedereen hawaïhemden droeg en deed alsof hij surfer was.'

Susan Brandt zei: 'Dát feest.' En tegen ons: 'Hij heeft het over een liefdadigheidsfeest van de Coastal Alliance waar we vorig jaar zijn geweest... in de herfst. In tegenstelling tot wat mijn zoon zegt, hoeft hij over het algemeen van ons helemaal niet per se naar onze liefdadigheidsgelegenheden, maar dat was een barbecue, iedereen droeg vrijetijdskleding en andere mensen namen hun kinderen ook mee. Het was een familie-feest, met rockmuziek en hotdogs.' Tegen haar zoon: 'Je eet, je danst, je gaat naar huis. Is dát nou zo erg?'

Chance wreef over zijn gezicht.

Zijn moeder zei: 'We kenden er niemand, we gingen alleen

omdat Steve's kantoor geld had geschonken en de senior-partners allemaal in Aspen waren. Ze hadden iemand nodig om het bedrijf te vertegenwoordigen.'

'Ik zag die vent bier drinken.'

Milo zei: 'Waar was dat feest?'

'In de Seth Club,' zei Susan Brandt.

'Beschrijf die persoon eens, Chance.'

'Oud.' Grijns. 'Net als pa. Blond haar, nephaar.'

'Geverfd?'

'Ja. Een of andere ouwe vent die deed alsof hij een surfer was. Een enorme lading plamuur op zijn gezicht.' Chance legde zijn hand tegen zijn wang. De vingerafdrukken waren striemen geworden.

Milo zei: 'De man had plastische chirurgie gehad.'

De jongen gniffelde. 'Zou je denken?'

'Chance,' zei zijn moeder op dreigende toon.

De ogen van de jongen vlamden. 'Wou je me nog een keer slaan? Waar de politie bij staat, nota bene? Ik zou je kunnen laten oppakken voor kindermishandeling, of niet?'

Milo zei: 'Even rustig.'

'Je hebt me nooit eerder geslagen, waarom dééd je dat nou?'

'Omdat...' Susan Brandt wreef haar handen in elkaar. 'Het spijt me, ik wist gewoon niet wat ik moest doen.'

'Ja, het was zeker voor mijn eigen bestwil.'

Ze wilde haar hand op zijn arm leggen, maar hij duwde haar woest van zich af.

Reed ging een paar meter verderop met haar staan. Milo stond oog in oog met Chance en zei: 'Blond, gelift en wat nog meer?'

'Niks.'

'Hoe oud?'

'Zoiets als pa.'

'Van middelbare leeftijd.'

'Die vent zag er niet uit... Dat belachelijke haar.'

'Hoe zag hij er niet uit?'

'Harig, een kop vol versteviger. Retro-gelul... als Billy Idol. Al die troep op zijn gezicht, alsof hij een doe-het-zelfproduct was.

'Vertel eens iets over die man en Duboff.'

'Hij was er.'

'Hoe vaak.'

'Een keer.'

'Wanneer?'

'Weet niet.'

'Was het toen je net begon met het vrijwilligerswerk, of meer op het laatst?'

De jongen dacht na. 'Aan het begin.'

'Dus een week of drie, vier geleden.'

'Direct aan het begin.'

'Dus die man kwam naar kantoor voor Duboff. Ga door.'

'Niet op kantoor. Op het parkeerterrein,' zei Chance. 'Ik zat binnen, verveelde me dood, keek uit het raam en daar stonden ze.'

'Wat deden ze?'

'Ze stonden te praten. Ik kon niet horen wat ze zeiden, dat interesseerde me ook geen reet. Daarom heb ik er ook niks over gezegd toen jullie belden.'

'Zag het er gemoedelijk uit toen ze stonden te praten?'

De jongen kneep zijn ogen samen bij deze herseninspanning. 'Die vent gaf Duboff iets. Duboff keek blij.'

'Wat gaf hij hem?'

'Een envelop.'

'Wat voor kleur?'

'Weet ik veel... wit. Ja, wit.'

'Groot of klein?'

'Gewoon, een envelop.'

'En Duboff keek blij.'

'Hij schudde die vent de hand.'

'En toen?'

'Die vent reed weg.'

'In wat voor auto?'

'Een Mercedes.'

'Wat voor kleur?'

'Zwart? Grijs?' zei de jongen. 'Hoe moet ik dat nou nog weten?' Hij staarde opstandig naar Milo en riep vervolgens naar zijn moeder: 'Kom op, Susie. Geef me van katoen.'

Susan Brandt begon te huilen.
Milo zei: 'We gaan je wat foto's laten zien, Chance.'

Toen we de country-club verlieten, zei Reed: 'Er komt een dag dat de politie een melding krijgt wegens huiselijk geweld daar.'
Milo zei: 'Die kans zit erin... Helaas had het joch eigenlijk niets te melden. Een blonde man in een Mercedes die volgens hem beslist niet Huck was.'
Ik zei: 'Tenzij die man Duboff omkocht voor iets.'
'Zoals?' zei Reed. 'Zwemprivileges in het moeras.'
Milo schoot in de lach. 'Gefeliciteerd, rechercheur Reed.'
'Waarmee?'
'Dat bittere sarcasme van je. Je hebt nu de optimale werkhouding bereikt. Ik gok erop dat de man geld gaf voor de reigers en meeuwen. Chance heeft hem bij een benefietfeest ontmoet, dus het zal wel zo'n milieuvriendelijke figuur zijn.'
'Een waterliefhebber,' zei Reed.
'Terwijl wij hier kopje-onder gaan.'

25

Een wervelwind aan berichten lag op Milo's bureau.
Twee halfslachtige reacties op de media-aandacht voor de moerasmoorden, twee plaatsvervangend hoofdcommissarissen die wilden weten of Milo had begrepen dat er geen persconferentie over Travis Huck zou worden gehouden.
Hij wierp ze een voor een in zijn prullenmand en las ondertussen verder. 'Oké, deze houden we. Meneer Alston "Buddy" Weir, en nog een, van Selena's broer Marc uit Oakland.'
'De broer wil waarschijnlijk een voortgangsrapport.'
'Pak een telefoon in de recherchekamer, dan kom je er vanzelf achter.'
Toen Reed weg was, belde Milo Weir en zette hem op de speaker. 'Gedeelde smart is halve smart.'

De assistent nam op, maar Weir kwam al snel aan de telefoon. 'Inspecteur, fijn dat u terugbelt.' Weirs stem klonk hoger, gespannen.

'Zegt u het maar, meneer.'

'Ik begin me zorgen te maken. Simon reageert niet op mijn telefoontjes en e-mails en toen ik het Peninsula in Hongkong belde, zeiden ze dat hij vorige week is vertrokken. Ik heb direct met Ron Balter bij Global gebeld, maar hij heeft geen idee waar Simon is. Hij heeft Simons meest recente aankopen voor me nagekeken en zo hebben we ontdekt dat hij is teruggevlogen naar de Verenigde Staten. Maar sindsdien heeft hij zijn creditcard niet meer gebruikt.'

'Terug naar L.A.?'

'Nee, naar San Francisco.'

'Is dat ongebruikelijk voor meneer Vander?'

'Niet echt,' zei Weir. 'Simon en Nadine zijn dol op San Francisco, gaan vaak naar kunstbeurzen, dat soort dingen. Meestal logeren ze dan in het Ritz, maar daar zijn ze nooit geweest.'

'Gedraagt meneer Vander zich over het algemeen zo onopvallend?'

'Hij is zonder meer een ingetogen man, maar over het algemeen reageert hij altijd op telefoontjes. En hij gebruikt voor alles zijn creditcards, heeft weinig contant geld bij zich. Dat is nog niet alles, inspecteur. Ik heb geprobeerd Nadine in Taiwan te bereiken, maar volgens haar familie zijn zij en Kelvin rond dezelfde tijd als Simon vertrokken.'

'Weet haar familie waarom?'

'Nee,' zei Weir, 'maar we hadden wel een zekere taalbarrière.'

'Het zou dus gewoon een familievakantie kunnen zijn... dat ze bij elkaar wilden zijn.'

'Ja, natuurlijk. Maar de creditcards, inspecteur. Zowel Simon als Nadine gebruikt die voor alles. Ik heb Simone gebeld om te vragen of zij iets wist, maar dat was niet het geval, en ze raakte nogal overstuur... Vanwege Travis Huck.'

'Denkt ze dat Huck de familie iets heeft aangedaan?'

'Ze weet niet wat ze moet denken, inspecteur.'

'Zou Huck kunnen weten dat ze naar San Francisco zijn gegaan?'

'Dat zou ik niet kunnen zegen. Nadat ik Simone heb gesproken, had ik het gevoel dat ik iets moest doen, dus ben ik naar het huis gegaan en heb ik er rondgekeken. Het lijkt erop dat Huck inderdaad vertrokken is. Zijn kamer is leeg, alles is weg. Misschien zou je dat kunnen zien als een teken van schuld... Ik weet het gewoon niet.'

Milo zei geluidloos: shit. Hij wreef over zijn gezicht. 'Hoe grondig hebt u zijn kamer doorzocht?'

'Ik heb wat laatjes opengetrokken, rondgekeken. Hij is weg.'

'Was u alleen?'

'Nee, samen met Simone. Ik vond dat zij als naaste familie en gezien de omstandigheden wel het recht zou hebben het huis te betreden. Ik weet niet waarom ik daar niet eerder aan heb gedacht, toen u me vroeg of u het huis binnen mocht. Wat vindt u ervan dat Huck is verdwenen?'

'Moeilijk te zeggen, meneer.'

'Het is natuurlijk mogelijk dat hij is geschrokken van het feit dat jullie vragen stelden,' zei Weir. 'Maar toch, als je je nergens zorgen om hoeft te maken, waarom ga je er dan vandoor? Misschien heeft hij gewoon ontslag genomen en is hij vertrokken. Typisch Californië.'

'Onbetrouwbaar.'

'Als het weer.'

Milo zei: 'Wanneer kunnen wij zelf het huis bekijken?'

'Zegt u maar wanneer, dan zorg ik dat er iemand van ons kantoor is.'

'Over een uur?'

'Een uur? Ik wist niet... Er zijn de hele dag vergaderingen... Eens kijken... Morgen ook tot de middag. Morgenochtend elf uur, is dat goed? Dan stuur ik Sandra, mijn beste assistent.'

'Bent u ook in het strandhuis geweest?'

'Simone en ik hebben even snel rondgekeken en zo te zien is er al een tijdje niemand geweest. Ik zal ervoor zorgen dat Sandra de sleutels voor het strandhuis ook meeneemt.'

'Dank u.'

'Er is vast niets aan de hand,' zei Weir. 'Er is geen enkele reden om te denken dat er iets met ze aan de hand is.'

Milo belde een bron bij de binnenlandse veiligheidsdienst en liet Simon, Nadine en Kelvin Vanders vluchtgegevens controleren. Alle drie hadden ze een eersteklas vlucht met Singapore Airlines genomen. Simon was een dag vóór zijn vrouw en zoon op het internationale vliegveld van San Francisco aangekomen.

Het volgende telefoontje was naar de geldbeheerders in Seattle, waar hij een wantrouwige Ronald W. Balter, financieel planner, inpalmde en te horen kreeg dat er naast de vliegtickets niets op rekening van de creditcards van de familie Vanders was gezet.

'Hebben ze een woning in Noord-Californië?'

'Een huis?' vroeg Balter. 'Nee.'

'Een huurwoning?'

'Nee.'

'Enig idee waar ze zouden kunnen zijn?'

'Natuurlijk niet.'

'Waarom natuurlijk?'

Balter zei: 'Ik beheer het geld, ik ben niet betrokken bij hun privéleven.'

'Meneer Weir maakt zich zorgen.'

'Dat zal wel.'

'Waarom zegt u dat?'

'Hij is veel meer bij hun leven betrokken.'

Moe Reed kwam de kamer binnen en stak zijn duim op. 'Marc Green wilde geen voortgangsrapport. Hij herinnerde zich iets wat Selena hem had verteld.'

'Een onverwachte ingeving?' zei Milo.

'Ik denk dat hij het niet wilde zeggen waar zijn moeder bij zat. Het schijnt dat Selena een paar maanden voor haar dood een vriend had. Marc weet het niet precies meer, maar hij denkt dat ze het hem drie of vier maanden geleden heeft verteld. Een oudere man.'

'Hoe oud?'

'Dat zei ze niet. Volgens Marc schaamde ze zich een beetje, dus mogelijk was het een groot leeftijdsverschil. Het sappige detail is dat ze die biechtgewoonte van haar nog steeds had en Marc vertelde dat die man van ruwe seks hield. En zij ook, ze pasten bij elkaar als een moer en een bout. Haar woorden.'

'Iets wat een man zou zeggen.'

'Dat dacht ik ook, inspecteur. Dus nu hebben we hier het aspect van een dominante man, dat overeenkomt met de informatie die we hebben over Sheralyn en DeMaura. Misschien was Selena in die zin niet heel anders dan de anderen. Wat denkt u, dokter?'

Ik zei: 'Dit plaatst alles weer in een nieuw licht.'

Milo zei: 'Een oudere man die van ruwe seks houdt. Had ze hem verder nog iets verteld?'

Reed zei: 'Nee, het zal wel een swinger zijn die ze tijdens een van die feesten heeft ontmoet, of niet?'

Milo zei: 'Een oudere man. Het zou Simon Vander kunnen zijn. Of Huck. Hij is zevenendertig, elf jaar ouder dan Selena. Het net wordt steeds strakker rond Huck getrokken. En het zou allemaal nog akeliger kunnen zijn dan we al dachten.'

Hij vertelde in het kort het nieuws over de terugkeer van de familie Vander en hun verdwijning.

Reed zei: 'Simon klinkt meer als een slachtoffer dan een dader. Tenzij hij foute dingen heeft gedaan en zich nu schuilhoudt... Ik denk nog steeds dat Huck onze hoofdverdachte is. We moeten hem zien te vinden, dat moet echt, Milo.'

Voor het eerst noemde hij zijn baas bij diens voornaam. De optimale werkhouding.

26

Om zeven uur 's avonds de volgende dag gaf de politie van Los Angeles een persbericht uit waarin Travis Hucks naam aan de media werd vrijgegeven. De timing was verfijnd: te laat voor de kranten en het journaal van zes uur, vroeg genoeg voor een vermelding in het journaal van elf uur. Of met de woorden van plaatsvervangend hoofdcommissaris Henry Weinberg: 'Een stroompje, geen vloedgolf, we zijn kwetsbaar, inspecteur.'

De pr-mensen hadden Huck omschreven als 'iemand die in de gaten werd gehouden', en ze maakten melding van een 'eerdere veroordeling voor een misdrijf'. De vrouwen die in het moeras waren gevonden werden geen van allen bij naam genoemd. De Vanders kwamen in het verhaal niet voor.

In de tussentijd bekeken Milo, Reed en ik de huizen van de familie Vander. We gingen als eerste naar het strandhuis, maar troffen daar niets aan wat zou suggereren dat de familie daar had gewoond. Vochtige leren meubels en paarse wanden. Het rook er naar zout, roest en de zurigheid van olieverf. Riemen en een herenwetsuit in de kast suggereerden dat het nooit meer was geweest dan een vrijgezellenoptrekje.

Zware dubbele deuren van het herenhuis aan Calle Maritimo kwamen uit op een serie hoge, brede vanillekleurige, smaakvol maar saai gemeubileerde kamers met een goudgele kalkstenen vloer. Familiekiekjes op een paar schoorsteenmantels, abstracte kunst aan de wanden waar geen ramen in zaten. In een hoek van een enorme achterkamer stond een vleugel. Op Kelvins hemelsblauwe slaapkamer stond een spinet.

Travis Hucks woonruimte bestond uit een kleine kamer met toilet, achter een reusachtige professionele keuken. Tweepersoonsbed, IKEA-ladekast, aluminium leeslamp. Sober, maar opgeleukt door uitzicht op de oceaan. De plaats binnen de bediendenvleugel duidde erop dat het ooit de kamer van de werkster was geweest.

Geen tekenen van geweld, geen lichaamssappen, maar toch belde Milo de technische recherche. De assistent van Buddy Weir die was gestuurd om alles in de gaten te houden, keek geschrokken en belde de advocaat voor advies. Die zei dat ze alle medewerking moest verlenen.

Gezien een enorme achterstand zou het 'enige dagen' kunnen duren voor de technische recherche kon komen, en Milo's telefoontje naar het gerechtelijk lab veranderde daar niets aan. Hij probeerde de hoofdcommissaris, kreeg hem niet te pakken en glimlachte grimmig.

Moe Reed vroeg: 'Zou hij zich gedeisd houden?'

'Stel je voor, jongen.'

Reed glimlachte. 'Ik begin het te leren.'

Ik liet de rechercheurs gefrustreerd achter en reed naar huis. De ontdekking van Selena's minnaar had mijn theorie dat de drie andere vrouwen oefening waren voor haar in de war gegooid. De zaak leek neer te komen op een gruwelijk patroon van seksueel sadisme.

Een moordenaar met steeds meer zelfvertrouwen. En de ongelukkige Selena als het stapje hoger op de ladder.

Ik belde Marc Green om te zien of ik nog meer informatie uit hem kon peuteren.

Hij was de vorige keer al bijna boos geworden. Bij het horen van mijn stem sloeg hij door.

Ik wachtte tot hij uitgeschreeuwd was. 'Ik weet dat het moeilijk is, maar ik moet het toch vragen. Kun je je nog meer heri...'

'Nog meer? Alles wat ik jullie heb verteld is niet genoeg?'

Hij gooide de hoorn op de haak.

Ik reed naar het Crenshaw District en bracht een tweede bezoek aan Beatrix Chenoweth, Big Laura's moeder. Klaar om weer als pispaal te worden gebruikt. Als er iemand voor opgeleid was, dan was ik het wel.

Ze liet me beleefd binnen, bood me koffie en chocoladewafeltjes aan. Ze liet me uitpraten toen ik het onderwerp zo tactvol mogelijk aansneed.

Ze zei: 'Dus als ik het goed begrijp, wilt u weten of Lurlene ervan hield dat iemand haar pijn deed?'

'We hebben daar bewijs van gevonden bij andere slachtoffers, en dus...'

'Het antwoord is ja, dokter. Ik ben er de eerste keer niet over begonnen... omdat ik zo verbijsterd was dat jullie hier allemaal waren. Ik heb erover gedacht om te bellen, maar het is moeilijk om over zoiets te praten. Ik zal niet doen alsof Lurlene en ik een hechte band hadden, maar ze was mijn kind. Me voorstellen wat haar is overkomen, is erg pijnlijk.'

'Ik vind het heel erg voor u.'

'Zijn er nog nieuwe ontwikkelingen?'

'Tot nu toe niet.'

'Maar er zijn andere slachtoffers die... O, god... Al die tijd dat Lurlene op straat leefde... Deels heb ik hierop gewacht.' Haar smalle, hoekige schouders schokten. Haar handen trilden. 'Of ze zich graag pijn liet doen? Als kind het tegendeel. Lurlene was degene die de klappen uitdeelde en daardoor in moeilijkheden kwam. Ik zei altijd dat ze extra verantwoordelijk moest zijn, juist omdat ze zo fors was.' Ze fronste haar wenkbrauwen. 'Achteraf, toen ik wist dat ze het zo moeilijk had met haar gewicht, besefte ik dat ik het verkeerde had gezegd. Of ze zich graag pijn liet doen... Kennelijk wel. Maar dan heb ik het over later, toen ze het huis al uit was. Wérkte.' Ze pakte een zakdoekje en onderdrukte haar tranen. 'Alsof je dat werk kunt noemen.'

Ze schraapte haar keel, haar stem klonk kil. 'Een paar keer toen ze langskwam, voor geld, had ze blauwe plekken. Hier. Hier.' Vingers aan weerszijden van haar nek. 'Eerst wist ik niet zeker of het blauwe plekken waren. Lurlene was donker, leek op haar vader. En de eerste keer probeerde ze het te verhullen, droeg ze een sjaal. Dat is juist waarom het me opviel, Lurlene droeg nooit sjaals. Ik zag iets paars onder de stof, legde mijn vinger ertegenaan en ze sloeg hem weg.'

Ze huiverde. 'Hard, het was geen vriendelijke duw. Maar ik kan net zo koppig zijn als zij, dus drong ik aan totdat ze vreselijk boos werd, hem afrukte... de sjaal... en zei: "Ben je nou blij?"

Ik zei: "Ik ben helemaal niet blij dat iemand jou pijn doet, Lurlene." Zij zei: "Niemand heeft iets gedaan wat ik niet wilde." En toen grijnsde ze. Ik was ontzet en dat vond ze vermakelijk. Ze rolde haar mouwen op en ik dacht: daar komt het, nu gaat ze me naaldensporen laten zien, wat kan die meid nog meer van plan zijn om me teleur te stellen? Maar in plaats daarvan liet ze nog meer blauwe plekken op haar polsen zien.

Ik vond het verschrikkelijk en wendde mijn gezicht af, en daar reageerde ze helemaal fel op. Ze zei dat sommige mensen bereid waren te betalen voor extra's en dat ze het zelfvertrouwen had het aan te kunnen. Ik begon natuurlijk te preken. Zei dat het gevaarlijk was... Afijn, u kunt het zich wel voorstellen. Ze lachte me uit en vertrok.' Ze glimlachte. 'Dat was het.'

Ik zei: 'U hebt het zwaar gehad.'

'Mijn andere meiden doen het goed. Lust u nog een kopje koffie?'

'Dus Laura ook, dat is drie van de drie,' zei Milo.

Ik was net bij het bureau aangekomen toen hij naar buiten kwam lopen.

'Al die lichaamsbeweging,' zei ik. 'Ik begin me zorgen om je te maken.'

'Een middagommetje in een bezadigd tempo,' zei hij. 'De muren hebben de neiging op me af te komen als ik me nutteloos voel. Jij hebt vanmorgen zeker alweer acht kilometer gejogd.'

We liepen langs dezelfde huizen en appartementen. Deze keer bleef de lucht grijs, dik en loom.

Hij zei: 'De luchthavenpolitie heeft de Lexus van de familie Vander op het internationale vliegveld gevonden, maar we hebben geen bewijs dat Huck ergens naartoe is gevlogen.'

'De oudste truc die er bestaat.'

'Jongeheer Moses en ik zijn toch maar alle hotels en motels in de buurt afgegaan. Evenals de chique hotels van San Francisco tot aan Santa Barbara, op zoek naar de Vanders. We hebben ook chartermaatschappijen gecontroleerd. Allemaal niets. Het lijkt op de rooftocht van een wildeman die al lang en breed is gevlucht.'

'Vier sadistische seksuele moorden, spelletjes met de botten van drie van de slachtoffers,' zei ik. 'Daarna Duboff, daarna de familie Vander? Ik zie niet echt een thema.'

'Moet dat er dan zijn?' vroeg hij. 'Die klootzak in Kansas vermoordde vrouwen, mannen, kinderen, wie hij ook maar thuis aantrof. Hetzelfde geldt voor Ramirez, Zodiac, et cetera, et cetera.'

'In die gevallen waren de mannen toevallige slachtoffers.'
'Dat kan hier toch ook? Wat dacht je hiervan: Huck werkt drie jaar voor de Vanders, geilt op Nadine, maar als hij zijn gang met haar wil gaan, moet hij eerst manlief en kind uit de weg ruimen.'
'Hij slaagt erin ze terug te lokken uit Azië?'
'Hij spelde ze een leugen op de mouw waardoor ze terugkwamen. Met dit soort lui draait het allemaal om macht, toch? Is er een betere kick dan met rijkelui te schuiven als pionnen op een schaakbord? En dan komen wij langs met vragen over Selena, en hij denkt dat het nog een kwestie van tijd is en gaat ervandoor.'
Ik dacht hierover na. 'Een familiekwestie zou als list hebben kunnen werken. Dat Simone ziek of gewond was. Simon en Nadine vertrouwden Huck, hadden geen reden om zoiets te controleren. Maar hoe past Duboff in dat plaatje?'
'Als we Huck te pakken hebben, komen we daar wel achter. Laten we wel wezen, Alex, als je alle gelul weglaat, hou je geen mysterie meer over. We hadden de dader al direct... Hij had een goeie reden om peentjes te zweten.'
Tien passen later: 'God weet wat Huck al die verborgen jaren heeft gedaan voordat de Vanders hem in huis namen. En dus betaalt hij ze terug op een bovenzinnelijk consequente manier.'
'Geen enkele goeie daad blijft onbestraft,' zei ik.
'Die pas ik aan,' zei hij. 'Geen enkele goeie daad blijft gevrijwaard van bloed en vernedering, en geen enkele goeie daad blijft ongedumpt alsof het afval is.'
'Past niet op een bumpersticker.'

27

De beperkte aandacht op tv leverde vierendertig tips op van mensen die Edward T. Huckstadter, alias Travis Huck, hadden gezien.

Milo en Moe Reed waren twee dagen bezig met het najagen van gebakken lucht.

Een man die bij de jeugdgevangenis had gewerkt toen Huck vastzat, vertelde Reed dat Huck hem de kriebels had gegeven. 'Altijd janken om dingen, maar die ogen van hem...'

'Vals?' vroeg Reed.

'Doortrapt. Alsof hij iets van plan was. Als het aan mij had gelegen was hij nooit vrijgekomen.'

'Heeft hij wel eens iets fout gedaan toen hij vastzat?'

'Niet dat ik me kan herinneren, maar wat dan nog, ik had gelijk. Die lui houden zich schuil, klaar voor de aanval.'

Hucks naam kwam niet voor op passagierslijsten van treinen en bussen vanuit L.A., maar een contant betaald metrokaartje zou een gemakkelijke vlucht zijn. Na enig juridisch getouwtrek stemde Buddy Weir in met een forensisch onderzoek door het politielab van de Lexus van de familie Vander.

'Maar alstublieft geen schade, inspecteur. Ik wil niet dat Simon en Nadine zoiets aantreffen als ze thuiskomen.'

Niemand besteedde aandacht aan de moord op Silford Duboff, maar ik kon het gebeurde niet loslaten. Ik belde Alma Reynolds en luisterde hoe de telefoon overging.

Geen voicemail, en ze was er trots op geweest dat zij en Sil geen mobieltjes hadden. Misschien ook wel geen computer of tv; ik vroeg me af of ze van de zoektocht naar Travis Huck had gehoord.

Ze gaf geen les meer, had het niet over een andere baan gehad. Ik belde Milo om te vragen of er een werknummer in haar dossier stond. Hij was op het vliegveld om nogmaals de vluchtgegevens door te nemen, en dus sprak ik Moe Reed.

Hij zei: 'Even kijken, hoor... Ja, een dokterspraktijk in West-L.A. Wat zou ze u kunnen vertellen?'

'Waarschijnlijk niets.'

'U doet dit heel vaak, hè? Helpen.'

'Als hij het vraagt.'

'Heeft hij u gevraagd om Reynolds na te gaan?'

'Soms improviseer ik.'

'Ja,' zei Reed. 'Dat zei hij al.'

Gezien Alma Reynolds levensstijl had ik een soort holistische praktijk verwacht, maar haar baas bleek een doodgewone oogarts in een heel normaal gebouw aan Sepulveda in de buurt van Olympic te zijn.

De wachtkamer zat vol. Brochures met kleine lettertjes over laserbehandelingen hadden de voorkeur.

Reynolds functieomschrijving was officemanager. De receptioniste aan de balie leek blij te zijn met de onderbreking van haar normale routine. Ze was van mijn leeftijd, had kort donker haar en een ontspannen glimlach.

'Helaas, ze is aan het lunchen.'

'Kwart voor drie,' zei ik. 'Dat is ook laat.

'Het was hier vanmorgen een gekkenhuis, ik denk dat ze niet eerder tijd had.'

'Enig idee waar ze is?'

'Gaat het over haar vriend?'

'Ja. Praat ze veel over hem?'

'Ze zegt alleen dat ze hem mist. Ze wil dat degene die zoiets afschuwelijks doet gestraft wordt... U draagt geen contactlenzen, hè?'

'Nee.'

'Dat dacht ik al. Uw ogen zijn van nature grijsblauw. Met gekleurde lenzen worden ze vaak wat te blauw... Alma houdt van Mexicaans. Drie straten verderop zit een winkelcentrum.'

Het winkelcentrum had een ruime parkeerplaats en zes restaurants. Alma Reynolds was de enige klant van Cocina de Cabo, en zat aan een blauw tafeltje te genieten van taco's met gefrituurde vis en een blikje cola light. Ondanks de hitte droeg ze dezelfde mannelijke wollen broek onder een wit shirt met v-hals, waardoor ze er vijf kilo lichter uitzag dan in het werkshirt dat ze op het bureau had gedragen. Haar lange grijze haar was in een staartje gebonden en ik dacht dat ik wat make-up op haar rimpels zag. Door haar helderblauwe ogen vroeg ik me af of ze lenzen droeg.

Ik zwaaide. Ze sloeg een hand tegen haar borst. 'Stalkt u me?'

'Alleen in het kader van de openbare veiligheid. Mag ik bij u komen zitten?'

'Kan ik weigeren?'

'Als het niet goed uitk...'

'Grapje. *Sentarse.* Zo zeg je dat geloof ik in het Spaans.' Ze stak haar forse kaak naar voren en de blauwe ogen gleden naar de taco. 'Sil was veganist. Ik eet zo nu en dan vis.'

'Ik vroeg me af of u nog andere ideeën had.'

Ze kneep haar mond samen. 'Burgerparticipatie? Het antwoord is nee.'

'We proberen er nog steeds achter te komen hoe Sil past bij de andere moorden.'

'Misschien past hij er niet bij.'

Ik wachtte.

'Meer niet,' zei ze. 'Misschien past hij er niet bij. Is het een of andere gestoorde na-aper. Tenzij de klootzak die hem naar het moeras lokte iets probeerde te verbergen over de andere moorden.'

'Hij lokte hem met de belofte dat hij Sil zou helpen de moorden op te lossen.'

De hand tegen de borst verschoof en ik zag iets gouds glinsteren. Ze trok haar vinger terug. 'Ja.'

'Denkt u dat het iemand zou kunnen zijn die Sil kende en wist hoe hij in elkaar zat?'

'Zoals?'

'Een vriend, of zelfs een kennis die begreep hoezeer hij verknocht was aan het moeras.'

'Ik was zijn vriend,' zei ze. 'En kennis.'

'Een beperkt sociaal leven.'

'Dat was zijn keus. Mensen kunnen zo vermoeiend zijn.'

'En iemand die hem indirect kende... via zijn werk?'

'Dat is mogelijk, maar hij noemde nooit namen.'

'We kunnen geen ledenlijst voor Red het Moeras vinden.'

'Omdat het niet een echte groep is. In het begin, toen Sil het moeras had gered van dat miljardairstuig, werd er een bestuur opgericht. Maar dat waren alleen rijkelui die zichzelf deugdzaam wilden voelen. Er waren nooit vergaderingen. In de praktijk wás Sil Red het Moeras.'

'Wie betaalde de rekeningen?'

'Dat negenkoppige miljardairstuig. Ik heb Sil nog gezegd dat het riskant was, dat ze de volledige controle zouden hebben als hij te afhankelijk van ze zou worden, als drugsdealers. Maar hij zei dat hij ze wilde uitkleden en zich later wel druk zou maken om de gevolgen.'

Haar onderlip trilde en haar hand gleed een seconde weg. Net lang genoeg om een enorme parel aan een ketting te zien.

Ze pakte een taco, nam er een klein hapje van en legde hem weer neer. 'Ik wil nu alleen zijn, als u het niet erg vindt.'

'Nog even, alstublieft. Wat was Sils salaris?'

'Hij kreeg een wedde,' zei ze. 'Zodat het miljardairstuig geen loonbelasting hoefde te betalen. Vijfentwintigduizend dollar. Volgens Sil kon iedereen daarvan rondkomen als hij zijn leven vereenvoudigde.'

Ze spreidde haar vingers over de parel uit.

'Mooi,' zei ik.

Haar nek kleurde rood. 'Van Sil gekregen voor mijn verjaardag. Ik vond hem lelijk, zei dat ik hem nooit zou dragen, veel te opzichtig. En nu draag ik hem toch.'

Ik knikte.

Ze zei: 'Doe niet alsof u het begrijpt, want dat doet u niet. Mensen als Sil en ik zijn intelligent genoeg om het spelletje mee te spelen, het net zo breed te laten hangen als elke andere stedelijke robot. Ik heb twee universitaire studies gedaan en Sil heeft natuurkunde gestudeerd.'

Ze leunde naar voren alsof ze een geheim wilde vertellen.

'Het was onze keus om de essentie van het leven te omarmen. Maar zelfs Sil kon romantisch zijn. Hij wilde me iets moois geven. Zelfs idealisten hebben schoonheid in hun leven nodig.'

'Helemaal mee eens.'

'Ik zei dat ik hem niet wilde, eiste dat hij hem ging terugbrengen. Hij weigerde. We ruzieden erover. Hij hield het langer vol dan ik. Daar ben ik nu blij om.'

Haar ogen gleden naar de ramen van het restaurant. 'Is dat uw auto? Die groene, wat het ook is?'

'Een Seville.'

'Een Cadillac,' zei ze. 'Een Seville, daar is niets Spaans aan, wat bezielt die bedrijfsleugenaars toch?'

'Verkoopcijfers.'

'U rijdt in een kolossale benzineslurper. Wat is uw excuus?'

'We zijn al twintig jaar samen en ik heb het hart niet haar in te ruilen voor een jonger, mooier exemplaar.'

De hand viel omlaag, ze duwde haar borst naar voren. Pronkte met de ketting.

De parel was reuzegroot, roomkleurig en smetteloos. Te zwaar voor de ketting die er fragiel en verguld uitzag.

Ik zei: 'De miljardairs betaalden dus alle rekeningen en Sil had de leiding. Waren er nog andere donateurs?'

'Tuurlijk, mensen stuurden zo nu en dan cheques, maar dat noemde Sil kleingeld. Zonder dat miljardairstuig zou het een hopeloze zaak zijn geweest. Mag ik nu alstublieft in alle rust verder eten? Ik wil hier niet meer over nadenken.'

Ik bedankte haar en begaf me naar de deur.

Ze zei: 'U ben niet milieubewust, maar u bent tenminste wel trouw.'

De receptioniste van de oogarts zei: 'Hebt u haar niet gevonden?'

'Jawel, bedankt voor de aanwijzingen. Ze lijkt erg triest.'

'Zou u dat dan niet zijn?'

'Ik zou er waarschijnlijk nog erger aan toe zijn... Misschien dat die gigantische parel haar opvrolijkt.'

'Ik betwijfel het,' zei ze. 'Maar het is tenminste iets. Ze heeft hem gisteren gekocht. We stonden allemaal te kijken.'

'Niet Alma's stijl?'

'Absoluut niet.'

'Verdriet verandert mensen,' zei ik.

'Dat zal wel... Wat kan ik verder nog voor u doen?'

'Niets.' Ik draaide me om.

'Maar waarom...'

'Ik wilde u even bedanken voor uw medewerking.'

Voordat ze deze leugen in zich op kon nemen, was ik verdwenen.

28

Ik reed iets voorbij het winkelcentrum waar Alma Reynolds had geluncht, reed een paar rondjes tot ik een parkeerplaats had gevonden met onopvallend uitzicht op Cocina de Cabo. Reynolds kwam een kwartier later naar buiten en liep met lange, trage passen en een onverbiddelijke blik terug naar haar werk. Ik volgde haar zo langzaam mogelijk en bleef halverwege de straat naar het medisch centrum stilstaan.

Ze liep de hoofdingang voorbij en begaf zich naar de ondergrondse parkeergarage.

Ik hoefde niet lang te wachten voor er een gedeukte, oude, gele Volkswagen Kever de helling op kwam sputteren. Reynolds zat voorovergebogen alsof ze het autootje aanmoedigde om sneller te gaan. Donkere rook spuwde uit de uitlaat. Foei.

Ze reed regelrecht naar een lichtgroen flatgebouw aan Fourteenth Street, even ten noorden van Pico. Het nummer kwam overeen met het huisadres dat Reed me had gegeven. Het was een slecht onderhouden gebouw, half verscholen achter wat armetierige palmbomen. Het pleisterwerk bladderde.

De minder verfijnde kant van Santa Monica. Zelfs hier kwam lidmaatschap met privileges: parkeerplaats uitsluitend bestemd voor bewoners. Ik bleef op de achtergrond.

Alma Reynolds had moeite om de Kever op de kleine parkeerplaats te krijgen, botste zonder ogenschijnlijke wroeging tegen de auto's die voor en achter haar stonden. Daarna sloeg ze het portier zo hard dicht dat de Volkswagen ervan schudde, waarna ze het gebouw binnenging.

Ik parkeerde bij een brandweerkraan en luisterde een tijdje naar muziek. Vijfendertig minuten later concludeerde ik dat Reynolds niet meer weg zou gaan, en ik reed naar huis.

Onderweg belde ik Milo en sprak een boodschap in. Net toen ik bij Westwood Village was, ging mijn mobiel.

'Dag dokter, met Louise van de telefoondienst. Ene dokter Rothman heeft net gebeld.'

'Nathalie Rothman?'

'Ze noemde geen voornaam, maar ze vroeg of u haar zo snel

mogelijk wil terugbellen. Het had te maken met een zekere meneer Travis.'

Ik had Nathalie Rothman in jaren niet gesproken.
Ze zei: 'Ik ben druk bezig met patiënten, Alex, maar als je tijd hebt, kunnen we misschien straks iets afspreken.'
'Ken jij Travis Huck?'
'Kennen? Dat is een groot... Sorry, Alex, wacht even...' Na enige ogenblikken stilte. 'Een van onze artsen in opleiding heeft net een kind gekregen en we zijn gruwelijk onderbemand en zodra ik hier klaar ben moet ik weg. Ik heb alleen tijd voor je wanneer ik mijn avondeten naar binnen werk, rond een uur of zes?'
'Krijg ik geen hint?'
'Te ingewikkeld. Kun je om zes uur?'
'Ik zal je klokslag zes uur bellen.'
'Nee, laten we ergens afspreken. Jarrod, mijn oudste, heeft om zeven uur een basketbalwedstrijd en ik heb beloofd dat ik deze keer echt kom kijken. Woon je nog steeds in de Glen?'
'Ja. Wat een boel intrige, Nathalie.'
'Echt iets voor jou, toch? Als we ergens in de buurt van Jarrods school kunnen afspreken, vind ik het prima.'
'Welke school is dat?'
'Brentwood,' zei ze. 'Windward Academy... Ik ken een leuk Thais restaurant aan Bundy, vlak bij Olympic. Pad Palace, ken je dat?'
'Ik vind het wel.'
'Goed, vetarm eten,' zei ze. 'Ik haal daar wel eens wat. Veel te vaak, eigenlijk.'

Weer een winkelcentrum; misschien dat onroerend goed op een dag zo duur zou zijn, dat ze niet meer rendabel waren.
Pad Palace had zijn best gedaan voor wat het was: een etalage met een beperkt designbudget. Schermen en vurenhouten tafels voor elegante eenvoud. De muren waren in verschillende zachte groentinten geschilderd. Slanke, verlegen,

jonge Aziatische vrouwen bedienden luidruchtige, vrolijke, blanke, Amerikaanse, hippe vogels.

Het menu was vegetarisch met ei, op verzoek ook veganistisch. Deugdzaamheid was de nieuwste rage in L.A. Ik verwachtte bijna dat ik Alma Reynolds hier zou tegenkomen. Maar misschien had ze altijd al van vis gehouden.

Vijf minuten nadat ik me achter een pot thee had geïnstalleerd, kwam Nathalie Rothman in haar witte BMW cabrio aangereden. Ze kwam binnen als een kogel: klein, snel en direct.

Een meter zevenenveertig, veertig gespierde kilo's. Haar gezicht was zacht en glad als dat van een tiener en ze had een wilde bos bruin haar. Met haar tweeënveertig jaar was ze moeder van vier jongens en getrouwd met een projectontwikkelaar die delen van Wilshire Boulevard bezat. Ze was al tien jaar hoofd Spoedeisende Hulp van het Western Pediatric Medical Center. Ik had haar ontmoet toen ze als Yale-student arts in opleiding werd. Toen laatstejaars arts in opleiding, toen een snelle promotie naar een vaste aanstelling.

Veel belangrijke mensen in het ziekenhuis vonden haar bruusk en irritant. Ik kon me er iets bij voorstellen, maar toch mocht ik haar.

Ze zwaaide met een vinger naar me en schoot een serveerster aan. 'Ik ben dokter Rothman, is mijn eten klaar?'

Tegen de tijd dat het meisje had geknikt, was Nathalie tegenover me op een stoel geploft. 'Ik bel altijd van te voren. Hoi, Alex. Je ziet er goed uit, de criminele kant van het leven siert je. Overweeg je nog wel eens terug te komen en je echte werk te gaan doen?'

'Leuk om je weer eens te zien, Nathalie.'

Ze schoot in de lach. 'Nee, ik gebruik geen Ritalin, ja, dat zou eigenlijk wel moeten. Dat spoortje grijs staat je goed. Dat zeg ik ook altijd tegen Charlie, maar hij gelooft me niet. Goed, ter zake: ik zag toevallig het nieuws, de uitzending over meneer Huck, en ik heb als brave burger dat nummer gebeld. Een of ander politietype, een zekere Reed, zei dat hij me wilde spreken, maar volgens mij meende hij dat niet.'

'Waarom niet?'

'Toen ik hem vertelde waarom ik belde, zei hij dat hij in het veld bezig was en nog wel contact met me zou opnemen. Wat voor gewas verbouwen politiemensen in het veld? Dat vroeg ik hem ook. Hij kon mijn gevoel voor humor niet waarderen. Ken je hem?'

'Een jonge, onervaren rechercheur.'

'Nou, hij mag nog wel wat leren als het gaat om de omgang met brave burgers die mogelijk nuttige informatie hebben. Hij begon me te ondervragen: wie ik was, waarom ik gebeld had. Alsof ík onder verdenking stond. Toen ik zei dat ik arts in het Western Pediatric was, leek het alsof er een lampje ging branden. Hij ontspande zich, zei dat hij iemand kende die daar had gewerkt en toevallig bij deze zaak adviseerde, en of ik je kende. Ik zei dat ik je al heel lang ken. Toen stelde hij voor dat ik maar met jou moest gaan praten. Sorry hoor, Alex, maar ik had het gevoel alsof ik afgescheept werd. Hij zou je zeggen dat ik je zou bellen. Heeft hij dat gedaan?'

'Nog niet.'

'Tuurlijk. Nou, ík laat het er niet zo makkelijk bij zitten. Jonge rechercheur Reed wil zich dan misschien niet met cognitieve dissonantie bezighouden, maar dat is dan jammer.'

'Dissonantie waarover?'

'Meneer Huck.'

'Je kent hem dus toch.'

'Dat is te sterk uitgedrukt,' zei ze. 'Ik heb hem een keer ontmoet. Maar dat was genoeg om hem te zien als held.'

Een bord glazige noedels met tofoe-kip arriveerde. Nathalie nam een paar hapjes, speelde met een diamanten ring. Een grote, hoekige steen. Sieraden waren niet echt aan mij besteed, maar Alma Reynolds' gigantische parel had mijn aandacht getrokken.

Nathalie zei: 'Ik heb het over tien jaar geleden. Ik had net de poli erbij gekregen en draaide een late dienst om te bewijzen dat ik er nog steeds bij hoorde. Om een uur of drie 's nachts piepte de triageverpleegkundige me op. Iemand had een met bloed besmeurde baby binnengebracht. Eerst dacht iedereen dat het een enorm gruwelverhaal zou worden, maar toen we het kleintje wat oppoetsten, bleek dat ze geen verwondingen had, nog geen speldenprikje. Een klein meisje, zeven maanden oud. Ze had het koud, was overstuur, maar verder ging het goed met haar.'

Met haar stokjes at ze een blokje tofoe. 'De barmhartige samaritaan was jouw man, meneer Huck. Hij zei zijn naam niet, maar ik weet zeker dat hij het is, dat gezicht vergeet ik niet zomaar. Hij was uitgemergeld, kon bijna niet op zijn benen staan, beslist niet in goede conditie. Ik kan me nog goed herinneren dat hij een neurologische aandoening had, misschien een oude hoofdwond of een lichte hersenbloeding.'

'Die scheve mond,' zei ik.

'Já,' zei ze triomfantelijk. 'Ik wíst wel dat hij het was. Hij liep onzeker. De triageverpleegkundige dacht aanvankelijk dat hij dronken was, dat hij de baby zou laten vallen. De baby krijste, al dat bloed, het was me wat. Op het journaal zeiden ze dat de politie Huck in de gaten houdt. Wat betekent dat?'

'Het betekent dat ze geen duidelijkheid geven.'

'Waarom?'

'Te ingewikkeld, Nathalie.'

Ze keek me lang aan. 'Akkoord. Maar even tussen jou en mij, wordt hij verdacht van die moorden?'

Ik knikte.

'Wauw,' zei ze. 'Ik moet je zeggen dat ik beslist geen onheilspellende indruk van hem had, Alex. Hij was zenuwachtig, bang, waarschijnlijk banger dan de baby. Hij zei dat hij haar op de stoep had gevonden tijdens een ommetje, dat hij haar had horen krijsen en in eerste instantie dacht dat het om een gewond dier ging. Toen hij zag dat het een baby was, had hij haar opgepakt en naar ons gebracht. Van Silverlake naar East-Hollywood, dus. Meer dan drie kilometer, en dat in de kou. Hij had zijn jas uitgetrokken om de baby warm te houden, droeg een T-shirt en zo'n goedkope geruite broek... Gek, dat ik me dat nog herinner. Waarschijnlijk van een uitdragerij, hij zat met een touw om zijn middel gebonden. Hij klappertandde, Alex.'

'Waarom had hij het alarmnummer niet gebeld?'

'Misschien dat hij dacht dit sneller zou zijn, ik weet het niet.'

Of hij wist dat zijn achtergrond hem onmiddellijk verdacht zou maken.

Nathalie zei: 'Waren we aanvankelijk bang voor hem? Natuurlijk. Hij zat onder het bloed, het leek wel een scène uit zo'n walgelijke film waar mijn kinderen graag naar kijken. We wilden hem nergens op aanvallen, maar we hebben wel geprobeerd hem daar te houden tot de politie er was. Toen hij wist dat met de baby alles goed was, stoof hij langs onze beveiliging. En je kent het kaliber van onze beveiliging vast nog wel.'

'Oud, zwak, lui, bijziend.'

'Op een goeie dag. Bovendien duurde het lang voor de politie kwam en onze aandacht ging uit naar de baby. Best beangstigend eigenlijk. Stel dat Huck echt een psychopathische moordenaar was geweest.'

'Hoe weet je zo zeker dat hij dat niet was?'

'Omdat de zaak direct werd gesloten. Zo noem je dat toch? Gesloten, niet opgelost.'

'Je hebt je huiswerk gedaan, Nathalie.'

'Charlie houdt van die misdaadprogramma's.'

'Waarom werd de zaak gesloten?'

'We vertelden waar Huck de baby zou hebben gevonden. Zij vonden het bloedspoor, volgden het en ontdekten een lijk in de bosjes. Dat bleek de moeder van de baby te zijn. Een zeventienjarig meisje dat Brandi Loring heette. Ze woonde een paar straten verderop met een aan alcohol verslaafde moeder en stiefvader, halfbroers en -zusjes, stiefbroers en -zussen. De baby heette Brandeen, kleine Brandi zeker. De familie wist wie de dader was. Brandi's ex, ook nog een kind, een jaar ouder dan Brandi. Kennelijk had ze het uitgemaakt voor de baby was geboren en hij had haar sindsdien gestalkt. Zodra de politie bij hem op de stoep stond, bekende hij dat hij haar had doodgeslagen. Hij had een gebroken hand en kapotte knokkels, en zijn bloed zat op Brandi's gezicht en nek en borst. Toen de politie hem vroeg waarom hij de baby daar zomaar op de stoep had laten liggen keek hij ze een beetje glazig aan. Iets van: oeps, die was ik vergeten.'

'Van wie heb je al die details.'

'De rechercheur die de papierwinkel deed. Zo noemde hij het. "Ik handel de papierwinkel af. Bepaald geen spetterend detectivewerk, dokter."'
'Weet je zijn naam nog?'
'Leibowitz,' zei ze. 'Een Joodse rechercheur, wie had het kunnen denken?'

Voor we afscheid namen, vroeg ik of haar zoon het naar zijn zin had op Windward.
'Een interessante plek,' zei ze.
'In welk opzicht?'
'Het zijn eigenlijk twee scholen... sociologisch gezien. Intelligente rijke kinderen en wat minder intelligente, heel rijke kinderen.'
'Zo te horen een gemeenschappelijk thema.'
'Veertigduizend dollar lesgeld maakt het gemeenschappelijk. Charlie vindt het absurd, en ik eigenlijk ook. Als je je afvraagt in welke categorie Jarrod hoort... dat hangt ervan af op welk moment je me dat vraagt. Je weet hoe tieners zijn, geen zelfbeheersing. Kijk maar wat die arme Brandi Loring is overkomen. Ik had hem best naar een openbare school willen sturen, en Charlie al helemaal, maar onze prins wil zo dolgraag later universiteitshonkbal spelen en was ervan overtuigd dat hij dat op een openbare school niet zou kunnen bereiken. Wat dat betreft is hij zeker een van de intelligente kinderen. Hij kent zijn beperkingen.'

Ik belde bureau-Hollywood en vroeg naar rechercheur Leibowitz. De telefonist had nog nooit van hem gehoord en de agent van dienst ook niet.
'Doe dan maar rechercheur Connor.'
'Die is er niet.'
Ik belde Petra mobiel. Ze zei: 'Barry Leibowitz is kort nadat ik hier kwam werken vertrokken. En ga nou geen oorzakelijke verbanden leggen, Barry was in de zestig.'
Ik moest lachen. 'Enig idee waar ik hem kan vinden?'
'Sorry, nee. Mag ik vragen waarom?'
Ik vertelde haar dat Travis Huck een baby had gered.

Ze zei: 'Jullie slechterik heeft dus iets goeds gedaan? Ted Bundy werkte bij een telefonische crisisdienst.'

Milo zei: 'Betekent geen zak. De BTK-moordenaar was diaken.'

Moe Reed zei: 'Dat dacht ik al toen ze belde, dokter. Ik wilde het u nog zeggen, maar ik had het zo druk met de bus- en treingegevens en het doorspitten van huurautocontracten.'

Milo zei: 'Het is dus zeker dat de vriend de moeder van de baby heeft vermoord.'

Ik zei: 'Dat is wat rechercheur Leibowitz dokter Rothman heeft verteld.'

'Leibowitz... die naam zegt me niets.'

'Hij is kort nadat Petra bij bureau-Hollywood kwam werken met pensioen gegaan. Ik was van plan hem op te zoeken, maar als je denkt dat het onzin is, doe ik het niet.'

'Wat heeft het voor zin, denk je?'

'Als Leibowitz Huck destijds heeft gevonden en ondervraagd, geeft het ons misschien een betere kijk op Hucks persoonlijkheid.'

'Ik zou wel eens willen weten waarom Huck om drie uur 's morgens in Silverlake door een donkere, verlaten straat liep, maar best, je gaat je gang maar.'

Reed zei: 'We weten dat hij graag hoertjes oppikt. Als hij daar niet in slaagt, stalkt hij misschien mensen, tuurt door ramen of erger.'

Milo zei: 'We weten nu in elk geval wel waar hij tien jaar geleden was. Een dakloze, geen sociaal-fiscaal nummer, dus dikke kans dat hij zijn geld illegaal verdiende. Eens kijken wat er in het systeem staat over inbraken in die tijd, specifiek in East-Hollywood en Silverlake. Dat doe ik wel, Moses, hou jij je bezig met het openbaar vervoer en de telefoontips.'

'Doe ik.'

Ik zei: 'Huck zei dat hij de baby te voet naar het ziekenhuis heeft gebracht. Als dat waar is, had hij waarschijnlijk geen auto. Dat zou kunnen betekenen dat ergens in de buurt van waar hij haar had gevonden woonde.'

Reed zei: 'Hij loopt de boulevard af voor de lol en kruipt dan 's avonds terug naar zijn hol in de heuvels.'

Milo zei: 'Zou kunnen, maar vergeet de boulevard maar. Daar vind je niemand meer van tien jaar geleden. De woonwijk is misschien een ander verhaal. Als we teruggaan naar de plek waar de baby is gevonden, vinden we misschien iemand die zich Huck kan herinneren.'

'Of nog beter,' zei ik. 'Huck herinnert het zich en keert terug om zich schuil te houden.'

Milo beet op zijn wang. 'Zoals het klokje thuis tikt, tikt het nergens?'

Reed zei: 'Terug naar de veilige plek van vroeger. Kan aantrekkelijk zijn als je op de vlucht bent voor *la policía*.'

29

Het lichaam van Brandi Loring was aan Apache Street gevonden, vlak bij de westkant van Silverlake, vier glooiende straten ten noorden van Sunset.

De buurt bestond uit kleine huizen, soms niet groter dan een schuurtje, en grotere panden waren opgedeeld in huurwoningen. De plek waar Travis Huck baby Brandeen zou hebben gevonden was een afbrokkelende, gebarsten stoep die gemold werd door de wortels van een gigantische banyan.

Anderhalf uur lang op deuren kloppen aan Apache leverde alleen vragende blikken en ontkennende antwoorden op, meestal in het Spaans. Een vrouw die Maribella Olmos heette, een oude, verschrompelde dame met felle ogen, kon zich het incident nog herinneren.

'De baby. Wat een aardige man om dat te doen,' zei ze. 'Dapper.'

'Kende u hem, mevrouw?' vroeg Milo.

'Dat zou ik willen. Heel dapper.'

'Dat hij een baby redde.'

'Dat hij haar redde en naar de dokter bracht,' zei ze. 'Al die bendes, schietpartijen hier. Het is nu beter, maar toen? Och, och.'

'De bendeleden waren om drie uur 's morgens bezig?'

'Wanneer ze maar wilden. Soms lag ik te slapen en dan werd ik wakker van de schoten. Het is nu beter. Veel beter. Jullie doen goed werk.'

Ze greep Milo's hand beet en duwde hem tegen haar verschrompelde lippen.

Een van de weinige keren dat ik hem overrompeld heb gezien. 'Dank u, mevrouw.'

Maribella Olmos liet zijn hand los en gaf hem een knipoog. 'Ik zou u er eentje recht op de mond geven, maar ik wil niet dat uw vrouw jaloers wordt.'

Volgende halte: het laatste adres van Brandi Lorings moeder en stiefvader.

Anita en Lawrence Brackle hadden in een roze vooroorlogs gebouw van één hoog gewoond dat was opgedeeld in vier appartementen. Niemand in het gebouw had ooit gehoord van het gezin, van Brandi, of van het babyincident.

De rest van de middag reden we door Silverlake en lieten Hucks foto zien aan mensen die oud genoeg waren om hem gekend te hebben.

Nietszeggende blikken en hoofdschudden; Milo accepteerde dit falen door bij een straatverkoper twee glazen ijskoude tamarindelimonade te drinken. Andere verkopers hadden bakken kleding op de stoep staan. Hij keek geamuseerd naar de illegale koopwaar en dronk gulzig terwijl auto's schokkend over het slechte wegdek van Sunset reden.

Eenmaal in de auto zei hij: 'De kans was ook niet groot. Als je nog steeds op zoek wilt naar Leibowitz, dan ga je je gang maar. Ik ga terug naar het bureau om de onroerendgoedzoektocht uit te breiden naar de omliggende districten, voor het geval Huck toch iets op zijn naam heeft staan. Daarna bekijk ik inbraken die in het verleden in Hollywood hebben plaatsgevonden. Misschien vind ik wel een afgehakte hand.'

'Nog nieuws over de Vanders?'

'Nog niet, en Buddy Weir belt om de haverklap, die man begint hysterisch te klinken.'
Ik zei: 'Een advocaat met gevoel.'
Hij snoof. 'Al die uren die hij in rekening had kunnen brengen naar de klote.'

Een halve minuut op het internet leverde een Barry Leibowitz op die vorig jaar vierde was geworden tijdens een golftoernooi. Tres Olivos Golf Club and Leisure Life Resort in Palm Springs.
De woestijn kon een betaalbare plek zijn om als voormalig agent met pensioen te gaan. Ik bekeek de groepsfoto. Golfer Barry Leibowitz op de achterste rij had grijs haar en een snor. De leeftijd klopte. Nog wat verder zoeken leverde een vervolgartikel op in het clubblad met een korte beschrijving van de vier topamateurs.
Twee tandartsen, een boekhouder en 'rechercheur Leibowitz, onze wetsdienaar. Tegenwoordig jaagt hij op trofeeën in plaats van criminelen.'
Ik belde Tres Olivos, noemde mijn echte naam en titel, maar verzon een verhaal dat ik namens Western Pediatric belde omdat het ziekenhuis op zoek was naar het huidige postadres van meneer Leibowitz.
'De trofee die hij onlangs bij het Negen Holes voor Kinderen-toernooi heeft gewonnen is teruggestuurd en we zouden graag willen dat hij hem kreeg.'
De secretaresse zou hoogstens voorzichtig zijn, het ziekenhuis bellen en te horen krijgen dat ik er inderdaad werkte, maar dat zo'n trofee niet bestond.
Ze zei: 'Alstublieft, dokter.'

Geen woestijnlucht voor rechercheur derde klasse Barry Z. Leibowitz (b.d.).
Hij woonde in een eenkamerflatje aan Pico ten westen van Beverwil. Ik belde, er werd niet opgenomen, maar ik ging toch op pad.
Het adres was een afgeschermd complex dat Hillside Manor heette. Niet heel indrukwekkend. Een oprit van negentig me-

ter, met aan weerszijden zandkleurige blokken, grenzend aan de noordrand van Hillcrest Country Clubs groene achttien holes.

De club paste bij Leibowitz' interesse, maar ik kon me niet voorstellen dat een voormalig rechercheur zich het lidmaatschap kon veroorloven.

Bij een intercom rechts van het hek hing een lijst van dertig bewoners. Ik toetste de code voor Leibowitz in. Een basstem zei: 'Ja?'

Ik begon uit te leggen wie ik was.

'Dat meen je niet.'

'Jawel. Ik werk samen met rechercheur Sturgis. Het gaat om Travis Huck.'

'Wacht even.'

Vijf minuten later verscheen de man die ik kort daarvoor op de toernooifoto had gezien aan de westkant van de korte straat. Hij droeg een goudgeel poloshirt, een zwarte linnen broek en slippers. Hij was langer en breder dan hij op de foto leek. Barry Leibowitz had een groot rond bovenlijf op korte dikke benen. Het grijze haar was dun. De snor was dik en met wax bewerkt.

Zijn geamuseerde blik deed denken aan de elegante man met monocle van Monopoly.

Toen hij bij het hek aankwam, liet ik hem mijn adviseurspasje zien.

'En wat wou je daarmee?'

'Aantonen dat mijn verhaal klopt.'

'Ik heb Sturgis net gebeld.' Het hek gleed open. 'Ik ken hem van naam, maar heb nooit met hem gewerkt. Dat zal wel interessant zijn.'

'De zaken zijn zeker interessant.'

Hij bestudeerde me. 'Vast. Dat bedoelde ik ook.'

De flat lag op de eerste verdieping aan de achterkant, smetteloos schoon, bijna ontsmet. Twee leren golftassen stonden in een hoek tegen de muur. Een verrijdbare bar met goede *single* malt en gin. Meer dan tien golftrofeeën deelden een boekenkast met paperbacks.

Voornamelijk misdaadromans.

Leibowitz zag me kijken en grinnikte. 'Alsof ik mijn werk niet heb opgegeven, hè? In de echte wereld pakken we zestig, zeventig procent van de slechteriken. Deze creatieve types halen de honderd. Wil je iets drinken?'

'Nee, dank je.'

'Ik schenk een glas Macallan 16 voor mezelf in. Weet je het zeker?'

'Als je het zo brengt.'

Leibowitz grinnikte weer. 'Flexibiliteit, een teken van een intelligent man. Hij pakte een paar ouderwetse glazen van de onderste plank van de bar, hield ze tegen het licht, nam ze mee naar de keuken, waste en droogde ze, bekeek ze opnieuw en herhaalde het ritueel.

Het keukenraam bood tussen de pijnbomen door uitzicht op een klein stukje schitterend groen. Boven op een glooiende heuvel stond iemand in het wit gekleed te putten.

Leibowitz zei: 'Mooi uitzicht, hè? Ik ben net die man uit de mythologie, Tantalus. Al dat moois net buiten mijn bereik.'

Ik zei: 'Rancho Park is hier niet ver vandaan.'

'Golf jij?'

'Nee, maar ik heb wel eens van Rancho gehoord. Na de rechtszaak tegen O.J. ging hij naar openbare golfbanen.'

Leibowitz schoot in de lach. 'O.J. Goddank heb ik nooit iets met die zaak te maken gehad.'

Hij nam twee goed gevulde glazen mee en ging in een luie stoel zitten. Met kleine langzame teugen dronk hij de eerste helft van zijn glas leeg. De rest sloeg hij in één keer achterover. 'Op de Schotten. Dus jij wilt iets weten over Eddie Huckstadter... die naam gebruikte hij toen. Wat betreft mijn zaak was hij een van de goeien, zeker gezien zijn omstandigheden.'

'Welke omstandigheden?'

'Hij was een zwerver,' zei hij. 'Neem me niet kwalijk, een "thuisloze persoon die niet naar conventionele maatstaven zou moeten worden beoordeeld".' Hij lachte, pakte de fles nogmaals en schonk zichzelf nog een bodem whisky in. 'De waarheid is dat ik niet beoordeel. Niet meer. Als je je baan eenmaal achter je laat, begin je een ander perspectief te krijgen. Net als met Sturgis. Toen ik net begon, zou ik nooit met zo iemand hebben willen werken. En nu? Hij doet het met mannen? Wat kan mij zijn privéleven schelen?' Hij bekeek me eens goed. 'Als je dat schokkend vind, tja...'

'Niet schokkend. Huckstadter vluchtte het ziekenhuis uit. Hoe heb je hem weer gevonden?'

'Pure genialiteit.' Hij lachte nog wat. 'Niet echt. In het ziekenhuis had ik een beschrijving van hem gekregen, die heb ik doorgegeven aan Patrouille, en een paar agenten die veel in de buurt van de boulevard werkten wisten direct wie het was. Eddie was gewoon een straatjongen. De volgende dag hebben we hem naar het bureau gehaald.'

'Hij hing rond bij Hollywood Boulevard?'

'Hij bedelde bij het Chinese Theatre en nog wat verder bij de Pantages. Waar de toeristen kwamen, denk ik. Hij had lang haar, een neusring, zag eruit als een freak. Dat waren ze toen. Geen hippies meer. Freaks.'

'Kenden ze hem van eerdere arrestaties?'

'Nee, alleen als zwerver. Hij was opvallend met die scheve mond van hem en die mankepoot.' Hij trok zijn mondhoeken op. De snor deed mee. 'Ze brachten hem bij me, ik heb hem ondervraagd, hij vertelde hetzelfde verhaal dat hij de verpleegkundigen in het ziekenhuis had verteld, maar op dat moment deed hij er al niet meer toe. De zaak was al gesloten door de directe bekentenis van die zak... Gibson DePaul. Gibbie.' Hij sprak de bijnaam vol minachting uit.

Hij nam een slokje. 'Maar goed, Patrouille had de moeite genomen om die vent te vinden, dus ik was niet van plan ze het gevoel te geven dat ze hun tijd hadden verdaan. Ik heb zelf lang patrouille gereden. Tien jaar in Van Nuys, daarna vier jaar in West Valley voordat ik besloot deze te gebruiken...' Hij gaf een tikje tegen zijn hoofd. '... in plaats van deze.' Hij tikte tegen zijn spierballen.

Een gespierde arm ging omhoog en de tweede whisky ging naar binnen. 'Vroeger woonde ik in de Valley, toen mijn vrouw nog leefde... Dit is goed spul, gerijpt in sherryvaten. Vind je het niet lekker?'

Ik nam een slokje, liet de smaak over mijn tong rollen, voelde het branden in mijn keel. 'Heel lekker.'

Leibowitz zei: 'Huckstadter is een echte crimineel geworden? Ik sloeg steil achterover toen Sturgis het me vertelde, dat heb ik totaal niet in hem gezien.'

'Heb je er niets over op het journaal gezien?'

'Nee, ik kijk nooit naar die troep. Het leven is veel te kort. Ik heb een tv van negentien inch in de slaapkamer staan, maar ik kijk alleen sport.'

'Huckstadter leek dus niet gewelddadig?'

'Nee, maar goed, we hebben nou niet echt veel tijd aan psychoanalyse besteed.'

'Toch ben je verbaasd.'

'Ik ben altijd verbaasd,' zei Leibowitz. 'Dat houdt je jong... Wat ik daarstraks al zei, flexibiliteit.'

'Wat was Eddie destijds voor iemand?'

'Gewoon het zoveelste treurige geval. Hollywood zit er vol mee. Alles wat geen glamour is.'

'Hij heeft geen strafblad als volwassene.'

'Was hij een jeugdcrimineel?'

'Hij heeft enige tijd in de jeugdgevangenis gezeten, maar het vonnis is later vernietigd.'

'Wat voor zaak?' wilde Leibowitz weten.

Ik beschreef Hucks veroordeling voor doodslag. 'Die scheve mond is waarschijnlijk het gevolg van een hoofdwond die hij tijdens zijn detentie heeft opgelopen.'

'Tja,' zei hij. 'Daar kan een mens boos om worden.'

'Leek Huck boos?'

'Nee, alleen bang. Alsof hij niet graag overdag buiten kwam.'

'Een drugsprobleem?'

'Zou me niets verbazen. Drugs, drank of gekte, daardoor eindigen mensen op straat. Maar als je me vraagt of ik naaldensporen en een rooie neus zag, of hij ratelde, glazig voor zich uit staarde of een kater had, dan is het antwoord nee. Ook geen duidelijk merkbare gekte. De man was samenhangend, vertelde zijn verhaal in een logische volgorde. Ik zou alleen kunnen zeggen dat hij op mij depressief overkwam.'

'Waarom zou dat zijn geweest?'

'Zijn leven, neem ik aan. Als je dakloos bent, is het niet moeilijk om je verslagen te voelen, lijkt me. Ik was zijn psychiater niet. Ik heb zijn verklaring genoteerd en toen hij klaar was, heb ik hem een lift aangeboden. Die sloeg hij af, hij wilde liever lopen. En nu vertel jij me dat hij een serieuze crimineel is. Daar voel ik me niet lekker bij. Dat ik geen van de signalen heb gezien. Is er bewijs dat hij in die tijd al meisjes wurgde?'

'Nee.'

'Nee, of nog niet?'

'Nog niet.'

'En die moerasmoorden zijn met zekerheid zijn werk?'

'De omstandigheden duiden daarop.'

'Godver,' zei hij. 'Asjemenou. Ik heb het niet gezien. Niets.'

Ik zei: 'Misschien was er niets te zien.'

'Hij was slinks en wist zijn duistere kant te verhullen, bedoel je?'

'Ja,' zei ik. 'Dat bedoel ik.'

Pas toen het al donker werd, slaagde ik erin Milo telefonisch te bereiken.

Ik zei: 'Nog interessante inbraken gevonden?'

'De enige interessante zaken waren al opgelost, de rest zijn gewoon simpele diefstallen, sieraden, stereo's. Geen slipjesdieven, niks lugubers. En het ziet ernaar uit dat hij de onroerendgoedhype heeft ontlopen. Hij heeft niets.'

'Misschien moet je niet te veel tijd op het kadaster rondhangen. Tien jaar geleden was hij dakloos. Ik kan me niet voorstellen dat hij zoveel vermogen heeft opgebouwd sindsdien.'

'Ik kan me niet voorstellen dat hij zich heeft opgewerkt tot manager van een landgoed.'

'Misschien hebben de Vanders echt een groot hart,' zei ik. 'Of hij had zijn leven op de rails toen zij hem leerden kennen.'

'Ook goed, maar hoe leren mensen als zíj iemand als híj kennen?'

Hier dacht ik even over na. 'Misschien via een uitzendbaantje... Misschien werkte Huck als ober of barkeeper bij een

liefdadigheidsfeestje. Of het was gewoon een toevallige ontmoeting.'

'En hij weet ze ervan te overtuigen dat hij zijn leven heeft ge-
beterd? Dan hebben we het wel over heel sentimentele zielen,
Alex.'

'Het soort idealisme dat hen ertoe bracht een donatie voor
het moeras te doen?'

Stilte.

Hij zei: 'Interessant.'

'Helaas kan ik geen lijst van donateurs van Red het Moeras
vinden en volgens Alma Reynolds was het ook geen formele
inzamelingsgroep. Miljardairs financierden de hele operatie,
en dan hebben we het over huur en vijfentwintigduizend voor
Duboffs salaris. Ik vraag me af of Duboff bijbeunde. Bij-
voorbeeld in de vorm van die blonde, verbouwde vent met
de envelop die Chance Brandt zag.'

'Als dat omkoopgeld was, wat kreeg señor Plamuur dan van
Duboff?'

'Geen idee, maar mogelijk had Duboff ondanks zijn lage salaris wat geld gespaard en heeft Alma dat te pakken gekregen.'

Ik beschreef de enorme parel die Reynolds had geprobeerd te
verbergen, hoe ze die kort na Duboffs dood had gekocht, en
hoe ze had gelogen en mij had verteld dat ze die van hem had
gekregen.

Hij zei: 'Of ze is zichzelf te buiten gegaan en durfde dat niet
toe te geven. Als zelfverloochenende veganistische asceet, en
zo.'

'Ze eet vis,' zei ik. 'Het zou me niets verbazen als een lapje
vlees er ook zo in gaat.'

'Een hypocriet?'

'Ze houdt iets achter. Zodra ze me zag, probeerde ze die parel te verbergen. Vervolgens gooide ze het over een andere
boeg en begon ze er juist mee te pronken alsof ik het niet
moest wagen er meer van te maken dan het was. Maar ze
was duidelijk van slag toen ze me zag. En in plaats van weer
naar haar werk te gaan, ging ze naar huis.'

'Misschien viel het eten niet goed... Oké, misschien ben je op wat duistere financiële zaakjes gestuit, maar dat betekent nog niet dat het iets met de moorden te maken heeft. En als Duboff geld achterhield, lag het niet in zijn flat. Die heb ik zelf doorzocht. Ik wil die ouwe Alma best eens aan de tand voelen, maar niet nu, ik heb het veel te druk. Ik moet Huck vinden, weet je nog? Die vliegveldtruc is oud, maar hij werkt wel. Hij is foetsie.'

Ik zei: 'Misschien stuurt hij je wel een kaartje.'

'Zou dat niet fijn zijn? Oom Milo voelt zich zo alleen.'

30

De volgende ochtend hoorde ik niets van Milo of Reed en beide rechercheurs namen hun telefoon niet op.

Ik was door het warme zonlicht wakker geworden en dacht aan Travis Huck.

Petra en Milo hadden gelijk: een enkel nobel gebaar betekende niets, want psychopaten zijn grootse acteurs, en door hun altruïstische masker zijn ze in staat de wreedheden waar ze zo van houden na te jagen.

Publieke bewondering voedt hun verlangen naar macht en aandacht. *Moet je mij zien.* De moerasmoorden riekten naar exhibitionisme: gezegende grond als dumpplek, de moorden melden, botten bewaren in een mooi doosje.

Waarom hadden de vier vrouwen met het gezicht naar het oosten gelegen?

Daar was nog helemaal geen aandacht aan besteed.

Ik kon alleen geografische symboliek bedenken: Nadine Vander was van Chinees-Amerikaanse afkomst en zij was voor het laatst in Taiwan gezien, voordat ze naar San Francisco was gereisd.

Simon was vanuit Hongkong gekomen.

Draaide dit werkelijk om de familie?

Of was de familie Vander de kroon op een bloederige orgie?

Mensen met geld en macht vernietigen en hun ziel erven...
Als dat het motief was, waarom pronkte hij dan niet met hún
lichamen? Het enige lichaam dat tentoongespreid had gelegen was dat van Selena, een op het oog verlegen jonge vrouw
die daadwerkelijke orgies had bijgewoond voordat ze was
overgegaan tot pijnspelletjes.

Hoeveel ik er ook over piekerde, de moorden leken steeds opnieuw seksueel getint. En misschien was het verband met de
familie Vander een andere jonge vrouw.

Was Nadine al die tijd al Hucks doelwit geweest, zoals Reed
had geopperd? De vrouw des huizes, van een afstand bekeken met lust en verlangen. Haar man en zoon indirecte slachtoffers?

Misschien was Travis Huck tot dit alles in staat, maar zijn goede daad van tien jaar geleden was niet om aandacht geweest.
Integendeel, hij was gevlucht zodra de artsen hadden verklaard
dat Brandeen Loring in goede gezondheid verkeerde.

Maar misschien had Huck toen al duistere geheimen die niemand mocht weten.

Grootgebracht door een aan de drank verslaafde moeder, opgesloten en mishandeld tot hij op zijn achttiende was gered.
Zijn leven tót zijn tweede redding door de familie Vander
bleef een raadsel.

Er kon veel gebeuren in vijftien jaar op straat.

Ik dacht hier een uur over na, maar voelde me daarna alleen
maar verward, en nam een Advil tegen de knallende koppijn.

Ik begon aan wat simpel werk, deed de administratie, ruimde mijn werkkamer op. Ging hardlopen en liet als cooling-
down Blanche nog een kwartiertje uit, deed wat rek- en strek-
oefeningen en sprong onder de douche.

Ik zei tegen Robin dat ik even een stukje ging rijden.

Dat verbaasde haar niets.

Alma Reynolds' gele Volkswagen stond niet in Fourteenth
Street. Ik belde de arts voor wie ze werkte.

Ziek thuis.

Misschien had Milo haar wel gevraagd langs te komen en zat
ze nu in een verhoorkamer in West-L.A.

Ik belde hem nog een keer. Er werd nog steeds niet opgenomen.

Moe Reeds suggestie dat Huck waarschijnlijk op vertrouwd gebied zou blijven, klonk logisch, en ik vroeg me af of hetzelfde ook voor Alma gold als het ging om sieraden kopen. Ik zocht naar winkels in Santa Monica en vond er twee die zich specialiseerden in parels.

De eerste bleek valse reclame te zijn – een kraampje in een antiekzaak die gespecialiseerd was in namaaksieraden. De tweede, Le Nacre, aan Montana, had etalages met parelkettingen op grijs fluweel en solitaire parels, inclusief de grotere 'wonderen' van de Stille Zuidzee.

Ik bestudeerde het ene na het andere plateau met glanzende ronde vormen. Wit, zwart, grijs, groenachtig, blauwachtig, goud. Er stonden geen prijzen bij.

Op een plateau in het midden zag ik een hanger die het evenbeeld zou kunnen zijn van Alma Reynolds' zondige uitspatting.

De verkoopster was in de veertig, had matblond haar en een scherp gezicht, en droeg een zwart strak pakje dat 'sportschool' schreeuwde. Ze liet me een tijdje rondkijken voordat ze mijn kant op flaneerde en naar de hanger wees. 'Prachtig, hè?'

'Prachtig en gigantisch,' zei ik.

'Dat heb je met de Stille Zuidzee... formaat én kwaliteit. Deze is zeventien millimeter. Ze kunnen zelfs twintig millimeter worden, maar je ziet er zelden een van zeventien millimeter met zo'n luster, vorm en dat paarlemoer. Dat is de dikte van de buitenste laag. Deze is een millimeter. Goede vorm, mooi glad. Het is onze laatste.'

'U hebt er meerdere gehad?'

'Twee. Ze komen uit Australië. De andere is net een paar dagen geleden verkocht. Geloof me, deze zal hier ook niet lang liggen. Het is kwaliteit, hè.'

'Die dame boft maar,' zei ik. 'Verjaardag of goedmakertje?'

Ze glimlachte. 'Waar kijkt u voor?'

'Een verjaardag. Maar geef me genoeg tijd en het wordt vast een goedmakertje.'

Ze giechelde. 'U zult wel gelijk hebben. Nee, toevallig kocht een vrouw deze voor zichzelf. Ze zei dat haar moeder altijd parels had gedragen en dat het tijd werd dat ze zichzelf ook eens iets moois cadeau gaf.'

'Dit is meer dan mooi. Mag ik hem eens van dichtbij bekijken?'

'Jazeker.' Ze opende het kastje en gaf me ondertussen een korte lezing over waardebepaling en kleurgradaties. 'Wat is de huidskleur van uw vrouw... is hij voor uw vrouw?'

Waarom moeilijk doen? 'Ja. Ze heeft Spaans en Italiaans bloed. Haar huid is een beetje roze, maar toch ook getint.'

'Het is wel duidelijk dat u van haar houdt,' zei ze. 'Als een man een vrouw met zoveel gemak kan omschrijven, heeft hij intense gevoelens voor haar. Deze zou perfect passen bij een roze getinte huid. De roze parels zijn nog kostbaarder dan de crèmekleurige. Daar hadden we er een paar maanden geleden een van. Zestien millimeter, hij was dezelfde dag al verkocht. Maar roze staat niet iedereen. Bij vrouwen met een getinte huid staat een crèmekleurige parel beter. Ze zal het geweldig vinden.'

'Hoe duur is hij?'

Ze draaide een piepklein kaartje om en bestudeerde de code. 'U hebt geluk, we hebben goed ingekocht. Vierenzestighonderd, inclusief de ketting van achttienkaraats goud, met de hand gesmeed in Italië, met schattige diamantjes bezet. Ik zou u aanraden de ketting erbij te nemen, ze passen volmaakt bij elkaar, daar zorgen we voor.'

Ik vroeg: 'Nemen mensen hem wel eens los? Wat doe je met een losse parel?'

'Precies, maar mensen hebben zo hun eigen ideeën. De dame die die andere heeft gekocht, wilde alleen de parel, zei dat ze zelf een ketting had. Ik dacht dat ze iets antieks van haar moeder bedoelde, maar toen haalde ze een goedkoop verguld geval tevoorschijn, echt een prul.' Ze stak haar tong uit. 'Om wat geld te besparen. Ik vond het erg om de parel zo te zien, maar mensen kunnen vreemd zijn. Zij zéker.'

'Ze had haar eigen ideeën.'

'Niet iemand van wie je zou denken dat ze zulke kwaliteit op waarde kan schatten.' Ze legde een vinger op de ketting. 'En, gaat u uw vrouw dolgelukkig maken vóórdat u iets stouts doet?'

'Is er nog iets aan de prijs te doen?'

'Mmm,' zei ze. 'Ik kan tien procent korting bieden, omdat u het bent.'

'Als u er twintig van maakt, hebben we een deal.'

'Het spijt me,' zei ze. 'Verder dan vijftien kan ik echt niet gaan. Als u bedenkt hoe duur een grote diamant is, is dit een geweldig koopje.'

'Ik weet niet zoveel van parels...'

'Maar ik wel, geloof me, hij is het waard. Zeventien procent is echt het maximum. U boft dat u mij treft en niet mijn man. Met die prijs maken we amper winst, en als Leonard binnenkomt en hoort wat ik voor u heb gedaan, is hij niet blij.' Ze legde even een warme, gladde hand op mijn pols. 'En goedmakertjes voor hém zijn geen pretje.'

Robin sperde haar grote bruine ogen open als een caleidoscoop. 'Wat heb je nou gedaan?'

'Een impulsaankoop.'

'En wat voor een. Hij is schitterend, schatje, maar veel te groot voor mij.'

'Ik vind hem mooi.'

'Wanneer zou ik hem moeten dragen?'

'Daar vinden we wel een gelegenheid voor.'

'Echt, Alex, dat kan ik niet aannemen.'

'Draag hem een keer. Als je hem dan nog niet mooi vindt, gaat hij terug.'

'Je bent me er eentje.' Enkele ogenblikken later voor de spiegel: 'Ik hou van je.'

'Hij past volmaakt bij je huidskleur.'

'Het is niets voor mij... zo gigantisch groot.'

'Als je het hebt, moet je ermee pronken.'

Ze zuchtte. 'Verdorie.'

'Vind je hem echt niet mooi?'

'Nee, dat bedoel ik niet,' zei ze. 'Ik ga er verdorie voor zorgen dat hij me staat.'

Na een uitgebreid diner in het Bel-Air, wijn en seks had ik behoefte aan een goede nachtrust, maar gedachten aan de parel tegen Robins borst hielden me klaarwakker. Nu lag de ketting op onze toilettafel en toen ik uit het keukenraam keek, zag ik dat er licht in haar studio brandde.

Ik belde Milo weer, kreeg hem eindelijk te pakken op zijn mobiele telefoon en vroeg of hij Alma Reynolds had bereikt. In plaats van antwoord te geven zei hij: 'Ik heb net een telefoontje gekregen van mijn vrienden bij de technische recherche. De kamer van Travis Huck in het landhuis was brandschoon, maar ze hebben wel bloed aangetroffen in het afvoerputje van de wasbak. AB. We hebben geen bloedgroep van Huck, dus op zich zou het van hem kunnen zijn. Maar jij weet hoe zeldzaam AB is, dus hoe groot is de kans dat je twee mensen met die bloedgroep hebt?'

'Wie is de eerste?'

'Simon Vander. De forensisch patholoog heeft Simone gebeld en zij bevestigde het. Pappie werd altijd gevraagd om bloed te geven. Reed heeft Simone ook gesproken en zij is bereid een DNA-monster af te geven om te zien of er overeenkomsten zijn. Ze is erg overstuur, om niet te zeggen over de rooie. Zou me niets verbazen als Aaron Fox weer opduikt om die arme boerenpummels die we zijn te helpen. Ondertussen moet ik Zijne Heiligheid bellen. Dit zou genoeg moeten zijn om van Huck een verdachte te maken en de media er grootscheeps bij te betrekken.'

'Nergens bloed, alleen in de wasbak,' merkte ik op. 'Niet in de douche?'

'Alleen in het afvoerputje van de wasbak, Alex. En dat past bij alles wat er is gebeurd. Huck krijgt bloedvlekken op zijn kleding en besluit ze eruit te wassen. Hij was wel zo goochem om de wasbak zelf schoon te maken. Sterker nog, de hele kamer was verdacht schoon. Alsof iemand daar bezig is geweest. Waar de klootzak geen rekening mee had gehouden was dat we de leidingen uit elkaar zouden halen.'

'Doet de technische recherche dat standaard?'

'Als ik ze daar opdracht voor geef wel. Ik denk dat de Vanders naar San Francisco zijn gelokt, dat hij ze van het vliegveld heeft afgehaald en ergens in het noorden of midden van Californië om zeep heeft geholpen, de lijken heeft begraven, is teruggereden naar L.A. en zich daar heeft voorgedaan als brave medewerker.'

'Al die bossen aan de kust.'

'Precies.'

Ik zei: 'Een lustobsessie voor Nadine zou kunnen verklaren waarom de lichamen met het gezicht naar het oosten liggen. Ze kijken naar de Oriënt.' Zijn ademhaling versnelde.

'Wat?'

'Ik krijg zo'n gevoel, Alex... dat de puzzelstukjes op hun plaats vallen. Zeg, ik moet alle lijnen openhouden voor het geval Zeus van de Olympus belt. Als je wilt helpen, kun je misschien bedenken waar Huck zich schuilhoudt.'

Travis Huck als hoofdverdachte haalde het journaal van zes uur en de kranten.

Een nieuwe serie waarnemingen hield Milo en Moe Reed en twee andere rechercheurs de daaropvolgende achtenveertig uur bezig.

Het leverde niets op.

Ik probeerde te bedenken waar Huck zat ondergedoken, tuurde naar kaarten, maar kon niets bedenken.

Robin keek twee dagen lang naar haar parel en legde hem toen in de kluis.

Ik reed naar Alma Reynolds' flat, zag haar Volkswagen staan en klopte aan.

'Wie is daar?'

'Alex Delaware.'

'U stalkt me dus tóch. Ga weg.'

'Zesduizend dollar voor een parel,' zei ik. 'Uw moeder zou trots zijn.'

Aan het geluid te horen was ze woedend of bang.

De stilte die volgde duidde erop dat ze zich niet liet provoceren.

Ik bleef bijna een uur in mijn auto bij haar flat staan. Net toen ik het wilde opgeven, kwam ze haastig naar buiten en stapte ze in de gele Kever.

Ik volgde haar naar een bank aan Santa Monica Boulevard. Ze bleef tweeënveertig minuten binnen en reed toen naar de oogarts, bleef even binnen en reed toen verder over Pico en stapte uit bij een Koreaans barbecuerestaurant aan Centinela.

Door de glazen wand kon ik haar gemakkelijk volgen.

Ik wachtte tot haar bestelling klaar was.

Een enorm bord spareribs en een glas bier.

Ik zei: 'Iets te vieren?'

Ze hapte naar adem, sputterde en even dacht ik dat ze erin bleef.

Ze kauwde verwoed en slikte toen. Ze knarste met haar tanden. 'Ga weg.'

'U kunt die parel wel in een kluis leggen, maar dat betekent niet dat u hem mag houden.'

'Ik weet niet waar u het over hebt.'

'Uw moeder zou trots zijn op uw smaak in sieraden, maar zou ze het eens zijn met de financiering?'

'Rot op.'

'U hebt het jaren uitgehouden met Duboff, ziet uzelf als zijn rechtmatige erfgenaam en daar zult u mij niet over horen. Het probleem is alleen hoe u aan het geld bent gekomen. Zelfs als het niet in verband kan worden gebracht met een misdrijf, zal de belastingdienst wel geïnteresseerd zijn.'

Ze pakte een sparerib, en even dacht ik dat ze hem als wapen wilde gebruiken.

'Waarom doet u dit?'

'Het gaat niet om u,' zei ik. 'Het gaat om vier andere vrouwen.' Ik wees naar de spareribs. 'Botten.'

Ze werd lijkbleek. Schoot overeind en rende naar het toilet.

Vijf minuten, tien, vijftien.

Ik liep naar achteren, zag dat beide toiletten leeg waren. Een achterdeur leidde naar een steeg waar het naar afval stonk. Tegen de tijd dat ik bij de ingang van het restaurant was, was de Volkswagen verdwenen.

31

Ik parkeerde de auto in de buurt van Alma Reynolds' flat, liep naar de hoek van haar straat en tuurde vanachter een oude, roestkleurige koraalboom naar haar flat.

Meneer de Geheime Operatie. Ik voelde me belachelijk, maar ondertussen raasden er allerlei gedachten door mijn hoofd.

Toen Reynolds veertig minuten later nog niet tevoorschijn was gekomen, dacht ik dat ik het had verziekt en dat ik haar had verjaagd. Ik was ervan overtuigd dat ze de parel had betaald met smeergeld dat Duboff had achtergelaten.

De envelop die op de parkeerplaats van eigenaar was verwisseld. Donatie of smeergeld?

Het was hoe dan ook niet direct een verband met Duboffs moordenaar.

Ik liep terug naar de Seville en was net onderweg toen Milo belde.

'Huck heeft een advocaat in de arm genomen.'

'Dus je hebt hem.'

'Niet helemaal.'

Debora Wallenburgs advocatenkantoor nam de bovenste twee verdiepingen in beslag van een blokkendoos aan Wilshire, vlak bij de oceaan. Er stond een rits namen op de deur; die van Wallenburg was de tweede.

Ze was een jaar of vijftig, had groene ogen, appelrode wangen en een stevig lichaam in een grijs, kasjmier mantelpakje. Platina ringen, diamanten oorknopjes en drie rijen parels die het licht weerkaatsten. De parels waren glimmend roze en van verschillende grootte; met mijn bescheiden nieuwe kennis schatte ik ze op tien tot vijftien millimeter.

Een aantrekkelijke vrouw die het zelfvertrouwen had om haar uitwaaierende kapsel dezelfde kleur als haar kleding te houden. Ze had Milo's uitnodiging om naar het bureau te komen afgewimpeld en had aangedrongen op een afspraak op haar kantoor.

Nu zat ze achter een met leer ingelegd bureau en luisterde

naar een zekere Lester aan de telefoon. Het bureau was opgefleurd met een aantal brons vergulde Tiffany-stukken, inclusief een lamp met een glazen kap met zoveel plooien dat het haast papier leek. De wand achter haar was gewijd aan een Mary Cassatt 'moeder met kind' pasteltekening, het volmaakte beeld van tederheid. Door de afwezigheid van familiekiekjes of iets anders wat op kinderen was gericht, was de fraaie kunst een rekwisiet.

Milo, Reed en ik stonden erbij als smekelingen, terwijl Wallenburg lachte om iets wat Lester zei. Het decor was bijna honderd vierkante meter overdrevenheid: bloedrode muren met brokaat, complex lijstwerk, het plafond was behangen met koperfolie, er lag een Aubusson-kleed met grijsblauwe tinten en lavendelkleuren op een teakhouten vloer. Het uitzicht van de dertiende verdieping was een donkergrijze straat, staalblauw water, een grillige, roestkleurige kustlijn met daarachter de oceaan.

Ik keek of ik het huis van de familie Vander van hieruit kon zien. Besloot dat dat niet ging lukken.

Wallenburg zei: 'Dat meen je niet, Les.' Ze wendde zich af op een manier die mijn blik naar een zijwand met dure diploma's en prijzen deed glijden.

Ze zei: 'Prima, dank je, Les.' Hierna hing ze op. 'Gaat u zitten, heren.'

We gingen voor het bureau zitten. Milo zei: 'Fijn dat we u kunnen spreken, mevrouw Wallenburg.'

'Ik ben blij dat jullie de gevaarlijke tocht vanuit het wilde West-L.A. hebben willen maken.' Wallenburg glimlachte koeltjes en keek op haar horloge.

Milo zei: 'Als u weet waar Travis Huck is...'

'Voor we het daarover gaan hebben, inspecteur, wil ik het volgende duidelijk maken: u hebt het mis als het om Travis gaat. U kunt zich niet méér vergissen. Welk bewijs hebt u dat u hem een verdachte noemt?'

'Met alle respect, mevrouw, ik stel hier de vragen.'

'Met alle respect, inspecteur, ik moet voorkomen dat er een tweede gerechtelijke dwaling plaatsvindt. Stap een in dat proces is duidelijk krijgen op basis van welke informatie u het leven van mijn cliënt verpest. Alweer.'

'En stap twee?'

'Dat hangt van het resultaat van stap een af.'

'Mevrouw Wallenburg, ik begrijp uw standpunt, maar die informatie krijgt u als en wanneer meneer Huck ergens voor wordt aangeklaagd.'

'Zo te horen hebt u hem al veroordeeld.'

Milo gaf geen antwoord. Debora Wallenburg pakte een Tiffany-pen en speelde ermee tussen haar vingertoppen. 'Het spijt me dat u voor niets bent gekomen. Kan ik u een uitrijkaart aanbieden?'

'Mevrouw, als u Huck onderdak verleent, brengt u uzelf in...'

'En daar gaan we. De verhulde bedreigingen.' Ze kneep haar groene ogen samen. 'Doet u uw best, inspecteur. Ik ben al bezig met de papieren voor een grootscheepse civiele procedure.'

'Nu al stap twee?' vroeg Milo.

'We hebben het allemaal druk, inspecteur.'

'Spant u een rechtszaak aan in opdracht van meneer Huck, of is dit uw eigen idee?'

Wallenburg schudde het hoofd. 'U gaat niet op die manier informatie uit me trekken.'

'Mevrouw Wallenburg, dit is geen spelletje. We hebben het hier over vijf moorden, voor zover bekend, en mogelijk meer. Wrede, berekenende slachtpartijen. Wilt u zich daar werkelijk mee associëren?'

'Associëren? Ik ben niet geïnteresseerd in publiciteit, inspecteur Sturgis. Integendeel. De afgelopen tien jaar ben ik werkzaam als bedrijfsjurist omdat ik mijn buik vol had van de schertsvertoning die het strafrechtsysteem is geworden.'

'Tien jaar,' zei Milo. 'Neem me niet kwalijk, maar is dit dan wellicht niet langer vertrouwd terrein voor u?'

'Of voor u niet,' zei Debora Wallenburg. 'Sterker nog, ik weet dat het geen vertrouwd terrein voor u is, want Travis Huck is een fatsoenlijk mens en ik ben niet een of andere idealistische sufferd die het bestaan van kwaad in de wereld ontkent. Ik heb in mijn tijd meer dan genoeg kwaad gezien.'

246

'Is bedrijfsadvocatuur zo akelig?'

'Grappig, inspecteur. Waar het op neerkomt: ik bied Travis geen onderdak, ik weet ook niet waar hij is.'

'Maar u hebt wel contact met hem gehad.'

De pen klikte. 'Ik zal u wat gratis juridisch advies geven: vermijd tunnelvisie en voorkom voor alle betrokkenen een grote ellende.'

'Nog suggesties voor andere verdachten, mevrouw?'

'Dat is mijn werk niet.'

Moe Reed snoof. Als het Wallenburg al opviel, liet ze niets merken.

Milo zei: 'Huck is gevlucht. Niet bepaald het gedrag van een onschuldig man.'

'Wel als die man door het systeem is misbruikt.'

'Hij heeft u gebeld omdat u hem een keer eerder hebt gered. U hebt hem aangeraden niet te zeggen waar hij is en of hij schuldig is. Op die manier kunt u niet gedagvaard worden om die informatie openbaar te maken. Allemaal legaal, mevrouw Wallenburg, maar moreel gezien op het randje. Als Huck opnieuw een moord pleegt, wilt u dat dan op uw geweten hebben?'

'Ach toe, inspecteur. U zou scripts moeten schrijven.'

'Dat laat ik over aan gedesillusioneerde advocaten.'

Wallenburg wierp een blik op mij. Op zoek naar de braverik in de klas. Toen ik niet reageerde, keek ze naar Reed.

Die zei: 'We zullen Huck vinden, en dan zal hij worden berecht en veroordeeld. U kunt het maar beter makkelijk maken.'

'Voor wie?'

'De familieleden van de slachtoffers, om te beginnen,' zei Reed.

'Voor iedereen behalve voor Travis,' zei Wallenburg. 'Negentien jaar geleden werd hij als oud vuil afgevoerd, door een incompetente rechtbank veroordeeld, gemarteld...'

'Door wie is hij gemarteld?' vroeg Milo.

'Zijn zogenaamde verzorgers. Hebt u mijn beroep niet gelezen?'

'Nee.'

'Ik zal u een kopietje faxen.'

Reed zei: 'Wat er toen is gebeurd verandert de feiten nu niet. U bent er zo zeker van dat hij onschuldig is, maar u hebt niets om dat bevestigen.'

Wallenburg schoot in de lach. 'Denkt u nu werkelijk dat u informatie uit mij los kunt krijgen door me te beledigen? Ik stel voor dat ú met bewijs komt. Ga uw gang. Toon maar aan dat hij schuldig is. Het enige verband is dat hij weet wie Selena Bass is.'

Milo zei: 'Dat heeft hij u verteld.'

Wallenburg zei: 'Dat zegt genoeg, u hebt niets. Waarom verbaast me dat niet?'

Reed zei: 'Denkt u dat we zijn naam uit het telefoonboek hebben geplukt?'

'Ik denk dat u een snelle, gemakkelijke oplossing zoekt.'

Milo zei: 'Als ik u zeg dat we tastbaar bewijsmateriaal hebben, zou u dan van gedachten veranderen?'

'Hangt af van de aard van het bewijsmateriaal en hoe het is verkregen.'

Reed lachte. 'O.J.'

Wallenburg zei: 'Denk wat u wilt, heren. Maar zelfs als ik aan deze schijnvertoning mee zou kunnen doen, zou ik het niet willen.'

Milo zei: 'En met deze schijnvertoning bedoelt u...'

'Het feit dat u deze klopjacht opent op Travis. Alweer. U had echt mijn beroep moeten lezen. Hij is zodanig in elkaar geslagen dat hij er een permanente zenuwbeschadiging aan heeft overgehouden. En hoe is het zover gekomen? Hij vocht terug tegen een bullebak. Een conflict met rijkdom en macht.'

Ik vroeg: 'Waarom hebt u nooit een civiele zaak aangespannen?'

Wallenburg knipperde met haar ogen. 'Dat wilde Travis niet. Hij is geen wraakzuchtig mens.'

Milo zei: 'Ik geef toe dat het eerste incident een schande was, en u bent dus de held van het verhaal. Maar dat zegt niets over de huidige situatie.'

'Een held? Niet zo denigrerend, inspecteur. Ik heb de beginselen van de wet gevolgd.'

'Zoals u nu ook doet.'

'Ik ben u geen verklaring schuldig.'

Ik zei: 'Over het leven van Travis na zijn vrijlating tot het moment waarop hij bij de Vanders in dienst kwam is niets bekend. Toen hij vrijkwam, wilde u hem helpen bij zijn re-integratie, maar hij verdween. Werd dakloos. Een gehandicapte jongeman kan van alles overkomen als hij op straat leeft. Waarom denkt u dat hij nog dezelfde persoon is als de persoon die u toentertijd hebt gered?'

Wallenburg legde de pen neer en pakte een vloeiroller.

Milo zei: 'We hebben het over negentien jaar zonder identiteit. Dat soort argwaan duidt erop dat hij iets te verbergen heeft.'

'Dat duidt helemaal nergens op.'

'Wat dan?'

Debora Wallenburg tikte met een lange, zilverkleurige nagel tegen de vloeiroller. 'U hebt geen idee,' zei ze.

Ik zei: 'Ik denk het wel. Hij was getraumatiseerd, eenzaam, zo wanhopig dat hij uw hulp niet wilde.'

Geen antwoord.

'Welk deel van het plaatje zien we hier niet, mevrouw Wallenburg?'

Haar blik verloor zijn kilte en werd menselijk. Snel knipperde ze met haar ogen om ze er weer gauw als ongeïnteresseerde, bleekgroene schijven uit te laten zien.

Ik vroeg: 'Wat is er in die tussenliggende jaren met hem gebeurd?'

De telefoon ging. Ze nam op en zei: 'Ja hoor, verbind maar door. Hoi, Mort, zeg het eens. Dat? Dat heb ik je gisteren toegestuurd, dat kun je elk ogenblik krijgen. Wat zeg je? Absoluut. Nee hoor, lekker rustig aan.'

Ze deed overdreven ontspannen, leunde achterover, kletste, luisterde nog wat en keek toen eindelijk onze kant op.

Deed alsof ze verbaasd was dat we er nog waren en bleef praten.

Een lange, blonde assistente in een pak dat bijna net zo mooi was als dat van Wallenburg kwam op gevaarlijk hoge hakken het kantoor binnen. 'Heren, de garage heeft zojuist gebeld. Uw auto staat klaar.'

John Nguyen zei: 'Daar kan ik niets aan doen, Milo.'
'Zelfs niet als ze onderdak verleent aan een voortvluchtige?'
'Heeft ze toegegeven dat ze dat doet?'
'Ze beweert dat ze niet weet waar hij is.'
'Heb je bewijs dat het tegendeel aantoont?'
'Het is wel duidelijk dat Huck contact met haar heeft gehad. Ik ben ervan overtuigd dat ze weet waar hij is.'
Nguyen zei: 'Je duwt me steeds weer in die positie.'
'Welke positie?'
'Dat ik voor koude douche moet spelen. Met deze informatie kun je niks, Milo, en je hebt te veel ervaring om dat niet te weten.'
We zaten in de Pacific Dining Car aan Sixth Street, even ten westen van het centrum. Nguyen zat een bord vlees en vis te verorberen. Reed en ik hielden het bij een glaasje water. Milo had besteld, maar had geen trek, wat betekende dat het einde van de wereld nabij was.
'Jezus, John, heb je enig idee hoe groot deze zaak kan worden?'
'Ik heb de memo's gezien,' zei Nguyen. 'En de roddels gehoord dat jouw baas de zaak traineert.'
'Nou, mijn bazen willen dat alles nu versneld gaat. Ik heb Wallenburg gezegd dat ze volgens mij opzettelijk haar mond houdt, en daar ging ze niet tegenin.'
'Dat zou ik ook doen in haar situatie, Milo.'
'John, we zitten verdomme met een seriemoordenaar en zij kan ons helpen hem te vinden.'
'Misschien.'
'Ze is de held in Hucks verhaal, ik weet zeker dat hij zich tot haar heeft gewend toen hij ervandoor ging. Zelfs als ze niet precies weet waar hij zit, dan heeft ze ongetwijfeld een goed idee.'
'Toon aan dat ze hem onderdak verleent, dan zal ik zien of ik dat in ons voordeel kan gebruiken.'
'Als we haar in de gaten houden, dan is dat...'
'Jouw keus, maar ik zou het niet al te opvallend doen. Debora ziet je aankomen en als je te ver gaat, heb je zo een rechtszaak aan je broek hangen.'

'Advocaten krijgen dus extra privileges,' zei Reed.

'Hé, daarvoor zijn we advocaten.' Nguyen prikte een lap vlees aan zijn vork. Veranderde van gedachten en sneed het in tweeën. 'Wat verwacht je van haar? Dat ze je regelrecht in haar Ferrari naar Hucks schuilplaats leidt?'

'Heeft ze een Ferrari?'

'En een Maybach... de super-Mercedes,' zei Nguyen. 'Wat kost zo'n ding, vierhonderdduizend, plus slurptax?'

'Misdaad loont,' zei Reed.

'Ik heb een Honda, boehoe. Ik ken Debora nog van mijn opleiding, toen ze docent strafrecht was. Ze was een geweldige docente en een van de beste pro-Deoadvocaten van de stad.'

Milo zei: 'Heeft ze al dat geld verdiend als bedrijfsjuriste?'

'Niet direct,' zei Nguyen. 'Kort nadat ze het bedrijfsleven in was gegaan, kreeg ze de opdracht de contracten op te stellen voor een aantal internetdeals die miljarden waard waren. Ze heeft vroeg geïnvesteerd en op het juiste moment verkocht. Ik weet niet waarom ze überhaupt nog werkt.'

'Zeker voor de kick,' zei Milo.

'Haha.' Nguyen doopte zijn zeekreeft in wat geklaarde boter en nam een slokje van zijn martinicocktail.

'John, als ik je zou vragen om een telefoontap...'

'Dan zou ik zeggen: sinds wanneer ben jij zo'n grapjas?'

'Al die vrouwen zijn dood, John. Mogelijk de familie Vander ook... een jongetje, John. Misschien is zijn hand wel afgehakt.'

Nguyen keek naar zijn steak en slaakte een zucht.

Milo zei: 'Het volk zal het ons niet in dank afnemen, dat we zo slap zijn.'

'Je kunt haar telefoonverkeer niet afluisteren, Milo. Ze is zijn advocaat, niet zijn vriendin.'

Reed zei: 'Dat weet je niet.'

'Kun je aantonen dat ze een intieme relatie hebben?'

'Nog niet.'

'Dan moet je dat eerst doen... Vind iets wat mij kan vertellen dat ze illegaal bezig is geweest.'

Milo zei: 'Als ze zijn vriendin is, is ze wel de domste slimmerik die er bestaat. Zijn seksuele partners eindigen allemaal vermoord en in stukken gesneden.'

'Met hun gezicht naar het oosten,' zei ik, en ik vroeg me af of Nguyen dat interessant zou vinden.

Dat was duidelijk niet het geval. 'Ik zou willen dat ik kon helpen, jongens. Misschien moet je Debora laten zitten en Huck op de ouderwetse manier vinden.'

Milo zei: 'Hoe bedoel je?'

'Draafwerk, mensen op straat ondervragen... Dat wat jullie doen om aan informatie te komen.' Hij viel weer op zijn steak aan. Kauwde zichtbaar zonder ervan te genieten. 'Er is nog een andere reden dat je Debora niet tegen je in het harnas wilt jagen. Als je Huck eenmaal hebt, zouden we haar wel eens tegenover ons kunnen treffen. En dan ben ik degene met de maagzweer.'

'Denk je dat ze haar bedrijfscliënten opzijschuift om zijn zaak op zich te nemen?'

'Als ik op jouw woorden moet afgaan, gelooft ze in hem,' zei Nguyen. 'Zelfs als ze niet zijn eerste advocaat is, zal ze een rol spelen. Ik ken Debora.'

'Vasthoudend,' zei ik.

'Erger dan u voor mogelijk zou houden, dokter.'

'Een Ferrari, een Maybach,' zei Reed. 'Ze kan het zich veroorloven om de reddende engel te spelen.'

'Lijkt me fijn,' zei Nguyen.

32

Ik heb wel eens in een begrafenisstoet meegereden. De rit terug naar het bureau gaf me datzelfde verbijsterende, ontgoochelende gevoel.

Milo zei: 'Zo'n intelligente vrouw en dan laat ze zich inpakken door zijn gelul.'

Reed zei: 'Net als van die suffe mensen die zich door zwendelaars in de gevangenis laten inpalmen. Wat zit daarachter, dokter?'

'Meestal een groot gebrek aan zelfvertrouwen en een verlangen naar aandacht.' Beide niet op Wallenburg van toepassing, maar ik was niet van plan hun wrok te bederven. Milo wreef over zijn gezicht. 'Al die poen, maar haar leven stelt weinig voor en dus wil ze zich weer rechtschapen voelen.'

'Een limousineliberaal,' zei Reed.

Milo's mondhoeken trilden, maar het bleef bij een korte glimlach. 'Dat heb ik lang niet gehoord, Moses.'

'Volgens mijn moeder noemde mijn vader ze vroeger zo.'

Milo zei: 'Nog suggesties hoe we Wallenburg van gedachten kunnen doen veranderen, Alex?'

'Als het om iemand anders ging zou ik zeggen, overlaadt haar met de bloederige details... foto's van de slachtoffers, van de sectie, het lijden van de vrouwen. In Wallenburgs geval zal ze zich juist meer verzetten.'

'Omdat ze zichzelf als IJzeren Maagd ziet.'

'Dat ze Huck uit de gevangenis redde, was een belangrijke gebeurtenis in haar leven, dus vindt ze het te bedreigend hem als ontaarde moordenaar te zien. Maar als je echt bewijs hebt... iets wat een beroep doet op haar rationele denkvermogen... dan zou je haar ontkenning kunnen doorbreken.'

'Daar doelde je op toen we bij haar waren. Huck is niet meer hetzelfde onschuldige kind van toen, en daar kan zij niets aan doen.'

Reed zei: 'We hebben bloed in het afvoerputje.'

Milo zei: 'Ik heb even overwogen haar dat te vertellen, maar ik wilde haar niets geven waar ze wat mee kan. Het eerste wat ze zou zeggen is: bloedgroepanalyse is nog geen DNA-bepaling.'

Reed zei: 'Al krijgen we een volledige bekentenis, dan nog staat ze waarschijnlijk achter hem. Het zielige slachtoffer van het systeem.' Hij schudde het hoofd. 'Ferrari Debby.'

Milo zei: 'Heb je zin om haar te volgen, Moses?'

'Best,' zei Reed. 'Betaalt het bureau de Maserati? Als ze me ontglipt, red ik het niet met een gewone auto.'

'Als je hem voor dertig dollar per dag kunt krijgen.'

'Ik zou een speelgoedautootje kunnen opvoeren,' zei Reed. 'Als het maar niet te opvallend is.'

Thuis, uit de buurt van hun flauwe humor, vroeg ik me af of Debora Wallenburg had gelogen toen ze zei dat ze niet wist waar Huck was.

Slimme mensen maken vaak domme fouten; daar vaart mijn beroep wel bij. Maar als Wallenburg te ver was gegaan en onderdak had verleend aan een gevaarlijke voortvluchtige, zouden we daar waarschijnlijk nooit achter komen.

Ik dacht aan Huck, zonder thuis, opgejaagd. De onverwachte bijrol als superheld.

Het redden van een baby.

Door Debora Wallenburgs goede daad was een langdurige band tussen haar en Huck ontstaan. Stel dat hetzelfde gold voor Huck en de familie van Brandi Loring.

Anita en Lawrence Brackle leverde geen internethits op, maar *Larry Brackle* verscheen in een drie jaar oud politieregister uit het *Daily News*. Vierendertigjarige man, gearresteerd door bureau-Van Nuys wegens rijden onder invloed.

Geen vervolg, alleen een twee jaar oude foto van Brackle waarop hij op een bowlingbaan in Canoga Park de 'Turkey Tenpin Fest of the Meadowlark Association Bowling Club' vierde.

Twaalf stralende bowlers. Brackle had een plekje op de eerste rij verdiend omdat grootte telde. Zelfs vergeleken met de tengere vrouwen aan weerszijden van hem was hij een kleine man… mager, tanig, met zwart achterovergekamd haar en bakkebaarden tot aan zijn kaaklijn.

Ik zocht op *Meadowlark Association* en vond de vereniging van huiseigenaren voor een flatgebouw aan Sherman Oaks. Negenentachtig luxe woningen, gelegen op ruim een hectare ten noorden van Ventura Boulevard, even ten oosten van de 101. Prijzen variëren van 150.000 dollar voor een eenkamerflat 'Hacienda Suite' tot bijna een miljoen voor een 'Rancheros met drie slaapkamers en twee badkamers'.

Glanzende foto's van witte huizen en rode daken, daaromheen varens, palmbomen, bananenplanten en rubberbomen.

'Fraaie wandelpaden om te slenteren', 'drie zwembaden, waarvan twee met whirlpool', een bioscoop, een sportzaal met 'een schitterende stoomcabine en sauna'.

Een hele verbetering ten opzichte van het huurhuis aan Silverlake dat Brackle en zijn gezin tien jaar geleden thuis hadden genoemd.

Ik bekeek de namen van de andere bowlers. Geen van de vrouwen heette Anita Brackle. Misschien hield ze niet van bowlen. Of Larry's aanhoudende alcoholgebruik had haar weggejaagd.

Samen met baby Brandeen?

Ik zocht in Brackles gezicht naar tekenen van verval, zag alleen een mager mannetje met een bril dat zich thuis leek te voelen tussen zijn medebowlers.

Ik schreef het adres van The Meadowlark op en zei tegen Robin dat ik even weg was.

Ze zei: 'Deze keer is het niet alleen rusteloosheid. Je hebt een glinstering in die babyblauwe ogen van je.'

Ik vertelde haar over Brackle.

Ze zei: 'Huck heeft de familie geholpen, dus helpen zij hem?'

'Het is vergezocht.'

'Wie niet zoekt, die niet vindt.' Ze gaf me een zoen. 'Doe voorzichtig.'

Toen ik bij de deur was, zei ze: 'Het zou geweldig zijn als de baby het goed doet.'

De realiteit van The Meadowlark was wit stucwerk dat door de tijd en vervuiling grijs was geworden, een overdaad aan groen dat dringend gesnoeid moest worden, en het constante lawaai van de snelweg.

De beveiliging was mechanisch maar effectief: een ijzeren hek met slot. Ik bekeek de lijst met bewoners en zag nergens Brackles naam, ik ging ervan uit dat hij hier allang weg was, of dat hij het onderverhuurde.

Toen zag ik onder aan de lijst een naam staan die opviel.

Ranchero 5. Een van de dure woningen.

Ik zat te dubben of ik voor een directe aanpak zou gaan, toen een FedEx-medewerker door het hek scheurde. Ik schoot achter hem aan het hek door, voordat het dichtzwaaide, liep langs de eerste twee zwembaden, beide leeg en vol met bladeren.

De haciënda's waren woningen met één verdieping in de noordoosthoek, afgescheiden door een lage muur van cementblokken.

De oranje deur van nummer 5 lag bijna volledig verborgen achter brede bananenbladeren van een plant die in de schaduw stond en nooit vrucht zou dragen.

Ik belde aan. Een vrouwenstem zei: 'Larry? Ben je je sleutel weer eens vergeten?'

Ik mompelde iets onduidelijks.

De deur werd opengedaan door een gevaarlijk dunne vrouw van middelbare leeftijd met bruin haar, in een grote witte trui en een zwarte yogabroek, met een sigaret in haar hand. Blote voeten, roze teennagels, rode vingernagels aan haar magere vingers. Een gouden kettinkje rustte op de wreef van een voet met spataderen. Het gezicht boven een lange, sierlijke hals vertoonde nog de tekenen van schoonheid. Rimpels rond haar brede, dunne mond deden denken aan een kapucijnaap. Wallen rond haar ogen vertelden verhalen die nooit meer ongedaan gemaakt konden worden.

'U bent Larry niet.' Een hese rokersstem. Een mengeling van Chanel en tabak.

'Mevrouw Vander?'

'Wie wil dat weten?'

Ik vertelde haar mijn naam en liet mijn adviseurspasje zien.

'Een dokter? Is er iets met Larry?'

'Nee. Ik ben hier om met hem te praten.'

'Waarover?'

'Oude vrienden.'

'Nou, hij is er niet.' Kelly Vander wilde de deur dichtdoen.

Ik zei: 'Wanneer is meneer Brackle weer terug? Het is belangrijk.'

De deur haperde.

'Mevrouw Vander?'

'Ik heb u wel gehoord.' Achter haar lag een grote, frisse kamer met een hoog plafond, een flatscreen en roze, lederen banken. Op een bijzettafeltje stond een grote fles frisdrank. Er klonk muziek. Jack Jones die een meisje adviseerde om haar haar te kammen en make-up op haar gezicht te doen.

Kelly Vander zei: 'Hij is even sigaretten halen.'

'Geen probleem. Ik wacht buiten wel.'

'Wat voor oude vrienden?'

'Travis Huck, om te beginnen.'

'Travis,' zei ze.

'U kent hem.'

'Natuurlijk. Hij werkt voor mijn ex.'

'Hebt u geregeld contact met meneer Vander?'

'We spreken elkaar.'

'Hebt u hem onlangs nog gesproken?'

Ze schudde het hoofd. 'Heeft dit iets met Simon te maken?'

Ik zei: 'Heeft Larry Travis geholpen om een baan bij Simon te krijgen?'

Ze inhaleerde. 'Ik kan niet namens Larry praten. Of wie dan ook. Geef me uw nummer maar, dan geef ik het door.'

'Ik blijf liever wachten.'

'Zelf weten.' De deur ging weer een paar centimeter dicht.

Ik zei: 'Er is al een paar weken niets van Simon vernomen. Hetzelfde geldt voor Nadine en Kelvin.'

'Ze zijn waarschijnlijk op reis. Dat doen ze wel vaker.'

'Twee weken geleden zijn ze vanuit Azië naar San Francisco gevlogen. Hebt u enig idee waar ze zouden kunnen zijn?'

'Geen idee. Wat heeft dit met Larry te maken?'

'Hebt u het nieuws over Travis niet gehoord?'

'Wat?'

Ik vertelde het haar.

'Dat is gestoord.'

'Wat?'

'Dat Travis zoiets zou doen. Hij houdt van ons.'

'Houdt hij van de hele familie?'

'Zo ongeveer,' zei ze. 'Ik vind het heel erg van die vrouwen, dat is afschuwelijk. Echt afschuwelijk. Jezus.' Ze trok aan de kraag van haar truitje. 'Er is heus niets met ze aan de hand... met Simon en Kelvin. En Nadine. Schattig jongetje, Kelvin. Speelt piano als Elton John. Hij noemt me tante Kelly.'

'Hoe vaak ziet u ze?'

'Niet vaak.'

'Wat bedoelde u met "zo ongeveer"?'

'Sorry?'

'U zei net dat Travis "zo ongeveer" van de hele familie houdt.'

'Hij houdt van iedereen.' De hand waarin ze haar sigaret had, trilde. As viel op haar borst. Ze veegde het weg waardoor er grijze strepen op het witte truitje kwamen. 'Zou u zo vriendelijk willen zijn om even op het label te kijken wat de wasvoorschriften zijn?'

Ze stak een duim achter de stof, trok eraan en boog iets naar voren. Genoeg speling om een glimp op te vangen van haar platte borsten en een rimpelig borstbeen.

Ik zei: 'Chemisch reinigen.'

'Natuurlijk.'

'Travis houdt van iedereen,' zei ik.

'Van wie zou hij niet houden?' Ze glimlachte en ontblootte haar bruine, verrotte tanden. De sigaret viel uit haar hand, landde op haar linkervoet en as vloog alle kanten op. Dat moest toch pijn doen. Ze staarde naar de smeulende peuk alsof ze de schade taxeerde.

Ik bukte me en pakte de sigaret op. Ze griste hem uit mijn hand en duwde hem weer tussen haar lippen.

'Ik wilde u niet van streek maken.'

'Van streek? Dat dacht ik niet. Laat me die legitimatie nog eens zien.'

33

Kelly Vanders roze banken waren zacht en verend. Haar woning leek een beetje op tijdelijke huisvesting. De televisie van zeventig inch was de bron van de muziek; een kabel- of satellietzender die gouwe ouwen speelde. Jack Jones had plaatsgemaakt voor Eydie Gorme die alles aan de bossanova weet.

Kelly legde haar hand om de fles frisdrank. 'Ook wat? Als u cafeïne wilt, hebben we ook Pepsi Light.'

'Nee, dank u.'

Ze rookte de sigaret op tot op het filter, wierp de peuk in de wasbak, pakte een pakje Winston Lights en stak er weer een op. 'Sommige mensen zeggen dat lightfrisdrank slecht voor je is, maar volgens mij is het beter dan al die suiker. Larry zal zo wel komen.'

Ze haalde iets van de muur en liet het me zien.

Een ingelijste advertentie in kleur. Reclame voor May Company, jurken en truitjes voor meisjes. Van eenendertig jaar geleden.

'Dat ben ik.' Ze wees naar een blond meisje in een geruite trui. Zelfs zonder rimpels had Kelly Vanders mond een aapachtig trekje en ik zou haar zo herkend hebben.

'U was fotomodel?'

Ze ging op een hoek van de roze bank zitten. 'Ik ben nu een meter vijfenzestig, vroeger was ik tweeënhalve centimeter langer, voordat mijn ruggengraat werd samengedrukt. Maar zelfs toen was ik te klein voor het grote werk. In het begin hadden ze alleen maar kinderkleding voor me. Ik kreeg pas laat borsten, want... Zodra mijn borsten zich ontwikkelden, kreeg ik opdrachten voor meisjeskleding van het bureau en dat bleef zo. Zo heb ik Simon ontmoet. Hij werkte in de kledingindustrie, was vertegenwoordiger voor synthetische gebreide stoffen voor een fabrikant uit de stad. Ze hadden een beurs voor inkopers met een catwalk in het Scottish Rite. Het kraakte er als in een spookhuis.'

'In Hancock Park,' zei ik. 'In de buurt van de Ebell.' Ik vroeg me af of de locatie van Kelvin Vanders recital een reactie zou opleveren.

Kelly Vander zei: 'Precies. Voorbestemd.' Ze schonk nog een glas frisdrank voor zichzelf in. 'Weet u zeker dat u niet wilt?'

'Heel zeker. Wat was voorbestemd?'

'Dat ik Simon daar ontmoette. Alle meisjes stonden op een rij en we kregen willekeurig kleding toebedeeld. Heel toevallig kreeg ik een van de outfits van zijn bedrijf. Blauw, met twee rijen knopen. Metalen knopen, als van een matroos. Ik kreeg zelfs een matrozenmutsje op.' Ze legde haar hand op haar hoofd, toonde een vermoeide, bruine glimlach. 'Waardeloos polyester, jeukte aan alle kanten, ik kon het niet snel genoeg weer uittrekken. Simon kwam na afloop naar me toe. Hij had een flinke bestelling gekregen, bedankte me. Hij was iets ouder dan ik. Leek heel verfijnd...'

Ze blies een wolk rook uit. De nicotinewolkjes dwarrelden over haar glas heen waardoor de frisdrank eerder een toverdrank leek.

'Dus u bent psycholoog? Daar ken ik er meer dan genoeg van. Goeie en niet zo goeie.'

'Dat is beter dan slechte.'

'Werkt u voor de politie?'

'Als freelancer.'

'Dat is zeker wel interessant?'

'Dat kan het zijn.'

Een brede grijns. 'Wat is uw spannendste zaak geweest?'

Ik glimlachte terug.

Ze zei: 'Ik kan ze niets kwalijk nemen. De psychologen die mij probeerden te helpen. Ik wilde niet veranderen. "Chronische eetstoornis, wil niet veranderen." Ze zeiden dat als ik niet ophield met mezelf uithongeren dat ik dan dood zou neervallen door een hartaanval. Daar schrok ik wel van, maar niet genoeg, weet u? Alsof mijn hersenen uit twee delen bestonden, het denkgedeelte en het hebberige gedeelte. Een van de artsen die me hielp zei dat het een kwestie was van het ontwikkelen van nieuwe gewoonten. Ik moest oefeningen van hem doen... mentale oefeningen, bedoel ik. Om ervoor te zorgen dat het denkgedeelte sterker zou worden. Klinkt dat logisch?'

'Ja.'

'Nu gaat het wel goed met me.' Ze streek met haar hand over haar knokige lichaam. 'Waarschijnlijk kan ik nog steeds zo neervallen door alles wat ik mezelf toen heb aangedaan, maar tot nu toe heb ik geluk.'

'U was gezond genoeg om een kind te krijgen.'

'Kent u Simone? Ze lijkt precies op mij... Ik zou mijn tanden moeten laten herstellen. Het straalt ervan af, hè? Die zijn allemaal weggerot door de boulimia. Iedereen zegt dat ik er tien jaar jonger uit zou zien, als ik mijn tanden liet doen, maar ik weet niet of ik dat wel wil.'

'Er tien jaar jonger uitzien?'

'Precies,' zei ze. 'Elke keer als ik in de spiegel kijk en huiver, denk ik aan hoe het zo gekomen is. Wat vindt u? Beroepsmatig, bedoel ik. Heb ik die herinnering nodig?'

'Daar ken ik u niet goed genoeg voor,' zei ik.

'*Tada*. Goed geantwoord.' Ze stak een vuist in de lucht en keek op de klok. 'Waar blijft Larry...? Ik heb er wel inzicht van gekregen. Drie keer in een afkickkliniek is scheepsrecht.'

'Hebt u Larry in een afkickkliniek ontmoet?'

Ze schudde het hoofd. 'Ik kan niet namens Larry spreken. 'Mijn ding is mijn ding en zijn emotionele bagage is van hem. Daar zal je hem hebben.'

Ze keek naar de deur.

Ik had opgelet of ik ook voetstappen hoorde, maar ik had niets gehoord. Even later zwaaide de oranje deur wijd open en kwam de een meter zestig lange Larry Brackle binnen met een zonnebril op zijn neus en een hawaïhemd aan. In zijn hand had hij een vettige, witte tas. Een slof Winston Lights zat onder zijn arm. 'Ik heb je donuts, schatje. Die knapperige met ahornsiroop, walnoten en kaneel...'

Hij zette zijn zonnebril af. 'Hebben we bezoek, Kell?'

Kelly Vander zei: 'Jij, Larry. Het gaat állemaal om jou, honnepon.'

Larry Brackle tikte as in een koffiekop. 'Dus u wilt beweren dat Travis een of andere Ted Bundy is? Sorry hoor, maar dat is gestoord.'

'Dat heb ik hem ook al gezegd, mop,' zei Kelly Vander.

Ze zaten vlak naast elkaar te roken, knieën tegen elkaar aan, en werkten zich door de fles frisdrank heen.

Ik zei: 'De politie ziet hem als hoofdverdachte.'

Brackle zei: 'Dat dacht de politie de eerste keer ook.'

'U kent het verleden van Travis.'

Hij aarzelde. 'Tuurlijk. Dat heeft in de krant gestaan.'

'Niet in de plaatselijke kranten hier.'
Stilte.
Ik zei: '*The Ferris Ravine Clarion* is niet meer dan een suffertje, meneer Brackle. Het is niet waarschijnlijk dat u het daaruit hebt.'
Brackle wendde zich tot Kelly. Haar gezicht verried niets.
Hij zei: 'Ook goed, ik heb het gehoord.'
'Van Travis.'
'Best.'
'Hebt u hem in de ontwenningskliniek ontmoet?'
'Hoor eens, ik wil best een brave burger zijn, maar ik kan niet namens Travis praten. Zijn ding is zijn ding en mijn shit is van mij. Sorry, hoor.'
Ik zei: 'Spreekt u dan alleen voor uzelf. Kende u hem al voordat hij Brandeen naar het ziekenhuis bracht of hebt u hem daarna pas leren kennen?'
Brackle bewoog zijn kaken. Een kleine man, maar zijn polsen en handen waren dik en gespierd. 'Jemig, ik heb honger.' Hij sprong overeind, holde naar de keuken en kwam terug met een homp cake op een papieren bordje. 'Delen, schatje?'
'Nee hoor, neem maar.'
Brackle gaf haar een zoen op haar wang. 'Jij mag ook.'
'Lief van je, maar mijn buikje zit vol,' zei Kelly Vander. 'Ik wacht tot vanavond.'
'Zeker weten? Hij is lekker.'
'Zeker weten, schatje.'
'Oké. Zullen we vanavond steak eten?'
'Neem jij maar, Lar. Ik vind het een beetje zwaar.'
'Dan snij ik ze in kleine reepjes.'
'We zien wel.'
'De vorige keer vond je het lekker.'
'Dat was het ook, maar vandaag weet ik het nog niet. Ik zit een beetje vol.'
Ik zei: 'Ik denk dat u Travis al kende voordat hij Brandeen vond. Hij ging naar haar en Brandi op zoek om u te helpen.'
'Toe zeg, laten we geen gokspelletje gaan spelen. Travis is een goeie vent.'

'Ik zeg ook niet dat dat niet zo is. Ik weet dat hij Brandi niets heeft aangedaan.'

Brackles handen werden glimmende witten vuisten. 'Inderdaad verdomme. Iedereen weet wie Brandi heeft vermoord.'

'Gibson DePaul.'

'Tuig. Hij heeft levenslang gekregen en heeft een medegevangene vermoord en zit nu in Pelican Bay.'

'Volgt u hem?'

'We krijgen van die berichten voor slachtoffers van Justitie.'

'"We"? U bedoelt u beiden? Of u en uw ex?'

'Ik weet niet wat zíj krijgt.'

'Waar is Anita?'

'Zeg het maar.'

'U hebt geen contact meer?'

'Anita kon zichzelf niet veranderen. Wilde het niet proberen.'

'En de kinderen?'

'Die zie ik soms in de vakantie,' zei Brackle. 'Wat kan het u schelen? Waarom zo nieuwsgierig naar mijn familie?'

'Neem me niet kwalijk. Travis is waar het mij om gaat.'

'Dan verdoet u uw tijd. Hij heeft niemand vermoord. Toen niet, en nu niet.'

'Interessant,' zei ik.

'Wat?'

'De politie beschouwt hem als hoofdverdachte, maar we komen steeds mensen tegen die hem een heilige vinden.'

'Zoals?'

'Debora Wallenburg.'

Brackle en Kelly Vander keken elkaar aan. Barstten toen tegelijkertijd in schril lachen uit.

Ik zei: 'Ik heb de grap gemist.'

Brackle zei: 'Heiligen. Die bestaan niet, dat zeggen we altijd. Er zijn alleen zondaars in meerdere of mindere mate en we moeten leren onszelf te vergeven en niet wachten tot een of andere predikant dat doet.'

Ik zei: 'Dus u beiden hebt Travis in een ontwenningskliniek ontmoet.'

Geen reactie.

'Dat is niet iets wat u lang geheim kunt houden.'

'Travis heeft recht op zijn privacy.'

'Hulp zoeken is niet iets om je voor te schamen, meneer Brackle. Integendeel. Hij heeft zijn leven op de rails gezet.'

Kelly Vander zei: 'Goed dan, daar kennen we hem van.'

Ik zei: 'Hebt u hem bij Simon aanbevolen als dank voor het redden van Larry's kleindochter?'

Brackle zei: 'U bent slim. Gebruikt u die hersenen liever voor iets belangrijks.'

'Hoe lang voor Brandi's moord leerde u hem kennen?'

'Vlak daarvoor, oké? Zes, zeven maanden. Ik had al besloten om bij Anita weg te gaan omdat ze weigerde iets aan haar problemen te doen, en ik wist dat het mijn dood zou betekenen als ik niet bij haar wegging. Het enige wat me ervan weerhield waren de kinderen. Drie van haar... inclusief Brandi... en een van ons samen. Dat is Randy. Hij zit in het leger, zit in Fallujah, heeft een onderscheiding gekregen.'

'Randy is een geweldige jongen,' zei Kelly weemoedig.

Brackle zei: 'Daar is iedereen het over eens. Ja, daar hebben we Travis ontmoet. We deden alle drie ons best om beter te worden. Zijn behandeling werd betaald door die advocate, Wallenburg. Dat vond ik verdomd aardig van haar, en dat heb ik hem ook gezegd. Ik zei dat hij zijn voordeel moest halen uit deze goedertierenheid en zichzelf moest verbeteren. Ik moest mijn eigen geld erin steken, plus mijn arbeidsongeschiktheidsuitkering, het kostte een fortuin.'

Kelly zei: 'Simon betaalde het voor mij. Ook al waren we al gescheiden.'

'Wanneer was dat?' vroeg ik.

'Twaalf jaar geleden. Simon en ik waren drie jaar eerder uit elkaar gegaan, maar we waren vrienden gebleven. Ik heb Simon heel wat aangedaan en hij hield niet meer van me, maar hij vond me nog wel aardig. Wat er ook gebeurde, ik heb nooit mijn stem tegen hem verheven. Heb nooit geprobeerd meer geld uit hem te persen, zelfs niet toen hij hartstikke rijk werd. Ik verdiende het niet dat iemand van me hield, dacht ik, dus zorgde ik ervoor dat hij niet meer van me hield. Simone was een tiener, de stress... Ik kon het allemaal niet meer aan. Simon zei: "Probeer het nou nog een keer, Kell, je bent het aan jezelf verschuldigd, we zoeken een goeie plek voor je, van alle gemakken voorzien." Hij haalde folders voor me. Die van Pledges sprak me wel aan, veel bomen.'

'Pledges in South Pasadena?'

'Kent u het?'

'Een goeie plek,' zei ik. 'Is een paar jaar geleden gesloten.'

Larry Brackle zei: 'Een geweldige plek. Opgekocht door zo'n corporatie, die klootzakken hebben het te gronde gericht.'

Kelly zei: 'De eerste dag leerde ik Larry kennen. Hij vond me aardig, hiéld van me, maar dat durfde hij pas jaren later toe te geven omdat hij nog getrouwd was. En ik stond er niet open voor... zag mezelf niet in een vaste relatie.'

'Hoe lang zijn jullie al samen?'

Brackle zei: 'Officieel negen jaar. Maar hier...' Hij klopte op zijn borst. '... al een eeuwigheid.'

Kelly Vander zei: 'Directe vriendschap en acceptatie, dat had ik nooit eerder met een man gehad. Simon is een goeie man, maar ik wist dat ik hem voortdurend teleurstelde en je kunt niet je hele leven het gevoel hebben dat je een mislukkeling bent.'

Ik zei: 'Volgens de politie gebruikte Travis meerdere soorten drugs.'

Geen reactie.

'Afkicken heeft jullie geholpen, maar voor hem werkte het niet. Twee jaar later was hij dakloos.'

'Zo kwam ik hem tegen,' zei Larry Brackle.

'Op straat?'

'Ik heb als assistent-conciërge in Hollywood gewerkt, in een mooie grote flat ten westen van La Brea. Op weg naar huis nam ik meestal de boulevard langs het Chinese Theatre. Op een avond zag ik Travis daar bedelen bij de toeristen. Hij zag er slecht uit. Vergeleken met Pledges, bedoel ik. Slierterig haar, een baard, helemaal in elkaar gedoken. Hij had niet veel succes bij de toeristen, want hij keek niemand aan. Dat is Travis, hij houdt er niet van om mensen aan te kijken. Ik reed de hoek om, stopte en duwde een briefje van twintig in zijn hand. Hij herkende me, begon te huilen en zei dat het hem speet dat hij had gefaald.'

Kelly zei: 'Voordat we uit de kliniek werden ontslagen hebben we alle drie beloofd dat we elkaar zouden helpen als het met een van ons slecht zou gaan. Larry en ik hebben ons daaraan gehouden, zo is het gelukt. Maar Travis verloren we uit het oog.'

Brackle knikte. 'Ik zei nog tegen hem: "Niemand veroordeelt je, man. Ga met mij mee naar huis dan kun je eten krijgen en een bad nemen." Hij ging ervandoor en de volgende dag was hij er niet, en die hele week niet. Maar toen zag ik hem weer, op dezelfde manier, met zijn hand opgehouden, en hij zag er nog beroerder uit. Deze keer wilde hij wel mee. Anita was kwaad, zei: "Denk je dat we ruimte over hebben in dit krot, stomkop?" Wij, de kinderen, en nog een paar honden ook. Ik zei dat ik wel in de achtertuin zou slapen, als dat beter was. Toen zei ze dat we dat allebei maar moesten doen. Uiteindelijk sliep Travis in het tuinschuurtje. Ik ruimde de troep op en legde er een matras neer zodat hij kon komen en gaan wanneer hij wilde. En ik stuurde hem naar de kapper. Toen het haar er eenmaal af was, zagen we al die gaten in zijn oor, net een piraat. Helemaal omdat hij ook mank liep. De kinderen vonden het geweldig, Anita vond het vreselijk.'

Kelly zei: 'Maar Anita begon Travis te mogen.'

'Hij was heel vriendelijk tegen de kinderen, en daarom veranderde ze van gedachten. Hij mocht algauw de kinderen verhalen vertellen. En daarna mocht hij de baby vasthouden, omdat hij zo goed met haar omging. Maar goed, Anita was onvoorspelbaar door de drank en de hasj, dus het was niet altijd volmaakt. Maar meestal ging het goed.'

Hij nam een flinke trek van zijn sigaret. 'Travis was heel erg gesteld op de baby... Man, dat is een tijd geleden. En nu wilt u beweren dat Travis een moordlustig monster is? Echt niet. Ik ben geen psycholoog, maar ik ken mensen wel een beetje en Travis is een goeie vent.'

Ik zei: 'Vertelt u eens over de avond dat Brandi verdween.'

'Ze verdween niet, ze ging met hém mee. Dat stuk tuig dat we niet bij naam noemen. Die was door en door slecht, zijn eigen familie was bang voor hem. Toen Brandi niet thuiskwam, zijn we direct naar zijn huis gegaan, Travis en ik. Zijn ouders leken bang, zeiden dat de eikel op bezoek wilde bij Brandi en de baby, dat ze verder niks wisten. Travis en ik zochten de hele buurt af. Hij een deel, ik een deel. Hij heeft de baby gevonden. Zag het bloed en bracht haar naar het ziekenhuis.'

'Hij wist dus dat Brandi iets was overkomen.'

'Brandi lag verborgen... ergens in de bosjes, volgens de politie. De baby lag open en bloot, hij dacht alleen aan de baby.'

'Waarom bracht hij haar naar het ziekenhuis en nam hij geen contact op met u?'

'Hij was bang, zou u dat niet zijn?' vroeg Brackle. 'Naar de gevangenis moeten voor iets wat je niet hebt gedaan, en dan vind je opeens een baby onder het bloed? Niet dat hij dat zei, dat heb ik zelf uitgevogeld. Het hele leven van die jongen bestond uit angst. Als ik langs het schuurtje liep, hoorde ik hem wel eens kreunen in zijn slaap door nachtmerries. Overdag had hij die blik in zijn ogen, hoe noem je dat...? Gekweld. Hij werd gekweld door wat ze hem hadden aangedaan. Wie zou dat niet zijn, zoals ze zijn hersens hebben ingeslagen. Waarschijnlijk was hij doodsbang dat de politie hem de schuld in de schoenen zou schuiven. Maar zelfs met die angst, wilde hij ervoor zorgen dat met de baby alles goed zou komen.'

Ik zei: 'U hebt het dus nooit met hem besproken.'

'Nee. Travis verdween nadat hij Brandeen naar het ziekenhuis had gebracht.'

'Hoe wist u dat hij het was?'

'De politie gaf een beschrijving van hem. Vroeg of we wisten wie hij was, maar we hebben niets gezegd. We waren allemaal verschrikkelijk overstuur door wat er met Brandi was gebeurd en we wilden het niet nog moeilijker maken. Het voornaamste was om te achterhalen wie het had gedaan, en dat hebben we de politie gezegd.'

Ik zei: 'Travis liep ruim drie kilometer door de kou.'

'Travis was een wandelaar. Dat deed hij het grootste deel van de dag.'

'Waar?'

'Overal,' zei Brackle. 'Maar begrijp me niet verkeerd, daar

was niets gestoords aan. Hij hield gewoon van wandelen.'

'De beste vorm van lichaamsbeweging,' zei Kelly. 'Ik liep vroeger zestien kilometer per dag. Nu doe ik nog acht.'

De huid rond Brackles ogen rimpelde. Hij dwong zichzelf om opgewekt te kijken. 'Precies, lichaamsbeweging... Ach wat een onzin, hij hield gewoon van wandelen.'

Ik vroeg: 'Hoe kwam Travis in contact met Simon?'

Kelly antwoordde: 'Dat was jaren later pas. We hadden een tijdje niets van hem gehoord en opeens belde hij Larry om te zeggen dat het beter met hem ging.'

'Hij had eindelijk hulp gekregen, waar hij wat mee kon,' zei Brackle.

'Waar?'

'Dat zei hij niet, en ik heb niets gevraagd. Hij klonk goed, ik kon merken dat het deze keer anders was. Ik nodigde hem uit om met mij en Kelly ergens koffie te drinken. Hij zag er goed uit.'

'Heldere ogen,' zei Kelly. 'Intelligent. Dat zag je nooit omdat hij altijd zo depressief was. Hij zei dat hij op zoek was naar een vaste baan, alles wilde doen om eerlijk geld te verdienen. Ik wist dat Simon op zoek was naar iemand die zijn landgoed kon beheren. Hij had een paar nietsnutten versleten, had iemand nodig die betrouwbaar was. Hij stemde ermee in, wilde Travis wel een kans geven. Met prima resultaat.'

Ik vroeg: 'Sprak Travis wel eens over de periode nadat u hem voor het laatst had gezien?'

'Nee,' antwoordde Brackle.

'Waar woonde hij?'

'Ik had het idee dat hij gereisd had.'

'Enig idee waar?'

'We wilden niet nieuwsgierig zijn,' zei Kelly. 'We waren dolblij dat het goed met hem ging. Het was voor iedereen een succes. Simon bedankte me dat ik Travis had gevonden. Travis is een vriendelijke man, doet geen vlieg kwaad. Nu begin ík een beetje trek te krijgen.'

Brackle zei: 'Ja, etenstijd. We zouden u wel willen uitnodigen, maar we hebben altijd maar voor twee personen.'

Ik reed terug naar de stad. Er stond een gele Volkswagen voor mijn huis geparkeerd.

Leeg, koude motorkap, geen teken van Alma Reynolds.

Mijn opmerking over haar moeders parels had haar bang gemaakt.

Misschien had Robin haar binnengelaten.

Toen ik de trap opliep, zei een stem achter me: 'Nu stalk ík ú.'

Ze kwam van opzij en liep met een grote attachékoffer van vinyl naar me toe. Gloednieuw met het prijskaartje nog aan het handvat, een koffer die Milo wel eens gebruikt als de moorddossiers dik worden. Ze droeg een geruit shirt, een spijkerbroek, werklaarzen. Grijs haar waaide alle kanten op. Er lag een verhitte blik in haar ogen.

'Hier, pak aan,' zei ze, en ze duwde de koffer naar voren. 'Wij zijn klaar.'

Ik hield mijn handen langs mijn zij.

De koffer raakte mijn borstkas. 'Wees maar niet bang, hij tikt niet. Pak aan.'

'Laten we praten.'

Met een ruk trok ze de koffer terug en maakte hem open. Er lagen stapels briefjes van twintig in, bijeengehouden met elastiekjes. Boven op het geld lag een zwartfluwelen sieradendoosje.

Ze zei: 'Inclusief die rotparel. Nou goed?'

'Tijd voor het eenvoudige leven?' vroeg ik.

'Doe niet zo naar. Dit is toch wat u wilde, ik geef het u.'

'Ik wil informatie.'

'Zegt dit niet genoeg dan?'

'Het suggereert iets. Kom binnen dan kunnen we even praten.'

'Wat? Therapíé? Hebt u een bank? Volgens de website van de vereniging voor psychologen is dit uw praktijk. Ik zou maar oppassen als ik u was, aangezien u hier ook woont. Stel dat ik een psychopaat was.'

'Moet ik me zorgen maken?'

'Ja hoor, ik ben gewapend.' Ze lachte en keerde haar broekzakken binnenstebuiten. Ze zette de koffer op de grond en beende naar haar Volkswagen, draaide zich om en legde met een klap haar handen op de motorkap. 'Is dit de juiste houding?' 'Toe,' zei ik. 'Een paar minuten maar.'

Ze ging rechtop staan en keek me aan. Ze had tranen in haar ogen. 'Sil heeft me die houding geleerd. Hij deed het automatisch tijdens demonstraties. Soms sloeg de politie hem dan toch nog. Hij was een principieel mens, en moet je zien wat het hem heeft opgeleverd. Dus... Maar goed, waarom zou ík niet eens iets moois mogen hebben?'

'Hij had vast sterke principes. Daarom moet het des te schokkender zijn geweest om dat geld te vinden.'

'Hoor eens,' zei ze. 'Ik geef u het geld, alles, ik trek mijn handen ervan af. Gegroet.'

'Laten we een paar dingen ophelderen en dan zetten we er een punt achter.'

'Dat zegt u.'

'Volgens mij bent ú juist degene met principes,' zei ik. 'En ik ben de vijand niet.'

Ze sloeg haar armen over elkaar. Droogde toen haar tranen en duwde met haar voet tegen de koffer.

'O, wat zou het ook, ik ben vroeger katholiek geweest. Wat is een biecht meer of minder?'

34

Alma Reynolds wipte op mijn bank op en neer en lachte. 'U hebt er echt een. Als leer toch kon praten.'

Ik zette de attachékoffer op de grond tussen ons in.

'Moet dat het altaar van de eeuwige waarheid voorstellen?' vroeg ze. 'Moet ik daardoor zwichten?'

Ik zette de koffer opzij.

'Wat u ook denkt, Sil wás een principieel man. Hij heeft het geld misschien aangenomen, maar hij heeft het niet uitgegeven.'

'De politie heeft zijn flat zorgvuldig doorzocht. Waar hebt u het gevonden?'

'Wat maakt het uit?'

'Hij is vermoord. Alles is belangrijk.'

'Ik zie niet in waarom het zo belangrijk is, maar goed, ik heb het in zijn auto gevonden. In de kofferbak, open en bloot. En dat bedoel ik dus: hij schaamde zich er niet voor. Dit is geen groot mysterie. Mensen stuurden kleine giften en in plaats van steeds naar de bank te gaan, bewaarde Sil het zodat hij het in één keer op de rekening van Red het Moeras kon storten.'

'Kleingeld.'

'U luistert dus toch.'

Ik zei: 'Heeft hij u over het geld verteld?'

'Nee, maar het is de enige logische verklaring.'

'Sil beheerde de rekening.'

'Sil heeft de rekening zelf geopend. Hij wás Red het Moeras, dat heb ik u al uitgelegd. Elke stuiver ging naar onderhoud.'

'Behalve zijn salaris.'

'Hij gaf zichzelf nooit opslag, we hebben het niet bepaald over buitensporig materialisme. Nu ik heb gezien hoe ú leeft, begrijp ik waarom u dat niet kunt begrijpen. Dít huis met alle chique toebehoren... Ik weet hoe duur deze omgeving is, geld is úw ding, maar niet dat van Sil. Het feit dat hij de koffer niet had verborgen, toont aan dat het geld niet corrupt is.'

'Hoeveel is het?'

'Vijftienduizend dollar. Ja, ik heb het geteld. Dat zou toch iedereen doen?'

'Inclusief de parel?'

Ze verkleurde. 'Hou de rotparel, hij paste toch niet bij me, en hij zit u duidelijk dwars. Jezus, geef hem aan uw vrouw als u die hebt.'

Ik was blij dat Robin in een apart gebouw aan het werk was. Ik zei: 'De parel is van u, waarom zou hij dat niet zijn?'

'Ach gut, wat lief. Nou, vergeet het maar. Ik wil niets meer met die ellende te maken hebben. Sil had gelijk, geld is slijk.'

Ik zei: 'Het geld kan best van u zijn, tenzij hij het iemand anders heeft nagelaten.'

'Dat heeft hij niet,' zei ze. 'We hadden geen van beiden een testament. Het was een gezamenlijke beslissing geen kansloze pogingen te doen vanuit het graf dingen te regelen.'

'In dat geval is het van u. U was zijn partner.'

'Bent u nou zo dom, of is dit een poging om me te manipuleren? Ik wíl het niet. En ga me niet vertellen dat de politie niet zal proberen het in beslag te nemen. Gaat dat niet zo? Het hele antidrugsbeleid is niets meer dan een inkomstenplan.'

'De politiemensen met wie ik samenwerk, willen moorden oplossen. En die parel past niet bij rechercheur Sturgis.'

'Gut gut, wat bent u toch charmant,' zei ze. 'Waarschijnlijk vroeger veel te veel verwend, altijd uw zin gehad omdat u zo schattig was. Ik zeg het voor de laatste keer: ik wíl het geld niet en ik wil die verrotte parel niet. Jemig, ik weet niet eens wat me bezielde. Dus val me niet langer lastig... Me volgen naar die juwelier, ongelooflijk. U lijkt wel zo'n Binnenlandse Veiligheids-idioot.'

'Ik probeer er alleen achter te komen wat er in het moeras is gebeurd,' zei ik.

'Me ópsporen. Die opmerking over mijn moeder... Dat u die juwelier überhaupt hebt gevonden.'

'Motivatie.'

'Nou, hoera... Als u het zo nodig moet weten, ik was helemaal niet van plan om zoiets duurs te kopen. Gewoon een snuisterijtje als aandenken aan Sil. Waarom niet, verdomme? Ik had verdriet.' Ze snifte. 'Hij is er verdomme niet meer... je probeert de tijd door te komen.'

'Ik vind het erg voor u.'

'Ach, schei toch uit. U speelt een spelletje met me.'

'Ik probeer erachter te komen wie de man van wie u hield, heeft vermoord. En nog een aantal andere mensen.'

'Wie zegt dat het een en dezelfde is? En dan nog bereikt u niets met praten over geld. Het is wat ik al zei, kleine giften.'

'Vijftienduizend dollar,' zei ik.

'Alles bij elkaar.' Minder zelfverzekerd.

'Zijn de biljetten van verschillende bedragen?'

Geen antwoord.

'Het is makkelijk te controleren.'

'Briefjes van twintig, nou goed?' zei ze. 'Allemaal briefjes van twintig.'

'Dat is ook toevallig.'

'Dan heeft Sil het geld ingewisseld voor briefjes van twintig... om het makkelijker te kunnen tellen.'

'Als hij naar de bank ging om geld te wisselen, waarom heeft hij het dan niet gelijk op de rekening gestort?'

Ze schoot overeind. 'Ik heb er niets mee te maken. Vergeet al dat katholieke gelul maar, ik hou niet van zelfkastijding.'

Ik zei: 'Een getuige heeft gezien dat Sil een envelop van iemand aannam.'

'Wát?'

'Op het parkeerterrein achter zijn kantoor.'

'Wie?'

'Een getuige.'

'Wie?'

'Dat kan ik niet zeggen.'

Ze grijnsde. 'Zo'n "anonieme bron"? Zoals de overheid ze altijd toevallig vindt?'

'Een getuige zonder reden om te liegen.'

'Volgens u.'

'Het betekent misschien niets, maar het is wel gebeurd.'

'Iemand die zelf een gift kwam brengen. Nou en?'

Ik beschreef de man met blond haar en het geopereerde gezicht.

Ze zei: 'Klinkt typisch L.A.'

'U hebt geen idee wie het is.'

'Hoe zou ik? Dag. Geef het niet allemaal in één keer uit.'

Ik zei: 'Nog één ding.'

'Het is altijd nog één ding met mensen zoals u.'

'Mensen zoals u...?'

'Vertegenwoordigers van de staat.'

Ik zei: 'Alles is politiek.'

'Reken maar.'

'Inclusief het mes in Sils buik?'

Ze spande haar armen. 'O, dat is fraai. U doet alsof u zo vriendelijk bent, en dan toont u opeens een wrede kant.'

'Ik probeer de waarheid te vinden. Ik dacht dat we dat gemeen hadden.'

'De waarheid is bullshit. De waarheid verandert als de context verandert.'

'En ik zoek nu juist de context. Als u Sil heilig wilt verklaren, prima. Maar als u bereid bent lang genoeg open te staan voor een alternatief, komen we er misschien achter wie hem heeft vermoord.'

Het zou me niet verbaasd hebben als ze was weggelopen.

Ze bleef staan. 'Welk alternatief?'

'De mogelijkheid dat Sil zich heeft laten omkopen. Niets illegaals, misschien alleen om ergens een oogje voor toe te knijpen. Ik denk dat degene die hem heeft afgekocht hem ook heeft meegelokt. Iemand die het moeras kende en van mening was dat Sil het zwijgen moest worden opgelegd.'

'Rijke klootzakken,' zei ze. 'Alles ís politiek.'

'Een rijke klootzak in het bijzonder?'

'Wat dacht u van die filmboeven, om te beginnen. Geld maakt corrupt en die lui beschikken over absurde bedragen. Ze hebben Red het Moeras bekostigd, maar ik weet zeker dat ze altijd stiekem op het land uit zijn geweest. Sil nam geld van ze aan, maar hij verachtte ze.'

'Zou Sil er midden in de nacht op uitgaan voor een van hun lakeien?'

Stilte.

'Wie vertrouwde hij?' vroeg ik.

'Niemand. Sil was niet goed van vertrouwen. Ik ben de enige die hij wel eens in vertrouwen nam en zelfs dan was hij op zijn hoede.'

'Waarvoor?'

'Hij was humeurig, kon makkelijk dichtklappen, onbereikbaar zijn. Maar dat betekent niet dat hij zich heeft laten omkopen. Die plas met modder betekende alles voor hem. Trouwens, waar zou iemand hem voor willen omkopen?'

'Dat weet ik niet.'

'Nou, ik ook niet. Gegroet.'

Ik maakte het koffertje open, pakte het sieradendoosje en drukte het in haar hand.

Ze schudde wild met haar hoofd, maar duwde me niet weg.

'Het hangt af van de uiteindelijke afloop, maar misschien kan ik er ook voor zorgen dat u het geld krijgt.'

'Ik wil het... Waarom doet u dit, verdomme? Wie bént u?'

'Gewoon iemand die vroeger veel te veel verwend is.'

Ze keek me aan. 'Als ik het mis had, dan spijt het me, maar het doet niets af aan de feiten. U bent een overheidsmarionet.'

'U hoeft zich niet te verontschuldigen. Ik heb u nogal op uw huid gezeten.'

'Nogal, ja.' Ze sloot haar hand om het doosje. 'Het is afschuwelijk, maar ik moet erdoorheen.'

Terwijl ik haar uitliet, bekeek ze alle kamers waar we langsliepen. Toen we bij de Volkswagen kwamen, zei ze: 'Het enige waar Sil mogelijk... Nee, dat slaat nergens op. Dat is geen vijftienduizend dollar waard.'

'Vertel het me toch maar.'

'Er is een andere ingang naar het moeras. Helemaal aan de andere kant van de officiële ingang, aan de westkant. Het was oorspronkelijk bedoeld als de hoofdingang, maar er groeiden te veel planten en Sil stond erop dat er niets zou veranderen. Als het aan hem had gelegen, zou het hele moeras zijn afgesloten voor bezoekers.'

'Waar aan de westkant?'

'Precies in het midden. Het is er overwoekerd, vanaf de straat kun je het niet zien, maar als je je een weg door de planten baant, zie je een hek. Sil had er een slot om gehangen. Hij ging daar graag naartoe... zijn geheime plek. Soms nam hij míj mee.' Ze bloosde. 'Het is er mooi, met grote wilgen, hoog riet, kleine brakke plassen met kikkervisjes en kikkerkolonies. Veel vogels omdat het dicht bij de oceaan ligt.'

'Hoe vaak ging Sil daarnaartoe?'

'Dat weet ik niet. Hij heeft mij er drie of vier keer mee naartoe genomen, altijd 's avonds. Dan legden we een deken op de grond, keken we naar de sterren en dan zei hij: "Dit uitzicht zou miljarden waard zijn, als mensen ervan wisten." Maar dat was retorisch bedoeld. Wie betaalt er nou vijftienduizend dollar voor een picknickplekje? En waarom zou dat Sil in gevaar hebben gebracht?' Ze schudde het hoofd. 'Daar kom je niet verder mee.'

'Evengoed bedankt.'

'Omdat ik mijn fantasie de vrije loop heb gelaten?'

'Creativiteit, noemen ze dat,' zei ik. 'Daar zou de wereld meer van kunnen gebruiken.'

35

Ik haastte me naar het moeras en ging op zoek naar de geheime ingang.

De westgrens van het gebied was een dichtbegroeide massa eucalyptus en wilgen van zeker zes meter dik, begrensd door een metalen hek van een meter twintig, dat was ontworpen om op hout te lijken. Ik liep er drie keer voorbij voordat ik de open plek tussen de bomen zag. Meterslange takken in mijn gezicht voordat het tweede hek in zicht kwam.

Cederhouten palen, een hangslot, zoals Alma al had gezegd. Nog geen meter hoog, dus makkelijk overheen te klimmen. Eenmaal aan de andere kant volgde er weer een groen spervuur, moest ik tak na tak tegenhouden, terwijl ik door met bladeren bedekte modder liep.

Ik kwam maar langzaam vooruit terwijl ik zocht naar tekenen dat hier mensen waren geweest.

Na negen meter vond ik ze. Voetafdrukken, de meeste vervaagd, maar één duidelijke afdruk... een mannenmaat omringd door stippen.

De bladeren ruisten boven het stilstaande water. Lisdodden glansden toen een grote blauwe reiger met zijn slangennek en het voorkomen van een jagende *Pterodactylus* onhandig opvloog en zijn vleugels uitsloeg naar de oceaan. Tegen de tijd dat hij was verdwenen, was het een sierlijk dier geworden.

Enkele seconden stilte volgden voordat er ergens iets wegschoot.

Ik ging op mijn knieën zitten en bekeek de voetafdrukken van dichtbij. De stippen leken ongewoon, maar ik was geen expert. Ik nam foto's met mijn telefoon en bedacht wat ik zou doen.

Voor me zag ik alleen maar groen: hoge bomen die de hemel verborgen en de grond zwart kleurden.

Misschien was dit echt niet meer dan een geheime tuin.

Vijftienduizend dollar voor een clandestiene picknickplek?

Niet zo absurd als het klonk. In steden als L.A. en New York is er niets wat de hebzucht zo weet op te stoken als de dreiging van een afwijzing. Daarom zullen fabrikanten van fluwelen koorden nooit failliet gaan. Het is de reden dat opgedirkte idioten midden in de nacht urenlang uitsmijters proberen te paaien, vernedering riskeren, en dat alles voor veel te dure drankjes en muziek waar je een hersenbeschadiging van krijgt. In steden als L.A. hebben sommige mensen maar twee lijsten in hun BlackBerry en in hun hoofd: waar je wel of juist niet gezien wilt worden.

Het deel van het moeras waar ik niet kom, omdat iedereen daar komt en het zo passé is.

Maar ik weet een heel bijzonder plekje, schatje, veel mooier...

Chance Brandt kende de blonde man die Sil had afgekocht van een liefdadigheidsfeest. Een gelegenheid waar mensen kwamen die de oceaan een warm hart toedroegen, of deden alsof.

Geen reden aan de bedoelingen van de man met de facelift te twijfelen; misschien kwam het geld op niets anders neer dan een rijke stinkerd die zijn kleingeld had neergeteld voor een avondje onder de sterren.

Maar waarom was Duboff dan de dood in gelokt?

Neergestoken en gedumpt, nog een lijk in het moeras. Aan de openbare kant.

Ik stond daar maar en vroeg me af of deze prachtige plek nu kwaadaardig was of niet.

Ik zou de foto's van de voetafdrukken naar Milo e-mailen. Voor het geval dat.

De volgende ochtend om acht uur was zijn monotone stem een slaapverwekkende begroeting.

'Reed heeft Wallenburg gevolgd, maar het heeft niets opge-

leverd. We lunchen morgen om twaalf uur op de gebruikelijke plek. Als je onverwachte inzichten hebt, zal ik een plekje overhouden voor een toetje.'
'Heb je de foto's gekregen?'
'Schoenen,' zei hij. 'Waarschijnlijk van Duboff, maar ik stuur
ze door naar iemand die er verstand van heeft.'

Deze keer hield Reed Milo bij en hij werkte zijn eten naar
binnen alsof hij een bootwerker was.
Loopbaanontwikkeling.
Toen ik ging zitten, legde hij zijn vork neer. 'Wallenburg woont
in een bewaakte buurt bij Palisades, in de buurt van Mande-
ville Canyon. Ik kwam niet verder dan het hek. Even dacht ik
dat ik op iets was gestuit, toen ze om elf uur nog thuis was.
Vervolgens arriveren er een gehuurde Chevrolet en een busje
van Hertz bij het wachthuisje en even later vertrekt het busje
weer, maar nu met twee mannen in plaats van een. En een
kwartiertje later rijdt Wallenburg zelf weg in de Chevrolet. Ik
denk: die heeft een dekmantel geregeld, dit kan nog interessant worden. Ze rijdt naar Mar Vista, parkeert voor een huis
dat ver beneden haar prijsklasse valt en ik denk dat ik eindelijk bij het huis van de klootzak ben. Ze heeft een eigen sleutel, gaat naar binnen, komt tien minuten later weer naar buiten en rijdt weg. Ik moet kiezen: aankloppen of haar volgen.'
Hij trok zijn stropdas los. 'Ik klop aan. Niemand doet open.
Ik klop op de achterdeur, hetzelfde. De gordijnen zijn dicht.
Ik vraag me af of Wallenburg me soms heeft gezien en een
spelletje met me speelt. Misschien is het een huurhuis dat van
haar is en is ze nu op weg naar zijn echte huis.'
Milo zei: 'Het was de juiste keus, jongen.'
'Als u het zegt.'
Ik vroeg: 'Weet je zeker dat Huck niet in dat huis zit?'
'Volgens de buren woont er ene familie Adams, goeie men-
sen, rustig. Ik heb een paar foto's van Huck laten zien... met
en zonder haar. Niemand herkende hem.'
Hij tekende met zijn vinger op tafel. 'We zijn weer terug bij
af.'
Ik zei: 'The Adams Family.'

'Ja, elk ander moment zou ik het grappig vinden.'

'Enig idee uit hoeveel mensen de familie bestaat?'

'Heb ik niet gevraagd. Hoezo?'

'Als er een vrouw en een meisje van ongeveer tien wonen, zouden dat Brandeen Loring, de baby die Huck destijds heeft gered, en haar oma Anita Brackle kunnen zijn. En Huck zou daar nog steeds kunnen logeren, ongeacht wat de buren zeggen. Het is natuurlijk niet zo moeilijk om hem in het donker het huis binnen te smokkelen. Als hij zich gedeisd houd, komt niemand erachter, toch?'

Milo zei: 'Hoe ga jij van punt A naar het feit dat Anita een voortvluchtige onderdak zou verlenen?'

'Het is een theorie, en het stelt niet veel voor, maar in sommige kringen is Huck echt een populaire man.' Ik vertelde over mijn gesprek met Larry Brackle en Kelly Vander.

Reed zei: 'Echtgenote nummer 1? Dan weten we in elk geval hoe Huck aan die baan bij Simon is gekomen, maar veel meer ook niet. Je zei zelf dat Huck niet Anita's lieveling was, dat Larry degene was die hem in huis nam.'

'Maar Anita draaide bij. Zo'n omschakeling leidt soms tot het sterkste vertrouwen.'

Milo zei: 'Dat moet dan wel meer dan sterk zijn om hem binnen te laten met een kind in huis.'

'Een kind dat hij volgens sommigen het leven heeft gered,' zei ik. 'Misschien heeft Huck al die tijd regelmatig contact met Brandeen gehad. Het is net als dat Chinese gezegde: als je iemand redt, ben je de rest van je leven verantwoordelijk voor die persoon. Dat is waarschijnlijk ook een belangrijk onderdeel van Debora Wallenburgs motivatie.'

Reed zei: 'Iedereen redt iedereen. Maar ondertussen zitten wij met lijken. Denkt u echt dat Huck zo'n toewijding bij mensen kan losmaken?'

'Kelly en Larry zien hem als een heilige.'

'Een typische psychopaat,' zei Milo. 'Die vent zou zo presidentskandidaat kunnen worden.'

Reed wreef over zijn korte kapsel. En at toen verder.

Ik zei: 'Zelfs als mevrouw Adams niet Anita is, zou ze iemand kunnen zijn die Huck nog kent uit de ontwenningskliniek.

Gedeelde smart is halve smart, en dat kan tot hechte contacten leiden. Als Wallenburg geen spelletje met je speelde, ging ze daar met een reden naartoe. De gordijnen waren misschien niet voor niets dicht.'

Milo zei: 'Als Huck een netwerk van afkickvriendjes heeft, heeft hij mogelijk door de hele stad heen schuilplaatsen.'

Reed zei: 'Een held...' Opeens keek hij naar de deur van het restaurant. En balde zijn vuist rond zijn mes.

Aaron Fox liep op ons af. Gedistingeerd als altijd, in een zwart maatpak van ruwe zijde, een grijsgroen overhemd en een gele pochet.

Geen zwierige tred deze keer.

Reed stond op en ging voor hem staan. 'Komt slecht uit, we hebben het druk.'

'Ongetwijfeld, broertje. Maar niet te druk voor mij.'

Fox liet zich op de lege stoel naast zijn broer zakken. Hij had een scherpe blik, maar zijn ogen zagen een beetje rood. Hij had zich slordig geschoren, had hier en daar wondjes, donkere schaduwen onder zijn kaaklijn.

Milo zei: 'Lange nacht gehad, Aaron?'

'Veel lange nachten. Ik kan nog in de problemen komen door met jullie te praten,' zei Fox. 'Maar liever financieel dan juridisch.'

Reed zei: 'Beroepsprobleempje tegengekomen?'

Fox fronste zijn wenkbrauwen. 'Stink ik soms uit mijn mond, broertje? Inderdaad een probleempje. Vraagstukken horen erbij, maar dit is anders. Mag ik?' Hij pakte een glas water, dronk gulzig, schonk nog een glas in en dronk dat ook leeg. Vervolgens brak hij een stuk chapati af en verkruimelde het tussen zijn vinger en duim. Herhaalde dit. Binnen enkele seconden had hij een bergje broodkruimels gecreëerd.

Moe Reed deed alsof hij zich verveelde terwijl Fox het bergje gladstreek en zijn handen aan een servet afveegde. Vervolgens frunnikte hij aan zijn pochet en trok het recht. 'Toen Simone Vander me inhuurde om Hucks leven te onderzoeken, zei ze dat het haar idee was en dat ik geen toestemming had om contact op te nemen met haar vaders zakenpartners. Ik zei dat ik over het algemeen zo niet werk, en dat als ze een papieronderzoek wilde, ze dat beter zelf kon doen.'

Reed zei: 'Jouw missie, mocht je die aanvaarden...'

'Hou nou 's op, Moses.' Fox wendde zich tot Milo. 'Simone zei dat het om meer dan Huck ging. Ze beloofde me een veel grotere klus... het boven tafel brengen van een financiële samenzwering tegen haar vader. Door zijn volgelingen... haar woord. Toen ik haar vroeg waarom, zei ze dat hij wel een goede zakenman was, maar dat mensen voortdurend misbruik van hem maakten omdat hij zo rijk is.'

Milo zei: 'Met welke volgelingen in het bijzonder had ze moeite?'

'Al papa's advocaten, boekhouders en financieel administrateurs. Ze zag ze allemaal als bloedzuigers die hun uiterste best deden om uren te declareren. De advocaten in het bijzonder vond ze verdacht.'

'Alston Weir,' zei Milo.

'Weir en zijn kornuiten. Ze zei dat het haar niet zou verbazen als het hele bedrijf onder één hoedje speelde om zijn hele bezit te roven, misschien zelfs in samenwerking met Huck.'

'Dat klinkt paranoïde.'

'Een beetje wel, maar met zulke megarijke mensen weet je het nooit. Er zijn altijd drijfveren. Ik heb meer dan genoeg plunderende werknemers gezien.'

Reed zei: 'Verdacht ze Huck van specifieke financiële praktijken?'

Fox schudde het hoofd. 'Bij hem was het meer zijn griezelige persoonlijkheid en de manier waarop hij de familie was binnengedrongen. Vooral zijn slijmerige gedrag naar Kelvin toe. Ze zei dat hij het kind verwende. En toen Selena's lijk opdook, werd ze doodsbang en belde ze me.'

Reed zei: 'Ik heb tot nu toe niets gehoord wat we niet al wisten.'

'Het nieuwtje is dat ze me heeft bedrogen, Moses. Om te beginnen door die andere klus te beloven. En tot slot door wanbetaling. Ze heeft me nog geen cent betaald en reageert niet meer... niet op e-mails, niet op telefoontjes. Mijn fout, ik heb geen voorschot gevraagd, dacht dat het een snelle klus zou zijn. Dat was het ook, en we hebben het ook niet over een megabedrag. Maar toch zou ik graag mijn geld zien.'

'Dus nu zijn wij jouw incassobureau?'

Milo zei: 'Over hoeveel geld hebben we het, Aaron?'

'Ongeveer vierduizend dollar.'

'Voor internetonderzoek. Niet slecht.'

'En de resultaten daarvan heb ik aan jullie doorgespeeld. Maar goed, daar was je misschien zelf ook wel achter gekomen.'

Milo zei: 'We zijn je dankbaar, Aaron. En wat is nou de clou van het verhaal?'

'O, ja,' zei Aaron. 'Ze maakte me kwaad, en dat is niet slim. Elke cent terugpakken, dat is mijn filosofie. Erbovenop zitten, want aan een reputatie als watje heb ik niets. En dus ben ik een onderzoek begonnen, om te beginnen een gegevensonderzoek. Toen kwam er al wat interessante informatie boven: een aantal drugsarrestaties vanaf haar achttiende tot haar tweeëntwintigste, speed en hasj. Dankzij papa's advocaten kwam ze voorwaardelijk vrij.'

'En sindsdien?'

'Niets officieel, maar er is meer, luitjes. Ze heeft over meer gelogen dan alleen die grote klus, en zo te zien is liegen haar handelswijze. Toen ik haar ontmoette, kwam ze met het verhaal dat ze zangeres, ballerina, financieel analiste voor een hedgefonds was.'

Reed zei: 'Tegen ons zei ze lerares.'

Ik zei: 'In het speciaal onderwijs, zei ze.'

Fox zei: 'Dat ook. Ze hield zo van kleine kinderen, zei ze. Maar haar ware liefde was "het ballet".'

Milo veegde zijn lippen af. 'Wel een kleine danseres dan.'

'Ze beweerde dat ze bij het New York Ballet had gewerkt totdat ze haar voet blesseerde en er een einde kwam aan een veelbelovende carrière. Het gezelschap heeft nog nooit van haar gehoord.'

Hij glimlachte even. 'Daar gaat mijn mensenkennis. Dus mijn adrenaline pompte rond en ik begon haar huis in de gaten te houden, ben door haar huisvuil gegaan.'

Milo zei: 'Een van de leukere aspecten van het werk.'

De grijns van Fox werd breder. 'Maar, o zo leerzaam. Ik heb ontdekt dat ze op niets leeft, en dan heb ik het over cola light en ontbijtgranen... en dan niet zoveel. Ze verbruikt ook een heleboel neussprays op recept en Ritalin. Dat doet mij weer aan die drugsarrestaties denken. Ze is alleen overgegaan op legale speed.'

Ik zei: 'Ritalin past mogelijk ook bij de speciaal-onderwijs-fantasie. Als ze zelf vroeger leermoeilijkheden heeft gehad, fantaseert ze misschien over een machtsrol. De drugs zijn ook effectief bij afvallen, als je bereid bent de risico's voor lief te nemen. Hetzelfde geldt voor de neussprays. En ze heeft een voorbeeld gehad voor haar eetstoornis.'

'Wie dan?'

Ik wierp een blik op Milo. Die knikte. Ik beschreef Kelly Vanders gevecht tegen anorexia.

'Zo moeder, zo dochter,' zei Fox. 'Toen ik haar de eerste keer zag, is het me niet zo opgevallen. De helft van alle meisjes aan de westkust is graatmager. Maar, ja, dat klinkt heel logisch.'

Reed zei: 'Ze is dus een ondervoede junkie. Wat heeft dat met Huck te maken?'

'Ik beschrijf de context, Moses. Ze is een leugenaar, mogelijk een verslaafde, wat duidt op persoonlijkheidsproblemen, toch? En dat zou een verklaring kunnen zijn voor wat ik in haar vuilnisbak heb gevonden: een ingelijste foto van haar vader, stiefmoeder en broertje, helemaal kapotgemaakt, het glas in scherven.'

Hij pakte het glas water alsof hij een toost uitbracht. 'Ze heeft haar familie bij het oud vuil gezet. Letterlijk.'

Ik zei: 'Die met vader en zoon in avondkleding en moeder in een rode japon?'

'Die bedoel ik.'

'Hij stond op haar salontafel. Ze liet hem ons zien. "Dat is mijn broertje, Kelvin. Een genie."'

'Tja, nu is hij een toegetakeld genie,' zei Fox. 'Letterlijk. Dat lieve gezichtje aan flarden gereten, alsof iemand er een scheermes op had losgelaten. En om het helemaal af te maken, was het geheel in toiletpapier gewikkeld. Ik wil jullie eetlust niet bederven, maar het was geen schoon toiletpapier. Dat is nou de aantrekkelijke kant van het werk.'

Milo zei: 'Die foto was voor ons bedoeld. Het gelukkige gezinnetje.'

Reed zei: 'Nu heeft ze hem niet meer nodig. Want... Ach, jezus. Van de familie Vander is al twee weken niets vernomen.'

Fox pakte nog een chapati. 'Maar wacht, er is meer. We gaan voor de hoofdprijs. Omdat die wanbetalende trut me niet lekker zat, besloot ik haar te volgen. De eerste dag deed ze de gebruikelijke rijkeluismeisjesshit. Winkelen, een massage, nog meer winkelen. Merkwaardig zorgeloos voor iemand die beweert dat ze zich zorgen maakt om haar familie. De tweede dag begon op dezelfde manier. Neiman Marcus, een wandelingetje naar Two Rodeo, sieraden bij Tiffany, Judith Ripka, ze kocht een zonnebril bij Porsche Design. Vervolgens reed ze twee straten – want het is een typisch L.A.-meisje – naar een kantoorgebouw op de hoek van Wilshire en Canon. Volgens het bord in de lobby is dat het advocatenkantoor van haar vader. Dezelfde lui die ze tegenover mij zwartmaakte, en vervolgens gaat ze bij ze langs. Ik zat aan de overkant van de straat te wachten. En toen ze naar buiten kwam, vertrok ze niet in haar BMW. Ze zat als passagier in een Mercedes, en een of andere vent zat achter het stuur. Ze reden naar het Peninsula Hotel, Simones vriend gaf de portier een fooi die kennelijk zo groot was dat de auto voor het gebouw mocht blijven staan. Twee uur later kwamen ze met zijn tweeën naar buiten met die halfgare, niet langer geile, blik. In de tussentijd had ik het kenteken van de Mercedes laten nagaan – vraag me niet hoe, oké?'

Milo zei: 'Stel je voor.'

Fox zei: 'Blijkt het Alston Weir te zijn, de jurist. Zo'n inhalige klootzak die ze van haar leven niet zou vertrouwen. Maar ondertussen is hij wel haar lunch- en neukmaatje.'

Reed zei: 'Is Weir kaal?'

'Zou je denken, Moses? Is er een andere goede reden waarom hij zichzelf een groot, lelijk, pisgeel neptapijtje zou aanmeten? Alsof het carnaval is. Een blonde ragebol. Wat ik zo gek vind is dat de vent zich prima kleed. Een kostuum van Zegna, een Ricci-stropdas. Magli-schoenen. Zo'n outfit en dan verpest hij het allemaal met een beroerde pruik. Dat snap je toch niet.'

'Misschien heeft hij een overontwikkeld zelfbeeld,' zei Milo.

'Wat houdt dat in?'

'Hij denkt dat hij veel aantrekkelijker is dan hij in werkelijkheid is, vanwege alle siliconen in zijn gezicht.'

Fox fronste zijn wenkbrauwen. 'Ja, dat ook. Dus jullie weten dit allemaal al? Ik heb dus net voor nop een cliënt aan de dijk gezet?'

Geen reactie.

'O, geweldig. Jullie laten mij lekker lullen en zeggen zelf niks.'

Tegen zijn broer: 'Vermaak je je, Moses?'

Reed glimlachte. Maar er lag geen ironie, geen wrok in zijn blik. Misschien juist iets wat op broederlijke genegenheid leek.

'Wat?' wilde Fox weten.

'We wisten wel íéts, Aaron. Maar jij hebt er een heleboel meer van gemaakt.'

Met zijn vieren verlieten we het restaurant. Fox en Reed liepen naast elkaar, bijna in gesprek met elkaar. Maar geen van beide broers nam het voortouw.

Milo zei: 'Heb je toevallig Simones vuilnis bewaard, Aaron?'

'Je mag blij zijn dat ik een beetje een hamsteraar ben, Milo. Dat kan Moses beamen. Zijn kant van onze kamer was een tempel, die van mij was een en al speelgoed.'

Reed zei: 'Een en al rotzooi.'

Fox zei: 'Moet ik het laten halen of zal ik het komen brengen.'

'We komen wel naar jou toe, Aaron. En bedankt.'

'Ik moest wel, dat meisje is ellende. Is er een kans dat je mijn rol stil kunt houden?'

'We doen ons best.'

Fox frunnikte aan zijn pochet en tuurde naar zijn Porsche. 'Nee, dus.'

Milo zei: 'Je weet hoe dat gaat, Aaron. Het hangt ervan af

hoe de zaak zich ontwikkelt. Maar doe ons een lol en laat dat geld van Simone nog even rusten.'
'Hoe lang?'
'Tot het niet langer een kwestie is.'
'Nooit, dus.'
'Tot het niet langer een kwestie is, dus.'
'Nu klink je echt als een inspecteur.'

Het kostte enkele seconden om Alston 'Buddy' Weirs rijbewijs op te vragen. Vijfenveertig jaar, blond, blauwe ogen, een oranjebruin dik gezicht dat op sommige plekken te strak stond en op andere vocht tegen de zwaartekracht.
De verveelde, arrogante blik van een man die wel iets beters te doen heeft dan te poseren voor een administratief medewerker. Niemand had getwijfeld aan de authenticiteit van het haar van de pruik.
Geen strafblad, maar twee jaar geleden was er bij de orde van advocaten een klacht tegen hem ingediend wegens verduistering die nog in onderzoek was.
Het kostte meer dan een uur om Chance Brandt te vinden.
We vonden de jongen uiteindelijk in het huis van een vriend van hem, een zekere Bjorn Loftus, in Westwood.
De ouders waren op vakantie, dikke suv's op de oprit, en vanuit de deuropening kwamen knalharde muziek en marihuanawalmen terwijl Bjorns mond open zakte.
Hij bazelde wat ongeloofwaardige leugens totdat Milo zei dat hij Chance onmiddellijk naar de voordeur moest laten komen.
Beide jongens kwamen even later naar buiten gestommeld.
Chance grijnsde. 'Alweer?'
Reed zei: 'Herken je deze man?'
'Ja, dat is hem.'
'Wie?'
'De vent die die envelop aan Duboff de rukker gaf.' Hij wiegde zijn hoofd heen en weer en wachtte op de lach die niet kwam. Chance' blik werd wazig.
'Zet je naam onder de foto,' zei Milo.
Chance' handschrift was onleesbaar en Reed liet het hem nog een keer doen.

Bjorn Loftus begon dom te giechelen. 'Nu moet je getúígen, man.'

Chance zei: 'Echt niet.' Hij keek ons aan ter bevestiging.

Milo zei: 'Je hoort nog van ons.'

'Hoor je dat, man? Je hoort nog van ze, man.'

Chance zei: 'Niet als ik dat niet wil, man.' En daarmee dook hij weer naar binnen.

Bjorn zei: 'Man.'

Milo bekeek de ondertekende foto. 'Mijn kop knalt uit elkaar. Tijd voor wat Advil en een pas op de plaats. Eens kijken wat we wel en niet weten.'

Ik zei: 'Mijn huis is hier tien minuten vandaan en ik heb ijs voor die nek van je.'

'Ik zei mijn kop, niet mijn nek.'

'Ik heb het over die whiplash doordat er zo met je gesold wordt.'

Hij en Reed moesten lachen. 'Ja, laten we maar naar het Witte Huis gaan. Hij heeft een mooi huis, Moses. En een schattige hond. Misschien dat zij me kan vertellen hoe het zit.'

'Ik heb nog een ander lokkertje,' zei ik. 'Ter waarde van vijftienduizend dollar.'

36

Reed en Milo gingen op de leren bank zitten. Zonder op en neer te wippen.

Blanche ging bij Milo op schoot zitten. Ze glimlachte; hij zag het niet.

Alle ogen waren op het geld gericht.

Reed vroeg: 'Wanneer heeft Reynolds je dat gegeven?'

'Gisteren,' zei ik. 'Ik wilde het jullie vertellen toen Aaron binnenkwam.'

Milo zei: 'Vijftienduizend dollar krijg je niet voor een picknick. Misschien is het tijd om de antropologen erbij te halen.

En de kadaverhonden.' Blanche spitste haar oren. 'Niet persoonlijk bedoeld.'

Reed zei: 'Zouden Weir en Simone Duboff hebben omgekocht om toegang te krijgen tot de westkant om iets akeligs te doen? Hij komt erachter en wordt vermoord?'

'Ik betwijfel of hij het wist, anders had hij wel moord en brand geschreeuwd,' zei ik. 'Maar ze konden niet riskeren dat hij erachter kwam.'

'Die vent kon doen wat hij wilde in het moeras, dus als iemand het zou ontdekken, was hij het wel. Stel dat hij er toch achter is gekomen en heeft geprobeerd er een slaatje uit te slaan.'

Milo zei: 'Een seriemoordenaar afpersen is behoorlijk stom. Een ontmoeting in het donker, nota bene. Ik denk dat de verleiding precies was wat Duboff te horen kreeg: ik heb iets waar je een held mee wordt. En de beller was geloofwaardig, want hij kende het geheime deel van het moeras.'

Reed dacht na. 'Dat klinkt logisch, inspecteur. Duboff nam Reynolds mee omdat hij geen problemen verwachtte. De vent zag zichzelf zo ongeveer als moerasgod. Maar wat Aaron ook heeft gevonden, daarmee gaat Huck nog niet vrijuit.'

'Klare taal, rechercheur Reed. Goed, ik zal eens kijken of ik die voetafdrukanalyse erdoorheen kan jagen.'

'Huck is degene die gevlucht is, inspecteur. Hoe meer ik erover nadenk, des te logischer klinkt het dat ze er alle drie bij betrokken zijn.'

'De drie kwalijke musketiers? Waarom zou Simone Aaron dan inhuren om Huck in de gaten te houden?'

'Zij en Weir hebben Huck gebruikt, maar waren al die tijd al van plan om hem te dumpen.'

'De zwakste schakel,' zei Milo. 'Problemen met Justitie, een drugsverslaving, hoerenloperij. Ja, dat klinkt logisch.'

Ik zei: 'De vermoorde hoertjes zouden kunnen betekenen dat ze de moorden op Huck hebben afgestemd omdat ze wisten dat hij een hoerenloper was.'

'Het bloed in het afvoerputje kan echt zijn, of expres daar achtergelaten zijn,' zei Reed. 'Hoe dan ook, hij komt nog steeds verdacht over.'

'En dat brengt ons op een ander punt,' zei Milo. 'Als hij onbelangrijk is, is het geen goed idee om hem de kans te geven ervandoor te gaan.'

Reed staarde hem aan. 'Denkt u dat ze dat niet gedaan hebben en dat we een dode najagen?'

'Of Huck is een eenzame psychopaat en Simone is toevalligerwijs een boos meisje met een neiging tot liegen.'

Reed zei: 'Haar familie doodsteken? Haar broers gezicht toetakelen? Dokter?'

Ik zei: 'Het is explosieve woede en de familie wordt vermist.'

Milo zei: 'Akkoord, laten we er even van uitgaan dat Simone, Weir en Huck samenzweren. Het voor de hand liggende motief zou zijn de familie Vander uit de weg te ruimen.'

Reed zei: 'Een motief ter waarde van honderd miljoen? Welja.'

'Hoe passen die vrouwen in het moeras daar dan bij?'

Ik zei: 'Zoals we al eerder zeiden, afleidingsmanoeuvres. Als de familie Vander zou worden gevonden zonder enige context, zou de aandacht direct naar het geld zijn gegaan. Met onwelkome aandacht voor Simone als enige overlevende. Maar als Huck vóór die tijd als lustmoordenaar zou worden gepakt, zouden de Vanders worden gezien als zijdelingse slachtoffers... slachtoffers van de laatste destructieve daad van een psychopaat. Dat past bij de manier waarop de misdrijven in scène zijn gezet: de andere lichamen waren verborgen zodat Selena's lichaam als eerste zou worden gevonden en zij ons naar de familie Vander kon leiden.'

'Die opslagruimte,' zei Reed. 'Al die bordspelen. Iemand speelt echt een spelletje met ons.'

Milo zei: 'Het feit dat die botten in zwavelzuur zijn gelegd en zijn geprepareerd betekent dat de dader de tijd heeft genomen voor het vermoorden van de andere vrouwen, dat ze misschien ergens opgeslagen hebben gelegen en vervolgens in een bepaalde volgorde zijn gedumpt.'

Reed zei: 'Voor hetzelfde geld hebben ze in droogijs in die opslagruimte gelegen.'

Ik zei: 'Een vraagje: de kale slechterik. Huck of Weir zonder pruik?'

Milo vroeg: 'Heb je daar zelf nog bepaalde ideeën bij?'

'Zou beide kunnen. Maar twee mannen die toevallig kaal zijn, kan deel uitmaken van het complot tegen Huck.'

'Zoals Nguyen al zei, Alex, kaal is niet zo vreemd. Maar hoe meer ik erover nadenk, des te waarschijnlijker is het dat Huck, in elk geval ten dele, gebruikt is als onnozele hals. Als Huck een stel mensen heeft vermoord en slim genoeg was om geen sporen achter te laten, waarom zou hij er dan vandoor gaan en zichzelf zo verdacht maken?'

Ik zei: 'Misschien was zijn angst sterker dan zijn gezond verstand. Of hij kreeg in de gaten dat Weir en Simone van plan waren hem om te leggen. Er stond zoveel geld op het spel, dat hij toch wel moet hebben beseft dat hij geen gelijkwaardige partner was.'

Reed zei: 'Ja, drieëndertig miljoen is wel veel voor wat loopwerk. Maar hij ging erin mee omdat moorden zijn hobby is.'

'Of Simone heeft hem verleid.'

'Nog een triootje?'

'Waarom niet?' zei ik. 'Maar Huck had eindelijk door dat ze hem niet nodig hadden en is ervandoor gegaan. Misschien kwam hij erachter dat Aaron hem onderzocht. Of hij werd zenuwachtig toen júllie onderzoek op gang kwam.'

Milo zei: 'Simone komt met een prachtig verhaal voor Aaron: Huck is een vreemde vent, ze is altijd al bang voor hem geweest. En Huck helpt zichzelf niet door daadwerkelijk een vreemde snoeshaan te zijn.'

'Het zou me niets verbazen als zijn lijk op een strategisch moment opduikt... op het eerste gezicht een zelfmoord, vergezeld van een keurig briefje met een bekentenis en een tip waar de familie Vander ligt begraven. Zo worden een heleboel zaken tegelijkertijd gesloten en is Simone een van de rijkste meisjes in L.A.'

Milo wreef over zijn gezicht. 'Honderd miljoen. Hele oorlogen zijn gevoerd over minder.'

Reed zei: 'Als Huck op de vlucht is geslagen, moeten Weir en Simone wel door het lint gaan.'

Ik zei: 'Misschien heeft Simone daarom die foto vernietigd.'

Milo zei: 'Een lage frustratiedrempel.'

'In dat geval zijn zij en Weir druk bezig met plan B. Dump

alle bewijsmateriaal tegen hen, en maak wat leuks van de zaak tegen Huck.' Mijn hoofd begon te bonken. 'Dáárom moest Duboff dus dood. Hij kon Weir in verband brengen met het moeras.'

Reed zei: 'Jezus, die lui komen van een andere planeet.'

Milo zei: 'We vergeten iets. Als Huck dood was, zou Wallenburg hem niet beschermen.'

Ik zei: 'Misschien denkt ze dat hij nog leeft. Iedereen kan een sms'je versturen.'

'Wie is dan de familie Adams bij wie ze langsging? Enge, verknipte mensen die Wallenburg toevallig kent? Zet die computer van je eens aan, Alex.'

Reed was een stuk sneller op het toetsenbord dan Milo en hij kende de toegangscodes. Binnen enkele seconden had hij de gemeentelijke gegevens op het scherm.

Anita Brackle, geboren Loring, was twee jaar geleden voor de derde keer getrouwd.

Een burgerlijk huwelijk in het gerechtsgebouw in Van Nuys. De gelukkige bruidegom was ene Wilfred Eugene Adams, een zwarte man van tweeënzestig, woonachtig in Mar Vista.

Zijn naam leverde drie arrestaties op wegens rijden onder invloed, de laatste veroordeling dateerde van zes jaar geleden.

Reed zei: 'Waarschijnlijk weer een afkickliefde.'

Milo zei: 'Laten we maar eens gaan kijken.'

'Stellen we de honden en de antropologen nog even uit?'

'Helemaal niet. Bel dokter Wilkinson maar.' Hij glimlachte even. 'En als je toch bezig bent, laat haar ook de westkant van het moeras controleren.'

Reeds mond viel open.

Milo zei: 'Dat hoort erbij, jongen.'

'Wat?'

'Lange perioden van futiliteit, afgewisseld met momenten van ergernis.'

Reed belde terwijl Milo en ik in de ongemarkeerde auto zaten te wachten. Toen hij terugkwam, had hij een verslagen blik op zijn gezicht.

Milo zei: 'Misschien heeft ze zijn uitnodiging voor een twee-
de afspraakje afgewezen.'
De jonge rechercheur stapte in.
'Alles goed, Moses?'
'Ze was er niet, ik heb een bericht ingesproken.'
'Zit je ergens mee?'
'Sms'en, daar had ik aan moeten denken.'
'Wat, omdat jij van de technogeneratie bent en ik uit de tijd
van paard en wagen stam en zojuist afscheid heb genomen
van mijn Betamax?'
'Wat is dat?'
'Een soort lange autoantenne.'

Op de oprit van Wilfred en Anita Loring Brackle Adams' bun-
galow stond een Dodge-busje. Als Wilfred thuis was, liep hij
er niet mee te koop. Anita's stem klonk als een drilboor die
dwars door de gesloten voordeur ging.
'Ga weg.'
'Mevrouw...'
'Ik doe de deur niet open en u kunt me niet dwingen.'
Voor de vierde keer herhaalde ze haar mantra.
Milo zei: 'Dan komen we terug met een gerechtelijk bevel.'
'Dan moet u dat maar doen.'
Milo drukte lang op de bel. Toen hij losliet, hoorde hij Ani-
ta Adams lachen. Als ijsklontjes in een glas.
'Vindt u de situatie grappig, mevrouw?'
'U bespeelt de bel als een soort hersenspoeltactiek. Misschien
moet u van die knalharde rapmuziek door de straat laten
schallen. Eens kijken hoe blij de buren daarmee zijn. Vooral
als blijkt dat u geen gegronde reden had...'
Milo en ik liepen terug naar de auto. Haar honende opmerkingen waren op straat nog bijna hoorbaar.
'Charmante dame,' zei hij. 'Goh, ik wou dat ze mijn moeder
was.'
We gingen weer in de auto zitten en keken naar het kleine
houten huisje. Ik dronk koude koffie en Milo sloeg een blikje Red Bull achterover. Vijf minuten later belde hij Moe Reed.
Liz Wilkinson was met drie stagiaires van het bottenlab op

weg naar de westgrens van het moeras. Omdat er niet genoeg daglicht meer was, was een uitgebreide zoektocht niet mogelijk, maar ze zouden een kort onderzoek doen. Wilkinson had geopperd een helikopter in te zetten en honden waren ook prima.

Van de schoenafdruk was nog niets bekend.

Milo hing net op toen er een auto achter ons tot stilstand kwam.

Een staalgrijze Maybach. Debora Wallenburg stapte uit en keek eerst naar links en naar rechts voordat ze op de ongemarkeerde auto afliep. Een mantelpakje van Chanel, zilvergrijs haar strak naar achteren, veel glimmende diamanten.

'Hebt u genoeg van de Chevrolet, raadsvrouwe?'

Wallenburgs gezicht vertrok even, maar ze herstelde zich snel. 'U volgt me. Wat alleraardigst.'

'Hebt u uw ongrijpbare cliënt onlangs nog gesproken?'

Wallenburg begon te lachen. 'En het bandje begint te spelen.'

'Het grappige is dat u dit als geleuter ziet, raadsvrouwe.'

'Ik zie het als een absurd schouwtoneel.'

'U beweert zo op Huck gesteld te zijn. Dan zou ik toch verwachten dat u dit serieus zou nemen.'

'Uw zogenaamde zaak.'

'De dood van uw cliënt.'

Wallenburgs wangen trilden. Door haar ervaring in de rechtszaal kwam haar reactie wat later. 'Waar hebt u het over?'

'Wanneer hebt u die goeie ouwe Travis voor het laatst daadwerkelijk gesproken?'

Wallenburg duwde een heup naar voren in een poging ontspannen te lijken. De trekjes rond haar ogen verpestten haar optreden.

'Dat dacht ik al,' zei Milo.

'Is dit het moment waarop ik door uw listige opmerkingen cruciale informatie eruit flap, inspecteur?'

'Het is het moment waarop ik u zeg dat ik weet dat Huck niet heeft gebeld, maar dat u een sms'je hebt gekregen en ervan uitging dat het van hem afkomstig was. Neem me niet kwalijk, raadsvrouwe, misschien ligt het aan de leeftijd. Digitale naïviteit.'

'U bent gek,' zei Wallenburg.

'Eerder beledigd.'

'Ik bedoel dat u geestelijk gestoord bent.'

'De belediging is aangekomen, wordt verwerkt en zal binnenkort uitgescheiden worden.'

'Mijn enige cliënten om wie u zich zou moeten bekommeren zijn meneer en mevrouw Adams,' zei ze. 'Zij verzoeken u om hen niet langer lastig te vallen.'

'Ik dacht dat u bedrijfsjuriste was,' zei Milo. 'Hoe komt het dat u nu opeens weer een paar alcoholisten uit de arbeidersklasse verdedigt die Huck toevallig kennen uit de ontwenningskliniek?'

'Aha,' zei Wallenburg. 'En zo gaan we over op een klassenstrijd en het beledigen van mensen die de moed hebben hun leven te beteren.'

'Mijn vader was fabrieksarbeider en ik heb in mijn tijd wat drinkers gekend, maar het gaat hier niet om politiek, het gaat hier om moord.'

Wallenburg zei niets.

'Ach,' zei Milo, 'wat zijn een paar gewurgde vrouwen met afgehakte handen voor een rechtszaalveteraan als uzelf?'

'Dat is weerzinwekkend.'

'Het punt is,' zei Milo, 'dat u zich niet eens als goede advocaat gedraagt. Ik zie uw cliënt niet als de hoofddader. Ik denk dat hij gebruikt en afgedankt is. Het is in ons beider belang om de ware daders te pakken te krijgen.'

Debora Wallenburg schudde het hoofd. Diamanten oorbellen zwierden heen en weer. 'Dat is onzin.'

'Bewijs het maar. Als Huck nog leeft, zorgt u ervoor dat hij zich meldt. Als hij meewerkt, blijft iedereen vriendelijk.'

Wallenburg klakte met haar tong. 'Hopeloos. Valt u de familie Adams niet langer lastig. Het zijn goeie mensen en u hebt geen reden om ze te treiteren. Ik heb gehoord dat de juridische kosten van de politie schrikbarend zijn gestegen.'

'Op welke gronden?' vroeg Milo.

'Ik verzin wel iets.' Wallenburg draaide zich om.

'Wat zijn jullie toch een merkwaardige mensen,' ging Wallenburg verder. 'Bij jullie is alles oorlog.'

'Op zijn minst een gewapend conflict. Bewijst u maar dat Huck nog leeft door hem naar het bureau te brengen.'
'Hij is onschuldig.'
'En hoe weet u dat...?'
Wallenburg wilde weglopen.
'Timing is het sleutelwoord. Als we een huiszoekingsbevel voor dit adres hebben, is niet te zeggen wat we vinden.'
'U leeft in een fantasiewereld. Hoezo geen gronden?'
'Bewaar dat maar voor rechter Stern.'
'Lisa en ik zijn studiegenoten.'
'Dan weet u precies hoe ze over de rechten van slachtoffers denkt. En wat ze vindt van advocaten die zich willen bemoeien met dingen die hen niets aangaan.'
Wallenburg liet een keurig verzorgde nagel over haar lippen glijden. 'Wat bent u toch een aardige man.'
Ze stapte in de Maybach en scheurde weg.
Ik zei: 'Wanneer heb jij rechter Stern gebeld?'
'Twee jaar geleden, geloof ik,' antwoordde hij. 'Een schietpartij tussen twee bendes, een uitgemaakte zaak, snel geregeld.'
'De wetenschap van oorlogvoering.'
'Tasten in het duister, zal je bedoelen.'

Om 16.47 uur stopte er een schoolbus voor het huis. Een blond meisje in een rood t-shirt en spijkerbroek en met gympen aan stapte uit en liep naar de deur. Ze was een jaar of tien, slank, en had spichtige benen die wankelden onder een enorme rugzak.
'Baby Brandeen.' Ik zei het meer om de klank te horen dan om Milo te informeren.
'Daar krijg ik nou tranen van in mijn ogen. Ze groeien zo snel op.'
Voor het meisje bij het huis was, ging de voordeur open. Een kleine, dikke, grijze vrouw stak haar hand uit en trok het meisje naar binnen. In plaats van de deur dicht te doen, nam ze de tijd om boos onze kant op te kijken. Er verscheen een lange, zwarte man met baard achter haar. Een wantrouwige blik, zelfs op die afstand.
Wilfred Adams zei iets tegen zijn vrouw.

Ze deed een pas naar achteren, stak een middelvinger naar ons op en sloeg de deur dicht.

Milo zei: 'Misschien leeft Huck nog, want ze beschermt duidelijk íéts.'

Zijn telefoon ging weer. Moe Reed meldde zich voor de tweede keer vanaf de westkant van het moeras. Geen tekenen dat er ergens was gegraven, maar dezelfde speurhond als de vorige keer was aanwezig en leek 'geïnteresseerd'.

'Het is hier mooi,' zei Reed. 'Het heeft iets paradijselijks.'

Milo zei: 'Zorg dat je de slang vindt.'

Hij stak een sigaar op en had net twee trekjes genomen toen Debora Wallenburgs Maybach vanuit noordelijke richting op ons af kwam scheuren. De auto kwam naast ons tot stilstand. Een getint raam gleed geruisloos omlaag.

Wallenburg droeg haar haar los. Ze had haar make-up opnieuw aangebracht, maar kon de vermoeidheid er niet mee verbergen.

'U hebt me gemist,' zei Milo.

'O, ik kwijnde helemaal weg. Misschien kunnen we dit tóch in goed overleg doen, maar om te beginnen wat basisafspraken: ik weet dat de wet toestaat dat u tegenover een verdachte als een geniepige klootzak alles bij elkaar liegt. Maar ik zou u willen aanraden dat niet bij een advocate te doen.'

'Over welke cliënt hebben we het dan?'

'Ik verwacht dat u eerlijk tegen me bent.'

'Ik ben een en al oprechtheid.'

'Wat u daarstraks zei... Dat u Travis niet als hoofddader ziet. Was dat onzin?'

'Nee.'

'Ik meen het, inspecteur. Ik wil uw garantie dat we binnen dezelfde context werken. Bovendien mag er absoluut geen harde aanpak plaatsvinden.'

'Hard in welke zin van het woord?'

'Arrestatieteams en dat soort onzin, vernieling van eigendommen, een klein kind angst aanjagen. In ruil daarvoor beloof ik u volledige openheid.'

'Met betrekking tot wat?'

'Dat kan ik op dit moment niet zeggen.'

Milo blies een rookkringel uit en daarna een tweede die de eerste doorboorde.

Debora Wallenburg zei: 'U zult me moeten vertrouwen.'

Hij liet zijn hoofd tegen de leuning zakken. 'Waar en wanneer?'

'Die details volgen. Mag ik ervan uitgaan dat dokter Delaware erbij aanwezig zal zijn?'

'Heeft Huck een psychologisch consult nodig?'

'Ik zou het plezierig vinden als hij erbij is. Kunt u zich daarin vinden, dokter?'

Ik was nooit aan haar voorgesteld. 'Prima.'

Ze zei: 'Mal Worthy, Trish Mantle en Len Krobsky zijn lid van dezelfde tennisvereniging als ik.'

Drie voorname advocaten gespecialiseerd in familierecht.

'Doe ze de groeten.'

'Ze zijn alle drie zeer over u te spreken.' En tegen Milo: 'Dat is dan geregeld. Ik bel nog.' Een trage knipoog. 'Misschien stuur ik wel een sms'je.'

37

Travis Huck zat te trillen.

Aderen kronkelden over zijn slapen, langs zijn haargrens, door de dikke zwarte stoppels aan weerszijden van zijn gezicht. Zijn diepliggende ogen staarden in de ruimte. Zijn wangen hadden uitgeholde helften meloen kunnen zijn. Zijn uitgezakte gezicht was een verhaal op zich.

Debora Wallenburg had een gloednieuw overhemd voor hem gekocht. Hemelsblauw, fris katoen, met de vouwen van de verpakking nog zichtbaar. Hij leek wel een gevangene die een pleidooi doet voor voorwaardelijke vrijlating.

Ze had haar bureau naar voren geschoven en had Huck en zichzelf als het ware achter de houten slagboom geplaatst. Mary Cassatts moeder en baby keken in contrast waardig neer. De sfeerverlichting die Wallenburg had geregeld slaagde er niet in haar cliënt tot rust te brengen. Hij schoof in zijn stoel heen en weer. Transpireerde.

Misschien zou hij er onder de tl-verlichting van een verhoorkamer nog slechter uitzien. Misschien zou het niet uitmaken. Het was vier uur 's morgens. Om kwart over twee had een sms'je van Wallenburg Milo wakker gemaakt en twintig minuten later had hij mij gebeld. De verlaten straten maakten van het ritje naar Santa Monica een sprint. Op een streepje licht op de bovenste verdieping na, was Wallenburgs kantoorgebouw een granieten spade die een sterrenloze hemel uitgroef.

Toen de ongemarkeerde wagen in de buurt van de ondergrondse parkeergarage kwam, ging er een glazen scheidingswand open en kwam er een bewaker in uniform naar buiten. 'Legitimatie, alstublieft.'

Milo's penning was precies wat de man had verwacht. 'De lift is die kant op, u kunt overal parkeren.' Hij gebaarde naar een zee van lege plaatsen. De enige auto die er stond was een koperkleurige Ferrari.

'Haar sportwagen,' zei Milo. 'Ik hoop dat dit geen spelletje is.'

Op de achterbank onderdrukte Moe Reed een gaap en wreef hij in zijn ogen. 'Ik heb wel zin in een potje.'

Debora Wallenburg legde haar hand even op die van Huck. Hij trok hem weg. Ze ging rechtop zitten. Grijze haren op hun plaats, make-up tot in de puntjes verzorgd, diamanten. Haar zelfvertrouwen wankelde alleen even toen ze naar Huck keek. Hij zat in zijn eigen wereldje, had nog geen oogcontact gemaakt.

Wallenburg zei: 'Neem de tijd, Travis.'

Een minuut ging voorbij. Nog een halve. Moe Reed sloeg zijn benen over elkaar. Alsof de beweging hem aanwakkerde, zei Huck: 'De enige die ik heb vermoord is Jeffrey.'

Wallenburg fronste haar wenkbrauwen. 'Dat was een ongeluk, Travis.'

Huck hield zijn hoofd schuin alsof deze karakterisering hem beledigde. 'Ik denk veel aan Jeffrey. Eerder kon ik dat niet.'

Ik zei: 'Eerder...'

Huck haalde snel adem. 'Ik verkeerde in een droomtoestand. Nu ben ik nuchter en wakker, maar dat is niet altijd... goed.'

'Te veel dingen om over na te denken,' opperde ik.

'Slechte dingen.'

'Travis,' zei Wallenburg.

Huck verschoof en kwam even met zijn gezicht in het licht. Zijn pupillen waren groot, zijn voorhoofd vettig. Hij had een soort uitslag bij zijn neus. Kleine pukkeltjes op een bleke huid.

'Ik heb last van boze dromen. Ik ben het monster.'

'Travis, jij bent allerminst een monster.'

Huck reageerde hier niet op.

'Hoe kun je je niet gebrandmerkt voelen als mensen je voortdurend veroordelen.' Ze deed alsof ze tegen hem praatte, maar sprak ondertussen de leden van de jury toe.

'Debora.' Zijn stem was niet meer dan gefluister. 'Je bent een zeldzame vogel die vrij rondvliegt. Ik weet niet wát ik ben.'

'Je bent een goed mens, Travis.'

'De gemiddelde Duitser.'

'Sorry?'

'De man in de menigte,' zei Huck. 'Ontspannen in zijn kostuum en zijn mooie schoenen, zich niet bewust van de stank.'

'Travis, we moeten ons richten op...'

'Dachau, Debora. Rwanda, Darfur, slavenschepen, Cambodja. De gemiddelde man zit in het café cake te eten. Hij weet hoe de wind waait, de stank waait in zijn gezicht, maar hij doet alsof. Jij kiest ervoor vrij rond te vliegen, Debora. De massa kiest een kooi. Ik kies een kooi.'

'Travis, dit is geen kwestie van oorlog en...'

Huck wendde zich tot haar. 'Dat is het wel, Debora. Oorlog zit in ons allemaal. Verover de roedel verderop, maak het dorp hiernaast met de grond gelijk, eet de jongen. In een goede wereld zou menselijkheid "niet dierlijk" betekenen. Jíj hebt ervoor gekozen om mens te zijn. Ik...'

'Travis, we zijn hier omdat jij ze moet vertellen wat je weet...'

'... heb de lucht geroken en werd vervuld met stank. Ik heb het laten gebeuren, Debora.'

Voordat Wallenburg kon reageren, zei ik: 'Jij hebt de moorden laten gebeuren.'

Huck sloeg zijn handen op het bureau alsof hij ging vallen. Lange, knokige vingers drukten op het leer, lieten een spoor van zweet achter. Hij duwde zijn hand tegen een ingezakte wang.

Wallenburg zei: 'Travis, je had helemaal niets te mak...'

'Ik had het kunnen stoppen. Ik verdien het niet om te leven.' Hij stak zijn vuisten uit, klaar voor de boeien. Debora Wallenburg duwde een hand naar beneden. Huck verstijfde.

Ik zei: 'Wanneer wist je het?'

'Ik... Er is geen begin,' zei Huck. 'Het was er gewoon. Hier. Hier. Hierhierhier.' Hij sloeg tegen zijn hoofd, zijn wang, zijn borst, zijn buik. Met elke klap sloeg hij harder.

'Je voelde dat er geweld in aantocht was.'

'Kelvin,' zei hij. Hij liet zijn hoofd zakken en mompelde tegen het leer. 'Ik ging vaak met hem wandelen. We zeiden niet veel, Kelvin is een stille jongen. Dan zagen we herten, hagedissen, adelaars, coyotes. Kelvin luisterde graag naar de oceaan, zei dat de oceaan een basso ostinato was, dat het universum neuriede als een gregoriaans gezang.'

Ik zei: 'En Kelvin is...'

Huck staarde me aan.

Ik zei: 'De familie is dood.'

Huck begon wild te snikken. Een snor van snot vormde zich op zijn scheve lippen. Debora Wallenburg gaf hem een zakdoekje en toen hij het niet pakte, veegde ze zelf zijn gezicht schoon.

Ik zei: 'Hoe weet je dat?'

'Waar zijn ze?' jammerde hij.

'Heb je geen idee waar ze zijn?'

'Ik dacht dat ze van ze hield, ik dacht dat ze tot liefde in staat was.' Hij vouwde een hand open alsof hij aan het bedelen was. Zijn handpalm was schoongeschrobd, zijn nagels kort gekloven. Toen hij zijn hand omdraaide, zag ik littekens op zijn knokkels, glimmend en wit. Oude brandwonden, zo te zien.

Ik zei: 'Wie bedoel je met "zij"?'

Geen antwoord.

'Wie, Travis?'

Hij zei het geluidloos. Het geluid volgde later, alsof het digitaal vertraagd was. 'Simone.'

Moe Reed kneep zijn ogen samen. Milo had zijn ogen dicht en zijn handen lagen op zijn buik. Een terloopse voorbijganger zou denken dat hij sliep, maar ik wist wel beter; hij snurkte niet.

Ik zei: 'Jij zegt dat Simone de familie Vander heeft vermoord.'

Bij elk woord zat Huck te trillen.

'Is dat een theorie, Travis? Of weet je het zeker?'

'Het is niet... Ik weet... Van wat ze... Ik dacht dat ze kwetsbaar was, niet... Omdat ze zichzelf píjn deed.'

'Hoe deed ze zichzelf pijn?'

'Wonden die je niet kunt zien, tenzij... Het is een geheim spel.'

'Simone snijdt zichzelf.'

Hij knikte. 'Ze proeft haar eigen bloed.'

'Toen we bij haar waren, had ze geen zichtbare wonden...'

'Ze kiest geheime plekjes.' Hij haalde een tong over zijn lippen.

'Hoe weet je dat?'

Zijn hoofd schoot naar voren. Een koud, rauw geluid kwam over zijn op elkaar geklemde lippen.

Ik zei: 'Jij en Simone hadden een intieme relatie.'

Een verstikte lach. Hij hield zich weer aan het bureau vast. 'Een belachelijke droom. Zij had andere ideeën.'

Wallenburg spoorde hem aan. 'Vertel ze precies wat je mij over haar hebt verteld, Travis.'

Stilte.

'Vertel ze hoe ze je heeft verleid, Travis.'

Huck schudde verwoed zijn hoofd. 'Dan klinkt het romantisch. Het was niet romantisch, het was een... een... een...'

'Zég het ze, anders doe ík het.'

Huck zei op smekende toon: 'Debora.'

'Ik heb ze gezegd dat je ze de feiten zou geven, Travis. Ze geloven je niet zonder feiten.'

Er gingen enkele momenten voorbij. Huck zei: 'Ik... het... Ze kwam langs. Bij het grote huis. Er was niemand thuis. Ik keek vaak naar haar. Omdat ze zo mooi is. Uiterlijk. Ik kon natuurlijk niet met haar praten, want zij is de dochter, ik ben de ingehuurde kracht. Maar zíj begon met míj te praten. Het was alsof ze me vanbinnen kende. Bij haar had ik het gevoel alsof er een raam openging.'

Ik zei: 'Gemakkelijk voor haar.'

Hij knikte. 'Ze maakte zichzelf klein, we keken naar de oceaan. Ze kwam naar mijn kamer. Legde haar hoofd op mijn... Ze liet me haar wonden zien. Huilde in mijn overhemd. Het was een openbaring. De geografie van haar huid. Ik hield haar in mijn armen terwijl ze huilde.' Hij wreef over zijn glimmende knokkels.

'Je kende de geografie van haar huid.'

Hij staarde naar het leer.

'Voor haar zijn het messen, voor jou is het vuur.'

Een scheve glimlach. 'Ik had er behoefte aan om gestraft te worden.'

'In de gevangenis?'

'Daarna.' Hij wachtte tot Wallenburg hem bestraffend zou toespreken.

Ze zei niets.

'Het spijt me, Debora. Toen ik weer vrij was, kwamen er beelden van Jeffrey boven. Ik wilde je niet ongerust maken.' Tegen mij: 'Ik had er behoefte aan om íéts te voelen.'

Ik vroeg: 'Wat gebruikt Simone precies?'

'Alles. Scheermesjes, keukenmessen, een stanleymes. Ze heeft ook wapens, cadeautjes van Simon. Toen hij met Nadine trouwde, smeekte zij hem om zijn wapens het huis uit te doen. Simone bewaart ze voor hem, praat over ze, dure wapens. Ze stak soms de loop in haar mond, deed alsof... Ze stak haar vingers in haar keel om over te geven. Soms krijgt ze er zo'n zere keel van dat ze bloed braakt. Ze houdt van haar eigen smaak.'

Reed zuchtte zachtjes.

Milo bleef in elkaar gezakt zitten, haalde diep adem. Wallenburg keek naar hem en toen naar mij.

Ik vroeg: 'Wat ga je ons nog meer vertellen over Simone?'

Huck zei: 'De eerste keer dat ze me verse... stigmata noem-

de ze ze. Toen ze me die voor het eerst liet zien, nam ik haar in mijn armen. En toen... scheerde ze mijn hoofd kaal, zei dat ik haar priester was, dat ik mooie botten had. Ik dacht... Mijn droom was dat ik haar zou kunnen helpen.'
'Hoe lang hebben jullie een relatie gehad?'
Hij wierp een blik omhoog, waarna zijn ogen weer naar voren schoten. 'Een eeuwigheid.'
Ik zei: 'Iets concreter graag.'
Debora Wallenburg zei: 'Twee maanden. Er kwam een half-jaar geleden een eind aan.'
'Klopt dat, Travis?'
Hij knikte.
'Hoe kwam je erachter dat Simone niet de persoon was die je dacht dat ze was.'
'Ik stalkte haar.'
Reed trok zijn schouders op.
Milo verroerde zich niet.
Wallenburg zei: 'Slechte woordkeus. Hou je bij de feiten, Travis.'
Huck zei: 'Ik heb haar gestálkt, Debora.'
'Je maakte je zorgen en bent haar in de gaten gaan houden.'
Ik zei: 'Je bent Simone gaan volgen.'
'Ik had haar een week lang gebeld, maar kreeg geen reactie. Ik wist niet wat ik moest denken. De laatste keer dat we samen waren geweest, had ze... lieve dingen gezegd. En toen opeens niets meer? Ik was bang dat ze misschien gewond was. En toen dacht ik dat ze misschien wáchtte. Op een spontane actie van mij. Ze had wel eens gezegd dat ze spontaniteit opwindend vond, dat ik me moest ontspannen. Ik was bang te... improviseren. Verrassingen zijn niet... Ik hou daar niet van. Simone wist dat ik niet graag van het stramien afwijk. Dus moest het een verrassing worden.'
'Je bent een keer spontaan naar haar huis gegaan.'
'Eén keer maar.'
'Wanneer?'
'Drie maanden geleden,' zei Wallenburg.
Huck zei: 'Simon en Nadine en Kelvin waren dat weekend in Ojai omdat Kelvin Nikrugsky wilde ontmoeten... de com-

ponist. Het was stil in huis, Simone belde maar niet terug. De stilte werd... Oude verlangens kwamen terug.'

'Naar hitte en pijn.'

'Ik pakte lucifers. Stak ze aan, maar verbrandde mezelf niet. Toen heb ik een sponsor gebeld. Daar heb ik een tijdje mee gepraat, maar niet over wat er echt in me omging. De stilte werd steeds luider. Ik zei tegen mezelf: ga, ga, ga, doe spontaan. Ik ben toen naar Malibu Canyon gereden, heb bloemen geplukt, maakte er een boeket van, bond ze samen met een stukje touw, schonk grapefruitsap in een wijnfles, deed er een lint om... zwart, haar lievelingskleur. Ik had wat kaakjes meegenomen uit de voorraadkast. Twee dozen. Havershams, uit Engeland, met het predicaat 'koninklijk'. Simone eet niet veel meer dan kaakjes, maar als ze ze eet... Ik heb wel eens gezien dat ze zo twee dozen naar binnen werkte. Later... spuugde ze ze weer uit. Dan bloedde haar keel en leek het net aardbeienpap.'

Ik zei: 'Dus je ging naar haar huis.'

'Het moest een liefdevolle verrassing zijn. Ze deed niet open toen ik aanklopte. Ik liep achterom, want Simone is graag buiten. Wat voor weer het ook is. Dan doet ze haar kleren uit... Buiten snijdt ze zichzelf ook. Er zitten vlekken op haar meubels. Teakhouten meubels. Het is een kleine achtertuin, overwoekerd, een steile heuvel achterin, een klein tuinhuisje waar ze slaapt. Voordat ik er was, hoorde ik het. Simone en iemand anders. Mijn hersenen begrepen het, maar mijn benen liepen verder. Ik vond een goed plekje. Keek. Zonder reden, want ik wist al hoe het zat...'

Hij haalde diep adem en keek naar het plafond.

Ik zei: 'Wat zag je?'

'Ze likten elkaar. Als katten. Verzorgden elkaar, likten, likten, verzorgden.' Hij maakte zijn lippen vochtig. 'Likten, gromden. Lachten, zeiden vieze dingen.'

'Simone en...'

Het bleef lang stil.

'Wie was er bij haar, Travis?'

'Die pruik.'

'We moeten een naam horen, Travis.'

'Hij,' zei Huck. 'Die-pruik-die-grijns-Weir-de-advocaat. Een nachtmerrie. Ze had me verteld dat ze hem haatte, dat hij corrupt was, van Simon stal, dat ze het Simon ging vertellen, dat ík het niet moest doen, dat zíj het zou doen, dat de hel zou losbarsten, dat ze die klootzakken eens een lesje zou leren, en dat we dan vrij zouden zijn...'

'Maar in de achtertuin...'

'Zaten ze elkaar te likken. Geen haat. Alleen de haat die ze deelden.'

Ik zei: 'Ze deelden haat.'

Stilte.

'Voor wie, Travis?'

Hucks ademhaling versnelde. Zijn ogen schoten heen en weer.

'Voor wie, Travis?'

'Likken, lachen, dat walgelijke woord.'

'Welk woord?'

'Spleetoog.'

'Nadine?' vroeg ik. 'Omdat ze Aziatisch is?'

'Ze spuugden het woord uit alsof het kots was: spleetgeile spleetzuiger, spleetneuker. Spleetoog takkewijf, spleetogengebroed.' Zijn gebalde vuisten maakten van zijn brandwonden glimmende parels. 'Mijn hoofd... Toen ik dat hoorde, wilde ik mezelf verbranden. Ging naar huis, pakte een doosje lucifers. Legde ze in water. Belde nog een sponsor.'

Tranen sprongen in zijn ogen. 'Ik heb het Simon nooit verteld.'

'Simone haat haar familie.'

'Erger dan haat,' zei Huck. 'Het... Ze... Er is geen woord voor.'

'Heeft Simone ooit laten merken dat ze het vervelend vond dat Simon hertrouwde?'

'Nee, nee, nee, nee, integendeel. Ze híéld van Nadine. Nadine was slim, stijlvol, beeldschoon, helemaal niet zo als haar eigen moeder. Ik ken Kelly, Kelly is een goed mens, maar ze was er niet voor Simone. Goed, dat begreep ik wel, dat begrepen we allemaal, maar...'

'Simone zei dat ze van Nadine hield.'

'Ze zei dat ze wou dat Nadine haar had opgevoed. Ze omhelsden elkaar, kusten elkaar, Nadine behandelde Simone als een zus. Als Simone bij hen kwam, speelde ze met Kelvins haar. Prachtig haar, zei ze altijd. Dan kuste ze hem op beide wangen. "Zo schättig, Travis. Een geníé, ik hóú van hem, Travis. Góúden handjes, ik hóú van hem, Travis."'

'Gouden handjes.'

'Gouden, diamanten, platinum, magische handen. Ze zei dat zijn muziek pure liefde was en dat zijn handen de ziel beroerden.'

'Die dag in de achtertuin was er geen liefde.'

'Mijn wereld stond in brand,' zei Huck. 'En ik kroop terug in mijn kooi.'

Wallenburg zei: 'Je hebt niets tegen de familie Vander gezegd omdat je geen bewijs had. Niemand zou je geloven.'

Huck glimlachte. 'Bezwaar verworpen.'

'Travis...'

'Ik heb niets gezegd omdat ik een lafaard ben.'

'Dat is absurd, Travis. Je hebt meer moed dan de meeste mensen bij elkaar.'

Ik zei: 'Misschien heeft ze gelijk.'

Moe Reed trok een wenkbrauw op. Milo had zich nog steeds niet verroerd.

Ik zei: 'Het was een moeilijke keus, Travis. De steenpuist opensnijden in de hoop dat je de pus kon ontwijken, of bidden dat het bij woorden bleef.'

'Smoesjes,' zei Huck. 'De gemiddelde Duitser.'

'O, verdorie nog aan toe, Travis,' zei Wallenburg. 'We zijn hier niet om kosmisch en filosofisch te doen, dit zijn juridische kwesties. Jij kon absoluut niet weten wat ze van plan waren en je had ook geen enkele verplichting bekend te maken wat je had gehoord.'

Milo deed één oog open. 'Tenzij hij er iets mee te maken had.'

Wallenburg zei: 'O, alsjeblieft. Ben je de afgelopen tien minuten überhaupt wakker geweest?'

'O, ja. Heb een mooi verhaal gehoord.'

Travis Huck zei: 'Het is logisch, Debora. Ik heb iemand vermoord, ik betaal voor seks...'

'Stil, Travis!'

Ik zei: 'Laten we het eens over de andere slachtoffers hebben.'

Huck zei: 'Drie vrouwen.'

'Sheralyn Dawkins. Lurlene Chenoweth. DeMaura Montouthe.'

Geen teken van herkenning. Geen enkele reactie.

Huck zei: 'Ik zag het op tv. Toen ben ik gevlucht.'

'Waarom toen?'

'Om wat ze voor hun werk deden. Ik bezoek zulke vrouwen. Ik begon het gevoel te krijgen dat ik ze kende. Misschien heb ik echt iets gedaan.'

'Heb je iets gedaan?'

'Soms weet ik niet goed wat ik doe.'

Ik herhaalde de namen.

Hij zei: 'Nee. Ik geloof het niet.'

Wallenburg klemde haar kiezen op elkaar. 'Travis. Míj... heb... je... iets... anders... verteld.'

'Deb...'

Reed haalde drie politiefoto's tevoorschijn.

Huck bekeek ze lange tijd. En schudde toen zijn hoofd.

Wallenburg zei: 'Hij heeft er niets mee te maken. Hij raakte in paniek en is toen gevlucht.'

Ik vroeg: 'Heb je ooit een vrouw opgepikt in de buurt van het vliegveld?'

'Nee.'

'Als je een vrouw zoekt, waar ga je dan naartoe?'

'Sunset Strip.'

'Waarom niet naar het vliegveld?'

'Ik moet dicht bij huis blijven, voor het geval Simon en Nadine me nodig hebben.'

'Waarvoor?'

'Boodschapjes, eten halen... Soms heeft Nadine 's avonds laat trek. Soms haal ik een cd voor Kelvin bij Tower Records aan Sunset. Vroeger. Die is er niet meer, nu ga ik naar Virgin.'

Beide winkels lagen op enkele minuten afstand van de plaats waar Reed prostituees had gevonden die Huck kenden.

'Vierentwintig uur per dag beschikbaar,' zei ik.

'Dat is mijn werk.'

'Wist Simone dat je regelmatig naar de hoeren ging?'

Een flauwe glimlach, amper te zien.

'Is het grappig?' vroeg Reed.

Huck schrok op. 'Nee, maar het was niet regelmatig, meer zo nu en dan.'

Ik zei: 'Wist Simone dat?'

'Ik heb het haar verteld.'

'Waarom?'

'We waren aan het praten. Deelden duistere dingen.'

'Jullie deelden geheimen.'

'Ja.'

'Wat voor duistere dingen vertelde Simone?'

'Dat ze haar eigen bloed proeft. Dat ze behoefte heeft aan gevoel. Het volmaakte lichaam wil, maar zich altijd dik voelt, haar spiegelbeeld haat, alleen maar vetranden ziet.'

'Wat heb je haar over de prostituees verteld?'

'Ik zei dat er vóór haar alleen maar zulke vrouwen waren. Ik zei dat bij haar zijn zoiets was als een maanlanding.'

'Nieuw leven.'

'Een nieuw universum.'

'Dus toen je haar samen met Weir zag...'

Huck sloeg zijn handen ineen. 'Alles stortte in.'

Ik wierp een blik op Milo. Die zat weer met zijn ogen dicht.

'Travis, vertel eens iets over Silford Duboff.'

Een wazige blik. 'Wie?'

'De man die voor het Vogelmoeras zorgt.'

'Ik ben nog nooit in het Vogelmoeras geweest.'

'Nog nooit?'

'Nooit.'

Ik herhaalde Duboffs naam.

Huck zei: 'Moet ik die kennen? Sorry.'

'Laten we eens praten over iemand die je wel kent. Selena Bass.'

Huck leek voorbereid op die vraag. 'Door Selena wist ik het zéker.'

'Wist je wat zeker?'

'Dat Simones haat niet alleen bij woorden bleef.'

'Je dacht dat Simone Selena had vermoord.'

'Selena kwam via Simone.'

'Hoe bedoel je?'

'Simone had haar gevonden. Zei dat ze het voor Kelvin deed. Simone introduceerde Selena in huis.'

'Ze vond een lerares voor Kelvin.'

'Een vriendin die... nee, maar... ook een pianogenie is en een lerares.'

'Simone noemde Selena een vriendin.'

'Ze deden alsof ze vriendinnen waren.'

'Hoe ging dat?'

'Vrolijke, magere, giechelende meisjes,' zei Huck. 'Met van die lage spijkerbroeken.'

'Hoe weet je dat ze geen vriendinnen waren?'

'Dat vertelde Simone me. Later. Ze zei dat ze Selena op een feest had horen spelen. Selena had magische handen, gouden handen net als Kelvin, ze zou perfect zijn voor Kelvin. Kelvin had een chagrijnige, oude leraar, wilde met zijn lessen stoppen. Simone vertelde Selena dat ze goed geld kon verdienen. Ik had moeten weten dat er meer achter zat.'

'Wat dan?'

'De eerste keer had ik net boodschappen gedaan en kwam Simone aanrijden met een ander meisje in de auto. Ze zaten te giechelen. Ik ging naar binnen. Zij niet. Toen ik naar buiten kwam om de rest van de boodschappen uit de auto te halen, zaten ze naar de oceaan te kijken. Hand in hand. En Simones hand gleed naar Selena's... kont.'

'Selena en Simone hadden een seksuele relatie.'

'Misschien.'

'Dat was voordat jij en Simone een relatie kregen.'

'Ja.'

'Je stelde geen vragen.'

'Waarover?'

'Simones seksuele voorkeur.'

Hucks ogen spuwden vuur. 'Het kon me niets schelen.'

Ik zei: 'Later, toen jullie een relatie kregen, vertelde Simone je dat ze Selena op een feest had ontmoet.'

Een knik.

'Wat zei ze over dat feest?'

'Het was gewoon een feest.'

'Thee met gebak?'

Stilte.

Hij zei: 'Later kreeg ik een vermoeden.'

'Wat voor vermoeden?'

'In de achtertuin... na het likken... stond hij op en Simone ging op haar rug op de teakhouten bank liggen en...' Hij huiverde. 'Ze had een scheermesje. Hij kwam terug, proefde haar. Hij had dingen bij zich. Touw... kralen... grote, plastic kralen... Ik draaide me om, wilde het niet zien, maar ik kon ze horen. Hij zei: "Tijd voor een feestje." Zij zei: "Gouden handjes. Schatje. We hebben alleen nog haar en de piano nodig."'

Huck schudde het hoofd; zweet landde op het bureau. Debora Wallenburg zag het, liet de druppel liggen.

Ik zei: '"Tijd voor een feestje." Met andere woorden...'

'Selena hield van dezelfde dingen.' Hij keek naar mij alsof hij een bevestiging zocht.

'Toen je hoorde dat Selena was vermoord, ontwikkelde je een theorie over wat er met haar was gebeurd.'

'Een gevoel.'

'Toen we naar het huis kwamen en je over Selena vertelden, heb je niets over dat gevoel gezegd.'

'Ik was... Ik wilde niet... Ik raakte in de war. Uiteindelijk werd het duidelijk en kreeg ik dat gevoel. Ik wist niet wat ik moest doen.'

Zonder zijn ogen open te doen, zei Milo: 'Je had kunnen bellen.'

Wallenburg zei: 'En wat had hij moeten zeggen? Het was een gevoel.'

Milo schonk haar een vaderlijke glimlach. 'Bij dit soort mysteries, raadsvrouwe, nemen we genoegen met alles wat we kunnen krijgen.'

'Ja, vast. U had hem nooit geloofd.'

Huck zei: 'Ik was van plan het Simon te vertellen. Als...'

Ik vroeg: 'Als wat?'

'Als ik het iemand zou vertellen.'

Reed zei: 'Als. Het langste woord in het woordenboek.'

'Ik heb erover gedacht,' zei Huck. 'Om het Simon te vertellen. Maar ze is zijn dochter, hij houdt van haar. Ik doe de klusjes.'

'En dus heb je niets gedaan,' zei Reed.

'Nee, ik... ik heb hem gebeld, wilde zijn stem horen. Misschien kon zijn stem me zeggen wat ik moest doen. Maar hij nam niet op. Ik bleef het proberen. Hij nam niet op. Ik heb ge-e-maild. Hij reageerde niet. Ik heb Nadine ge-e-maild, zij reageerde niet. Toen begon ik me zorgen te maken. En toen werden die andere vrouwen... Dat hoorde ik en ik zei tegen mezelf: "Dat zijn de vrouwen waar jij bij komt."'

Ik zei: 'En dus sloeg je op de vlucht.'

'Ik heb iemand vermoord, ik betaal voor seks. Ik kende Selena. Alle anderen zijn rijk.' Hij wendde zich tot Wallenburg. 'Je had gezegd dat ik terug moest komen, maar ik luisterde niet.'

'Travis, dit is geen kwestie van...'

Milo kwam overeind, liep naar het bureau en richtte zijn blik op Huck.

'Is dat het hele verhaal?'

'Ja.'

'Heel vermakelijk.'

'Stop me terug in een kooi. Ik verdien wat u me wilt geven.'

'O, ja?'

Wallenburg schoot overeind, stak haar arm tussen Huck en Milo. 'Dat was geen bekentenis.'

Milo zei: 'Selena, de hoertjes, allemaal doorgestoken kaart om jou erin te luizen. Komt dat even mooi uit.'

'Alsjeblieft zeg, ziet u het dan niet?' vroeg Wallenburg. 'Op het eerste gezicht is hij de perfecte zondebok.'

'Op het eerste gezicht?'

'Kijk dan eens wat beter: een man die onterecht in de gevangenis is beland, maar geen wrok koestert. Die verder een volkomen geweldloos leven heeft geleid... die nota bene een báby heeft gered.'

'Ik heb haar niet gered, Debora. Ik heb haar alleen van de stoep opgepakt en...'

'Hou je mond, Travis! Je hebt gezien hoe Brandeen naar je kijkt. Als jij haar niet had gevonden, was die schoft misschien teruggekomen om haar dood te slaan zoals hij haar moeder heeft doodgeslagen.'

'Debora...'

'Niks Debora, Travis. Het is hoog tijd dat jij eens voor jezelf gaat zorgen. Het was stom om te vluchten, het was stom om niet terug te komen toen ik je dat zei. En nu gedraag je je als een volslagen idioot.'

'Ik...'

'Het leven is klote, best, dat snappen we allemaal, Travis. Maar deze ramp is niet jouw schuld en als je je bij de feiten houdt, zal de politie je geloven.'

Ze keek naar Milo.

Hij zweeg.

Huck zei: 'Ik heb het allemaal laten gebeuren, Debora...'

'Je was hun loopjongen, Travis. Je bent geen kosmische waakhond. Als je iets negatiefs over Simone had gezegd, was je misschien ontslagen en had ze nog steeds vrij spel gehad om haar vader om haar vinger te wikkelen en haar plan door te zetten.'

'Over welk plan hebben we het dan?' vroeg Reed.

'Een plan van honderddrieëndertig miljoen,' zei Wallenburg. 'Dat meisje zou zich er nooit van hebben laten weerhouden. Nooit.'

Milo zei: 'Dat is een heel rond bedrag.'

Wallenburgs glimlach was ijskoud.

Milo zei: 'Als dat het geval is, hebben we het over een zeer goed voorbereid plan. Gedurende vijftien maanden prostituees vermoorden, ze in volgorde dumpen, alleen om de moord op de familie Vander een lustmoord te laten lijken?'

'We hebben het over een drijfveer van honderddrieëndertig miljoen, inspecteur. Door de moord op Selena viel de aandacht op de familie Vander, en daarmee kwam u bij Travis terecht. Door die drie vrouwen leek het alsof de moordenaar een psychopaat moest zijn. Die gluiperige trut heeft u Travis op een presenteerblaadje aangeboden. Met zijn achtergrond wist ze dat u oogkleppen op zou zetten.'

'Tjonge,' zei Milo, 'waar is de renbaan?'

'Honderddrieëndertig miljoen, inspecteur. Een jaar plannen lijkt me niet zoveel voor zo'n pot met goud.'

'Het zou een goeie film zijn.'

'Een Oscar voor de documentaire, inspecteur.'

'We moeten dit dus voor zoete koek aannemen vanwege meneer Hucks gevoel. Hier.' Hij wreef over zijn enorme buik.

'U moet het aannemen omdat het waar is en het logisch is, en omdat u geen greintje bewijsmateriaal hebt dat erop duidt dat Travis een gewelddadig man is.'

Milo grijnsde. Hij boog over het bureau en bracht zijn gezicht vlak bij dat van Huck.

Huck likte zijn lippen.

Wallenburg zei: 'Dat soort intimidatie is nergens goed voor.'

'Travis, je hebt leuke verhalen. Vertel me er nog eens een.'

'Waarover?'

'Het bloed dat we in het afvoerputje op je slaapkamer hebben gevonden.'

Hucks adamsappel ging op en neer. 'Ik... Misschien had ik een sneetje in mijn handen. Ik sta niet altijd even stevig op mijn benen. Door hoofdpijn. Misschien had ik een snee aan mijn hand en heb ik die schoongespoeld.'

'Heb je wondjes?'

Hij bekeek Hucks handen. 'Nee, schoon.'

Huck zei: 'Stop me maar in een kooi, het kan me niet schelen.'

'Wat voor bloedgroep heb je, jongen?'

'O-positief.'

'In het afvoerputje hebben we AB gevonden.'

Huck trok wit weg.

Milo legde zijn grote knuist over Hucks linkerhand. Hucks vingers klampten zich aan Milo vast als een klein kind dat geruststelling zoekt.

'Vertel ons eens over AB, jongen.'

'Simon,' zei Huck. 'Die bloedgroep komt niet veel voor. Hij wordt vaak gevraagd bloed te doneren.'

'Zo te zien heeft hij wat aan je wasbak gedoneerd. Vertel me nog eens iets, jongen.'

Wallenburg zei: 'Iemand die op zo'n uitgekookte manier mensen afslacht, zal er geen moeite mee hebben om opzettelijk bloed door iemands wasbak te spoelen. Simone had toegang tot het huis... Weir vast ook... Natuurlijk, gezien zijn relatie met Simone. Ze hoefde hem alleen maar een sleutel te geven en...'

Huck hield zich nog steeds aan Milo's hand vast, en stak zijn andere arm uit. 'Sluit me maar op.'

'Geen woord meer, Travis!'

Milo zei: 'Raadsvrouwe, zo te horen zijn we tot een soort overeenstemming gekomen. Sta op, jongen. We zullen je op je rechten wijzen en dan nemen we je in voorlopige hechtenis.'

'Dat lijkt me een goed idee,' zei Huck.

Wallenburg schoot weer overeind en legde haar handen op Hucks schouders. 'Wat is de aanklacht?'

'Om te beginnen een aantal moorden, daarna kijken we wel verder.'

Haar beurt om te trillen. 'Dit is een rampzalige vergissing.'

Reed zei: 'U bent wel erg op die man gesteld. Wat zie ik niet?'

Wallenburgs mond vormde een lelijk woord. 'Inspecteur, we hadden een expliciete afspraak...'

'Dat we zouden luisteren,' zei Milo. 'Dat hebben we gedaan en nu arresteren we hem.'

Wallenburg trok van leer. 'O, dat is echt geweldig, zo voorspelbaar... Ik beloof u dat het zinloos is, inspecteur. En u kunt er maar beter verdomd goed voor zorgen dat hem niets overkomt. Zodra u die deur uit gaat, begin ik met het schrijven van verzoeken.'

'Ik zou niet anders verwachten, mevrouw. Sta op, jongen.'

Huck gehoorzaamde.

'Loop naar deze kant van het bureau.' Hij haalde de handboeien tevoorschijn.

Wallenburg zei: 'Wordt hij ingeboekt in West-L.A. of op het hoofdbureau?'

'We houden hem voorlopig vast op bureau-West-L.A. totdat het juiste transport kan worden geregeld.'

'Alles volgens de procedures,' zei Wallenburg. 'Over gemiddelde Duitsers gesproken... Als u hem verdomme maar wel onder observatie houdt wegens risico van zelfmoord.'

'Ik ben toch al dood,' zei Huck.

Wallenburg hief haar hand op alsof ze hem wilde slaan. Ze staarde naar haar trillende vingers en liet haar arm toen vallen.
'Bedankt voor alles, Debora,' zei Huck.
'Jíj,' zei ze fel, 'bent een eersteklas lastpak.'

In de lift naar de ondergrondse parkeerplaats zei Huck: 'U had geen andere keus.'
Reed zei: 'Waarom loopt ze zo hard voor je?'
Huck knipperde met zijn ogen. 'Ze heeft me een keer verteld dat ze vrijwilligerswerk doet. In een asiel. Ze kan geen kinderen krijgen.'
'Ben jij haar kind?' vroeg Reed.
'Nee, maar als je een dier in het asiel redt, zei ze, dan ben je er verantwoordelijk voor.'
'Dus jij bent een van haar puppy's?'
Huck glimlachte. 'Misschien wel.'
De deur ging open. Milo pakte Huck bij de arm en duwde hem naar de auto. 'Wil je ons nog meer vertellen?'
'Ik dacht het niet. U gelooft me toch niet.'
'Leren ze je dat passieve gedrag in de ontwenningskliniek?'
Huck zuchtte. 'Het leven is lang geweest. Langer dan ik dacht.'
'Dus het is tijd om op te geven.'
'Als er iets moet gebeuren, doe ik het. Er is niets meer wat moet gebeuren.'
Ik zei: 'Dat is niet helemaal waar.'

38

Milo bracht Huck naar een lege verhoorkamer op bureau-West-L.A., hij nam zijn riem en schoenveters in beslag. Boekte hem niet in, nam geen vingerafdrukken en maakte geen politiefoto. Hij gaf hem een beker water, een ruwe deken en fouilleerde hem een tweede keer, wat niets opleverde.

De eerste keer in de gang bij Debora Wallenburgs kantoor had pluis, een uitgekauwde Bic, drie muntjes, een parkeerkaartje van het vliegveld en een geel memoblaadje met een adres aan Washington Boulevard opgeleverd.

'Wat is dit voor adres, Travis?'

'Een internetcafé.'

'In Mar Vista?'

'Ja.'

'Jouw link met de wereld.'

Stilte.

'Heb je geen contant geld?'

'Uitgegeven.'

'Debora zou het voor je aanvullen.'

Geen antwoord.

Milo zei: 'Je hebt weinig op zak, vriend.'

Schouderophalen.

'Waar is je legitimatie?'

'Die... ben ik kwijt.'

'Ja, vast.'

'U weet wie ik ben.'

'Dat is een feit.' Milo zwaaide met het parkeerkaartje. 'Hoort dit bij het controlestrookje dat we in Simons Lexus hebben gevonden?'

Huck zei: 'Het spijt me.'

'Wat?'

'Dat ik hem daar heb achtergelaten.'

'Om ons te misleiden. Een afgezaagde truc, vriend.'

'Sorry.'

'Jouw geniale idee of dat van Debora?'

Iets te snel: 'Van mij. Ik zal de wegsleepkosten betalen.'

Reed en ik keken door spiegelglas naar Milo die achter Huck stond en toen voor hem ging staan. Huck hield zich vast aan de rugleuning van de stoel.

'Ga zitten, Travis.'

'Het gaat zo wel.'

'Ga toch maar zitten.'

Huck gehoorzaamde.

'Wat wil je me nog meer vertellen, Travis?'

316

'Ik kan zo niets bedenken, meneer.'

Milo wachtte.

Huck zei: 'Echt niet.'

'Oké, blijf maar even zitten... Niet te koud?'

'Nee.'

'Als het koud wordt, heb je een deken.'

'Dank u.'

Milo liep de kamer uit en voegde zich bij ons in de aangrenzende ruimte. Er zat een melkachtige vlek aan de andere kant van de ruit; opgedroogd zweet of een ander lichaamsvocht. Precies ter hoogte van Hucks hoofd.

Man onder een wolk.

We keken hoe hij daar zat. Na een tijdje liep hij naar een hoek en ging liggen. Hij legde een arm over zijn ogen en maakte zich kleiner dan ik voor mogelijk had gehouden.

Moe Reed gaapte. 'Er gaat niets boven een actiefilm op de vroege morgen.'

Binnen enkele seconden hing Hucks mond open en lag hij te slapen.

Reed zei: 'Nogal relaxed voor iemand die zich zogenaamd zo schuldig voelt en er helemaal kapot van is.'

Ik zei: 'Of hij ontvlucht de realiteit.'

'Misschien is hij bedonderd, maar u denkt toch niet werkelijk dat hij brandschoon is?'

'Ik denk dat zijn hersenen anders werken.'

'Gaat het daar niet juist om, dokter? Dat hij gestoord is, makkelijk te manipuleren.'

'Ik weet dat de meest logische verdachte, meestal de dader is, maar de manier waarop we via jouw broer regelrecht naar Huck werden geleid, heeft me al die tijd dwarsgezeten. Hucks verhaal over Simones haatgevoelens jegens haar familie past bij de toegetakelde foto's die Aaron in haar vuilnis heeft gevonden. Haar leugen dat ze een hekel heeft aan Buddy Weir komt ook overeen met wat Aaron heeft gezien, evenals het feit dat Simone en Weir een relatie hebben.'

'Bloed en spelletjes,' zei Reed. 'Wat een relatie.'

Ik ging verder: 'Het weinige eten in Simones vuilnis past bij boulimia, en haar opvoeding en lichaamsgewicht ook. Hucks verhaal klinkt geloofwaardig. En zonder pruik zou Buddy Weir best de kale man kunnen zijn die Selena's huisbaas heeft gezien. Hij past ook beter bij de beschrijving van de charmante, dominante man van DeMaura Montouthe. Als hij haar bij een seksfeest heeft ontmoet, zijn ze daarna misschien uit geweest en wist hij op die manier waar Selena woonde, of hij kwam er via Simone achter. Het zou hoe dan ook makkelijk zijn geweest om aan haar computer te komen. En ervoor te zorgen dat hij de seksspeeltjes in haar la liet liggen.'

Reed zei: 'De kale man kan net zo goed Huck zijn geweest. De manier waarop hij over Selena praatte... giechelen met Simone, lage spijkerbroeken. Zo te horen zag hij ze allebei wel zitten. Zo'n vent kan het niet krijgen zonder ervoor te betalen en dan verschijnen er opeens twee van die sexy wijven en begint zijn fantasie op hol te slaan. Tot hij er niet meer tegen kan, en bám. En nog iets, dokter, hij laat zijn haar weer groeien. Een perfect plan als hij van plan was om weer te verdwijnen. En daar is hij goed in.'

'Maar hij heeft zich vrijwillig gemeld.'

'Omdat hij wist dat hij geen kant meer op kon.'

Ik zei: 'Hij zegt dat Simone zijn hoofd had kaalgeschoren. Een perfecte zet als ze een dekmantel voor Weir wilde hebben.'

Reed wreef over zijn stekeltjes. 'Hij zegt dat. Het hangt ervan af of we hem geloven.'

Milo zei: 'Weir draagt over het algemeen een pruik. Hij droeg hem ook toen hij Duboff omkocht.'

'En dat is nog zoiets,' zei ik. 'Die omkoopsom. Welk motief had Huck om Duboff te vermoorden? Toen ik Duboffs naam noemde, toonde hij geen enkel teken van herkenning, niets. Weir daarentegen heeft een connectie met Duboff... Hij is gezien op de parkeerplaats waar hij Duboff geld gaf. Dat moet wel zijn geweest om toegang te krijgen tot de geheime tuin.'

'Vijftienduizend dollar voor een paar picknicks en Duboff vindt het niet verdacht?'

'Dat is L.A.,' zei ik. 'De vipruimte. Weir past bij Duboffs

beeld van een belangrijke schenker: een advocaat uit Beverly Hills die milieudoelen steunt. Duboff dacht vast: die vent verdient goed en deelt zijn weelde. Gezien Duboffs karige budget was hij waarschijnlijk verrukt. En geneigd Weir te vertrouwen toen die zei dat hij iets had ontdekt over de moerasmoorden.'

'De westkant,' zei Milo. 'Akkoord, als we daar iets vinden, pas ik mijn mening aan.'

Reed zei: 'Precies. Tot die tijd, zet ik mijn geld op Huck.'

Ik zei: 'Ik kan me net zo goed vergissen, maar ik denk niet dat Huck dominant genoeg is. Als hij doet alsof, waarom verdraait hij de boel dan niet zo dat hij onschuldig lijkt. Als in: ik heb niks gezien. In plaats daarvan vertelt hij dat hij dreigend geweld zag aankomen, niets deed en zich nu schuldig voelt. Het was zo ongeveer een uitnodiging om hem te arresteren.'

Reed zei: 'Dat kan ook een list zijn. *Ne bis in idem*... Als we hem voortijdig aanklagen en Wallenburg speelt haar advocatenspelletjes en krijgt hem vrij, kan hij niet nog een keer aangeklaagd worden voor hetzelfde vergrijp.'

Milo keek naar de slapende Huck. 'Dat zie ik Wallenburg wel doen. Huck... Ik weet het niet. Hij is echt geen gladde kerel, Moe.'

'Ze heeft hem gecoacht, inspecteur.'

'Ongetwijfeld. Maar daar zit een grens aan. Die man heeft iets... Hij is jarenlang verdwenen, had ons veel langer kunnen ontlopen. De vraag is, geloven we dat Simone zo slecht kan zijn?'

Ik zei: 'Niet dat ik de psycholoog wil uithangen...'

Hij glimlachte. 'Maar...?'

'Een voorkeur voor pijn, zowel ontvangen als aandoen, past bij Simones aard.'

Reed zei: 'Ze snijdt zichzelf. Zogenaamd.'

Ze snijdt zichzelf, hongert zich uit, is opgegroeid met een zwakke moeder, had ambities die ze niet kon waarmaken. Dat kan hebben geleid tot een ernstig verwrongen lichaamsbeeld en een emotionele verdoofdheid. Soms hebben zulke mensen extreme prikkelingen nodig.'

'Geen pijn, geen genade?' vroeg Milo. 'We hebben het hier over enorme wreedheden, Alex.'

'Aaron heeft die foto gevonden.'

Reed mompelde: 'Het was een grote vergissing van haar om Aaron niet te betalen.'

Ik zei: 'Stel dat Simone Selena op een feest heeft ontmoet, overging op seksspelletjes met haar en Weir, en Selena uiteindelijk aan haar familie heeft voorgesteld. Misschien hielp ze aanvankelijk een vriendin aan een baan en kreeg ze daarmee ook nog eens lof van haar vader. Maar toen zij en Weir hun plan bedachten, werd Selena het volmaakte slachtoffer.'

Reed zei: 'Ze woonde alleen, had geen contact meer met haar familie, had zelf misschien wat geheimpjes... Ja, zou kunnen.'

'De moordenaar heeft Selena als lokmiddel gebruikt. De eerste drie lijken waren verborgen, maar dat van haar lag open en bloot en werd zelfs door middel van een anoniem telefoontje geopenbaard. Ik zou de telefoongegevens van Simone en Weir wel eens willen zien rond die periode. En die van Huck. Dat zou wel eens kunnen aantonen wie hier de kwaaierik is.'

'Hebben we gronden voor een gerechtelijk bevel?'

'Om acht uur bel ik John.'

Ik zei: 'De botten in de doos waren nog een aanwijzing. Als je ze niet had gevonden was er niets aan de hand en anders was het weer een stap verder in het spel.'

'En het spelen met lichaamsdelen was misschien wel leuk voor ze,' zei Milo.

'Dat ook.'

Reed zei: 'Jullie zeggen dus dat Selena min of meer een menselijke zaklamp was die ons naar de familie Vander leidde.'

'Die is verdwenen,' zei ik. 'In de tussentijd huurt Simone Aaron in om ons te vertellen over Huck.'

Milo zei: 'Wij hebben Huck in het vizier, beseffen dat de familie Vander wordt vermist en beginnen ons een psychopathische slachtpartij voor te stellen met Travis als Pol Pot. Hij werkt dat keurig in de hand door op de vlucht te slaan. Jezus, zelfs als hij nooit was gevonden, zou de verdenking niet op Simone en Weir zijn gevallen en had zij de honderddertig miljoen opgestreken.'

'Honderddrieëndertig miljoen zelfs,' zei Reed. 'Zulke bedragen kan ik me niet eens voorstellen.'

Ik zei: 'Wedden dat Simone dat wel kon? Zeker nadat Weir haar had ingelicht over de omvang van haar vaders bezit. Ik vermoed dat het plan ongeveer een jaar geleden is ontstaan... Misschien nadat ze DeMaura Montouthe hadden vermoord en gedumpt tijdens een sm-spelletje dat misliep. Dat leidde tot andere hoeren en zo vormde zich een patroon.'

Reed vroeg: 'Wie is de baas, Simone of Weir?'

'Dat weet ik niet. Voor Weir gaat het waarschijnlijk allemaal om het geld. Simone wil meer.'

Milo zei: 'Is honderddrieëndertig miljoen niet genoeg motief?'

'Jawel,' zei ik, 'maar wat het voor Simone pas echt bevredigend maakt, is het vernietigen van de concurrentie. De ultieme roof.'

'De indringster die haar klauwen in pappie en zijn geld zette.'

'En pappie zelf ook. Omdat hij haar in de steek had gelaten.'

'En Kelvin dan?'

'De concurrerende erfgenaam met veel te veel talent,' zei ik. 'Een genie dat concerten geeft terwijl Simone niet eens een baan weet te behouden. En dat brengt me op de afgehakte handen en de lichamen die met het gezicht naar het oosten lagen. In theorie mogelijk ook afleidingsmanoeuvres... de suggestie van een lustmoord. Maar waarom juist die kenmerken? Ze moeten wel symbolische waarde hebben.'

Reed zei: 'Kelvins gouden handjes.'

'Ik kan me voorstellen dat Simone daar nachtenlang in de kou over heeft zitten zieden. De rechterhand speelt de melodie, ze maakt een einde aan het concert.'

Reed zei: 'En met het gezicht naar het oosten, is kijken naar Azië, zoals u al zei.'

'Als Huck de waarheid heeft verteld, heeft Simones minachting een racistische ondertoon.'

Milo zei: 'Spleetoog. Hè, wat een leuk meisje, die Simone.'

Reed zei: 'Als u gelijk hebt en ze is de hele nieuwe familie aan het uitroeien, bestaat er dan een kans dat haar moeder hiervan weet?'

'Ik denk het niet. Kelly is een trieste persoon, maar in feite passief. En ze is dol op Huck.'

'Het boosaardige meisje,' zei Milo, 'met een hebberige advocaat als vriendje.'

'Een pleonasme,' zei Reed.

'Heb jij geen bewondering voor mevrouw Wallenburg, Moses?'

'Ik heb bewondering voor haar auto's. Hoe lang zou het duren voordat ze haar invloed aanwendt om Huck vrij te krijgen?'

'Als we hem voor meerdere moorden aanklagen, kan ze haar invloed wel vergeten, dan zit hij voorlopig vast.' Milo tuurde door het vuile spiegelglas. Hucks mond was dicht, maar hij had zich verder niet verroerd.

Reeds mobiel ging. Toen hij het nummer zag, lichtte zijn gezicht op. Hij onderdrukte de reactie en keek vervolgens bijna komisch serieus. 'Hoi... echt? Allemachtig... Ik schrijf het even op... Wat zeg je? O, ja. Daarna, ja goed.' Hij bloosde. 'Sorry?' Hij wierp een blik op Milo. 'Hangt ervan af wat de baas zegt... Eh, ik ook. Ja. Dag.'

Milo zei: 'Laat me raden. Dokter Wilkinson heeft goed nieuws voor ons, en ze wil weer Indiaas eten.'

Reed werd nog roder. 'Zij en de stagiaires waren vroeg, ze hadden lampen bij zich.' Hij trok wit weg. 'De honden hebben nog vier lijken gevonden, inspecteur.'

'Wie nog meer behalve de Vanders?'

'Twee volwassen leden van de familie Vander, plus twee stellen botten, erg verspreid, moeilijk te zeggen of ze in een bepaalde richting lagen, en de handen lijken intact. Waarschijnlijk vrouwen. Eén schedel heeft negroïde kenmerken, bij de andere is het niet duidelijk. Simon en Nadine waren makkelijk te identificeren. Nog geen verregaande staat van ontbinding, ze waren een heel eind verderop in het moeras gedumpt, maar lagen op de oever met hun kleren aan en hun portemonnees en tassen in de buurt.'

Hij haalde adem. 'Beide rechterhanden ontbreken en ze lig-

322

gen met het gezicht naar het oosten. Verder hebben ze nog kippenbotten gevonden en iets wat op oude aardappelsalade lijkt, koolsla. Waarschijnlijk is er echt gepicknickt.'

'Geen spoor van het kind,' zei Milo.

'Misschien kreeg iemand medelijden.'

'Of het tegenovergestelde, Moses.'

Reed huiverde. 'Een nog erger lot voor het jongetje met de gouden handjes? Allemachtig.'

'Kan het zijn dat zijn lichaam in het moeras ligt en gewoon nog niet is gevonden?'

'Ze zijn nog aan het zoeken, misschien wordt het wat makkelijker als het straks licht is. Ze hebben ook nog eenzelfde voetafdruk gevonden als de afdruk die dokter Delaware had beschreven en nog een paar andere van hetzelfde schoeisel... zo te zien een soort gymp, maar wel een ongewone, geen Amerikaans product, mogelijk niet in de databases opgenomen. Het lab heeft beloofd voor het einde van de dag uitsluitsel te geven.'

Ik bande beelden van Kelvin Vander uit mijn hoofd en zei: 'Dat de botten erg verspreid zijn kan erop duiden dat die twee lijken vóór de eerste drie kwamen. Het ontbreken van een handelsmerk suggereert dat Simone en Weir sm-spelletjes speelden en voor de lol hun slachtoffers wegwerkten. Toen ze eenmaal een ritme hadden gevonden, pasten ze hun methode aan voor een enorm financieel plan.'

Een beweging aan de andere kant van het glas leidde onze aandacht af. Huck had zich omgedraaid en lag nu met zijn rug naar ons toe. Nog kleiner opgerold, met zijn armen om zich heen geslagen.

Milo zei: 'Wat je in de garage zei, Alex... Misschien is er wel iets wat hij kan doen. Jij had toch burgerplicht in gedachten?'

'Als hij onschuldig is, is hij daar misschien wel toe bereid.'

'Is het zinvol om hem het nieuws over de familie Vander te vertellen? Om te kijken hoe hij reageert en hem extra motivatie te geven.'

'Niet als je hem serieus wilt gebruiken,' zei ik. 'Die emotionele vuurzee brengt te veel risico's met zich mee.'

Moe Reed zei: 'Willen we hém inzetten?'

Milo wees naar Reeds mobiele telefoon. 'Maak je klaar, Moses.'
'Wie moet ik bellen?'
'Je broer.'

39

Onderwerp: **j weet wel**
Tijdstip: 08:32 uur
Van: rivrboat38@hotmail.com
Aan: hardbod2673@tw.com

ik ben het. ik weet alles. kan een geheim bewaren. tegen prijs.

Onderwerp: **j weet wel**
Tijdstip: 08:54 uur
Van: rivrboat38@hotmail.com
Aan: hardbod2673@tw.com

ben j r niet? dan heb j nog n uur...

Onderwerp: **Antw: j weet wel**
Tijdstip: 09:49 uur
Van: hardbod2673@tw.com
Aan: rivrboat38@hotmail.com

waar ben j

Tijdstip: 09:56 uur
Van: rivrboat38
Aan: hardbod2673

niet interessant. stuur $50.000

Tijdstip: 10:11 uur

Van: hardbod2673
Aan: rivrboat38

geintje zeker

Tijdstip: 10:15 uur
Van: rivrboat38
Aan: hardbod2673

kan je niet horen lol. hoor wel spleetoog spleetneuker gouden handjes. plus pianomeisje en hoertjes, mij schuld geven. niet aardig. mmm... geen 50, doe maar 100.000.

Tijdstip: 10:18 uur
Van: hardbod2673
Aan: rivrboat38

wat?????

Tijdstip: 10:22 uur
Van: rivrboat38
Aan: hardbod2673

stelt niks voor met alle $$$$ die j straks vangt, kleingeld voor j. doe het!!!

Tijdstip: 10:28 uur
Van: hardbod2673
Aan: rivrboat38

moeten praten. geen mail

Tijdstip: 10:34 uur
Van: rivrboat38
Aan: hardbod2673

dacht t niet lol dan doe j 'tzelfde met mij? jij n pruik. heb j t nu door? ik weet alles.

Tijdstip: 10:40 uur
Van: hardbod2673
Aan: rivrboat38

j denkt iets te weten j weet niks. moet j zien. veilige plek voor
j. strandhuis?

Tijdstip: 10:46 uur
Van: rivrboat38
Aan: hardbod2673

ja vast, jouw terrein, schiet me gelijk neer

Tijdstip: 10:54 uur
Van: hardbod2673
Aan: rivrboat38

geen e-mail meer, delete alles met privacykeeper. waar zit j
i-cafe???

Tijdstip: 10:59 uur
Van: rivrboat38
Aan: hardbod2673

100. doof??? goed dan. 100. 100!!!

Tijdstip: 11:04 uur
Van: hardbod2673
Aan: rivrboat38

niet paranoïde. strandhuis oké, buiten, weids, mensen, wat
kan gebeuren?

Tijdstip: 11:08 uur
Van: rivrboat38
Aan: hardbod2673

laat hek open om 19.30!!! kom niet eerder dan 19.45 laat garagedeur open zodat k zie dat j r niet bent. pruik ook niet. eb is ± 20.00. kom naar kustlijn niet later dan 20.10 neem grote tas supermarkt mee. papier. wikkel $$$ in plastic tegen vocht. Alle $$$!!!!

Tijdstip: 11:12 uur
Van: hardbod2673
Aan: rivrboat38

50 kost tijd, maar kan lukken. zo niet, zelfde e-ml?

Tijdstip: 11:16 uur
Van: rivrboat38
Aan: hardbod2673

50? lol. 100. geen smoesjes.
Tijdstip: 11:21 uur
Van: hardbod2673
Aan: rivrboat38

zo ben je anders nooit. 60 meer gaat niet lukken. j doet vreemd. wat is r???

Tijdstip: 11:29 uur
Van: rivrboat38
Aan: hardbod2673

60 s niks. verdien meer. akkoord, wil hier weg wat r s? moet j dat vragen? lol. mega lol.

Tijdstip: 12:05 uur
Van: hardbod2673
Aan: rivrboat38

hier geen lol. maak me zorgen. pas op jezelf.

Tijdstip: 12:11 uur
Van: rivrboat38

Aan: hardbod2673

beste zorg s $$$. genoeg gepraat

Tijdstip: 12:14 uur
Van: hardbod2673
Aan: rivrboat38

praten helpt. alles komt goed. beloofd. alles oké tussen ons?

Cyberstilte.

40

Moe Reed legde het uit.
Aaron Fox luisterde vanachter een groot bureau van rook-
glas.
Het was doodstil in Fox' kantoor.
Milo had Reed opdracht gegeven de situatie in het kort uit
te leggen, misschien als onderdeel van de training van de jon-
gere rechercheur.
Of er bestond de mogelijkheid dat hij de broertjes aan het
praten wilde krijgen.
Speculeren had geen zin; hij zou het nooit toegeven.
Fox had geen enkele uitdrukking op zijn gezicht. Toen Reed
uitgesproken was, zei hij: 'Dat moordlustige rotwijf. Ik wist
dat ze niet veel goeds voorspelde, maar dat ze zo erg was...
Weet je zeker dat Huck het aankan?'
Reed zei: 'Nee, maar hij zegt van wel.'
'En dat is wat waard?'
'Meer hebben we niet, Aaron, en we zorgen dat we erbij zijn,
goed? Zij is degene die het strand voorstelde, en het is een
open plek.'
Fox zei: 'Het is er wel open, maar wat weerhoudt haar ervan
om hem het geld te geven en hem dan te laten volgen?'

'Als ze dat doen, zijn we er klaar voor.'

Fox duwde de kraag van een wit zijden overhemd omlaag. 'Een andere mogelijkheid is dat Weir op de veranda van het huis gaat staan met een geweer met nachtkijker en de arme vent neerhaalt. Als je de schoten laat samenvallen met de golf- slag, valt het geluid weg.'

Reed zei: 'We houden Weirs kantoor en huis in de gaten. Als hij zich daar vertoont, bekijken we de situatie opnieuw.'

Bovendien had Robin naar het kantoor van Weir gebeld, zo- genaamd als mogelijke cliënt. De secretaresse had haar valse naam genoteerd en verteld dat meneer Weir de hele dag ver- gaderingen had, maar dat ze ervoor zou zorgen dat hij het bericht kreeg.

Fox zei: 'Opnieuw bekijken als in afgelasten?'

'Opnieuw bekijken als in opnieuw bekijken.'

'La Costa is een privéstrand, Moses. Hoe kom je daar?'

Reeds nek zwol op. 'Wat ben jij opeens een doemdenker.'

'Ik ben een realist, broertje. Daar blijf je langer van leven.'

'We kunnen via de buren het terrein op. Onze uitkijkwagen staat aan de andere kant van de Pacific Coast Highway. Aan alles is gedacht. Dat is het plan, Aaron. Het is aan jou.'

Fox liet zijn vinger langs een zilverkleurige bureauklok glij- den. 'Het is al vier uur. Wie zegt dat Weir zich daar niet al heeft verschanst?'

Milo zei: 'We hebben het onder controle, Aaron.'

'Oké, oké... Toegang via de buren... en dat in Malibu. Jul- lie hebben de juiste vrienden, zo te horen. Iemand die ik ken?'

Reed zei: 'Iemand die dokter Delaware kent.'

Fox rekte zich uit. Zijn manchetknopen van onyx glommen. 'Misschien moeten dokter Delaware en ik elkaar maar eens wat beter leren kennen. Goed, ik zal de speeltjes pakken.'

Toen hij de kamer uit was, zei Milo: 'Mooie werkruimte, dit is beter dan de ambtenarij.'

De woning van Fox lag aan San Vincente in de buurt van Wilshire, de zuidhoek van Beverly Hills. Italiaans lederen zit- meubelen, wanden bedekt met donkergrijs vilt, chroom en koper en glas en kubistische litho's. Het gebouw was een flat uit de jaren twintig, een van de laatste overblijfselen uit de tijd dat het een rustige woonwijk was. Inmiddels deelde het gebouw de ruimte met bedrijfspanden.

Fox' werkkamer was vroeger een grote slaapkamer geweest. Groot en licht, met aan de achterkant uitzicht over een cactustuin. Geluiddicht materiaal onder het vilt. Het woongedeelte lag op de eerste verdieping, toegankelijk via een teakhouten wenteltrap, waarschijnlijk afkomstig van een oud jacht.

Reed zei: 'Hij schrijft vast het hele gebouw af. Aaron heeft zijn aftrekposten nodig.'

Fox kwam terug met een bruine suède koffer en ging weer achter zijn glazen bureau zitten. Hij haalde een zwart doosje ter grootte van een pakje sigaretten tevoorschijn en legde het neer, legde er een pen naast en daarna een piepklein wit knoopje aan een draadje en een plugje. Soortgelijke draden kwamen uit de andere voorwerpen. Het geheel zou in een broekzak kunnen passen.

Fox' bruine handen gleden over de apparatuur alsof hij een geestelijke was die de strijdkrachten zegent. 'Uw waren, heren.'

Milo zei: 'Dat is alles?'

'Plus mijn laptop. Daar komt het signaal op binnen; één druk op de knop en we hebben dvd's voor het nageslacht.'

'Heel leuk.'

'Ondernemingsgeest.'

Milo wees naar het kleine zwarte doosje. 'Dat is de ontvanger?'

'Zender en ontvanger,' zei Fox. 'Dit...' Hij wees naar het witte knoopje. '... is de camera. Vraag me niet wat het allemaal kost. We hebben het hier over *high-definition* infrarood dat door het donker snijdt alsof het boter is.' Zijn behendige vingers gleden naar de pen. 'Een heel aardige microfoon, maar eerlijk gezegd niet spectaculair. De fabrikant beweert dat hij een bereik van zeshonderd meter heeft, maar mijn ervaring is dat driehonderd meter dichter bij de waarheid zit en soms valt hij weg. De hightech business werkt al net als het Congres: ze beloven meer dan ze leveren. Voor het beste resultaat moet die verdachte van jullie niet meer dan drie meter bij haar vandaan staan. Ik heb nog een andere die iets betrouwbaarder is, maar die zit in de voering van een spijkerjasje en als hij hard genoeg omhelsd wordt, kan hij ontdekt worden.'

'Aan hoeveel snoeren zit onze verdachte vast?' vroeg Reed.

'De ontvanger zit in zijn broekzak, daar maken we een gat in en dan trekken we een snoertje omhoog naar de pen in zijn borstzak. Ik vervang een van zijn knopen met de mijne en plaats de camera. Kan een van jullie naaien?'

Stilte.

'Geweldig, dus ik ben de kleermaker. Zorg ervoor dat hij een overhemd met borstzak draagt en met knoopjes in de juiste kleur. En waag het niet om aan mij een overhemd te vragen. Er zijn grenzen.'

Reed zei: 'Hij draagt een blauw overhemd met witte knopen. Gloednieuw met de complimenten van zijn advocate.'

'Wallenburg,' zei Fox. 'Ik dacht dat zij bedrijfsjuriste was. Wat is haar band met hem?'

'Dat is ingewikkeld,' zei Milo. 'Heb je wel eens met haar samengewerkt?'

'Dat mocht ik willen. Hé, misschien kun je een goed woordje voor me doen als dit is afgelopen. Dan kan ze me zo'n Enron-Worldcomzaak toeschuiven.'

Reed zei: 'Als dit goed gaat, zal je bedoelen.'

'Ik hoop dat het goed gaat,' zei Fox. 'Maar de hardware is maar één deel. Je zit ook nog met de menselijke factor. Als ík met deze speeltjes bezig ben, heb ik alles in de hand. Dan draag ik ze zelf of een van mijn freelancers doet het. Mijn mensen zijn meestal acteurs. Jullie werken met iemand die psychische problemen heeft.'

'Hij is gemotiveerd,' zei Reed.

'Goede voornemens, en zo?'

Milo zei: 'De weg naar de hemel.'

'Als jij het zegt.'

Travis Hucks reactie op het plan had zijn houding veranderd. Zijn angst was verdwenen, waardoor er een glimlach rond zijn mond lag die de afhangende mondhoek bijna verdoezelde. Ik vroeg me af of zijn idee van de hemel ook een vroeg-

tijdige komst omvatte, maar ik zei niets. Wat had het voor
zin?

Aaron Fox zei: 'Je weet zeker dat ik alleen maar op mijn luie
kont moet zitten en de verbinding moet controleren?'

'Precies,' zei Milo.

'Hè, wat naar.'

'Als je actie wilt, kun je altijd terugkomen voor het echte werk.'

'Goh, dat ik daar zelf niet aan heb gedacht. Naar het geld
voor mijn tijd, om nog maar te zwijgen van de huur voor
mijn apparatuur, kan ik zeker fluiten?'

Milo zei: 'Het gebruik van de apparatuur wordt vergoed, des-
noods uit mijn eigen zak. En wie weet, als alles goed gaat,
krijg je misschien nog wel het geld dat Simone je verschuldigd is.'

'O, dat krijg ik zeker,' zei Fox. 'Hoe dan ook.'

41

19.50 uur, La Costa Beach, Malibu.

De wereld lijkt samengedrukt te zijn, de grenzen zijn de zwarte randen van een laptopscherm van negentien inch.

Een groen-met-grijze wereld, gekleurd door infraroodverlich-
ting. Op de achtergrond slaan de golven in een traag, bijna
sensueel, ritme op het strand.

Een man staat bewegingloos aan de kustlijn.

Ik zit aan een lange, oude, vurenhouten tafel. Ik kan schuin
op het scherm meekijken. Milo zit er recht voor, drukt zo nu
en dan zijn neus tegen het scherm, leunt dan naar achteren
en drinkt nog wat Red Bull.

Aaron zit links van hem. Hij neemt bescheiden, bijna beval-
lige slokjes uit een zelf meegebracht flesje Norwegian Fjord
Spring Water. Tussendoor kauwt hij op kaneelkauwgum.

Moe Reed staat in een hoek en kijkt naar de oceaan.

Het is een schraagtafel van ruim twee meter, vol knoesten en
krassen die eruitzien alsof ze er met opzet in gemaakt zijn. Hij

vult bijna de gehele eetkamer van een pand, tien huizen ten noorden van wijlen Simon Vanders strandstulpje. Net als het huis van de familie Vander is het een niet al te groot hoekig pand met één verdieping op verweerde, met creosoot behandelde palen dat een bedrag met zeven nullen waard is. In tegenstelling tot Vanders met hout bedekte bungalow, zijn deze muren blauw gestuukt, en hebben ze koperkleurige, roestwerende dubbele kantelramen. Het ziet er vanbinnen gezellig uit onder een plafond van balken. Inclusief een geluidsinstallatie en televisie van concertgebouwkwaliteit. De muren zijn spierwit gestuukt en hier en daar hangt kunst waarvan mensen zeggen dat hun eigen kind het gemaakt zou kunnen hebben.

De meubels lijken hier niet bij te passen. Ze stammen nog uit het vorige leven van het huis als 'landelijk strandhuisje'. Op een vaal machinaal gemaakt oosters tapijt, dat enigszins zurig ruikt van de schimmel, staan rotan en rieten meubelen en grove houten stukken, waarvan er veel lijken op de afgedankte stukken van een tweedehandswinkel. De keuken is amper groot genoeg voor twee. Een roestvrijstalen koelkast en een paarse granieten aanrecht doen overdreven aan.

Vanavond doet de inrichting er niet toe. Ik vermoed dat zoiets er nooit toe doet als de westwand bestaat uit glazen schuifdeuren die een fantastisch uitzicht bieden op de Grote Oceaan.

De deuren staan open, de oceaan roept en ik zie een glimp van sterren boven de overdekte veranda.

Mijn blik glijdt weer naar het scherm.

De miniatuurwereld beweegt traag. Ik laat mijn vinger over het gladde, met was behandelde oppervlak van de tafel glijden. Mooi. Misschien is hij echt 'gered' uit een klooster in Toscane, zoals de huidige bewoonster beweert.

Ze is de zus van de eigenaar en maakt gretig gebruik van zijn goedheid. Haar broer is een Britse rockster, bezig met een reünietournee door Europa. Moe Reed was ervan onder de indruk dat ik dit huis had gevonden, maar eigenlijk gaat de eer naar Robin, die jaren geleden aan de gitaar van de ster heeft gewerkt, toen hij haar rekening nog in termijnen moest voldoen.

Het strandhuis is een van vier andere woningen in zijn on-roerendgoedportefeuille: Bel Air, Napa, Aspen en een op-trekje in The San Remo aan Central Park West in New York. De zus is de drieënvijftigjarige Nonie, naar eigen zeggen 'pro-ductieassistente', die niet de moeite neemt ons haar achter-naam te zeggen, alsof we dat niet verdienen. Lang en wit-blond en gebruind; de blouse die tot haar middel komt, laat een navel zien die nooit gepiercet had mogen worden. Ze doet haar best dertig te lijken, heeft al jaren niets anders gedaan. Haar houding is aanmatigend helder; een politieman is niet veel meer dan schoonmaker en Milo, Reed, Fox en ik zou-den elke tien seconden moeten knielen voor het privilege dat we gebruik mogen maken van haar geleende ruimte.

Haar broer zou haar kille houding niet waarderen. Hij noem-de haar 'een ondraaglijke klaploopster' toen Robin hem in Lissabon belde en haar onmiddellijk toestemming gaf om het huis te gebruiken.

'Dank je wel, Gordie.'

'Het klinkt spannend, schatje.'

'Hopelijk niet.'

'Wat... o ja, natuurlijk. Hoe dan ook, je kunt het huis ge-bruiken zolang je maar wilt. Fijn dat je het brug-element van de Telecaster gepolijst hebt. Ik heb er net voor achtenzeven-tigduizend mensen op gespeeld en hij zóng.'

'Hartstikke goed, Gordie. Zeg jij tegen Nonie dat we komen?'

'Heb ik al gedaan, en ik heb ook gezegd dat ze mee moet wer-ken. Als ze moeilijk doet, zeg je maar dat ze altijd terug kan naar haar eigen kansloze onderkomen.'

Ondanks Gordies telefoontje kiest Nonie ervoor om chagrij-nig te zijn. Milo kiest een diplomatiekere aanpak dan Gordie heeft voorgesteld en luistert geduldig terwijl Nonie namen van beroemde mensen laat vallen, haar haar naar achteren werpt, cognac drinkt en zielige pogingen doet om mee te lif-ten op de roem van haar broer.

Als ze even zwijgt om adem te halen, begint hij een gesprek over de tafel uit Toscane en complimenteert hij haar zonder overdrijven met haar goede smaak. Ondanks het feit dat ze nooit echt heeft gezegd dat zíj hem heeft gevonden.

Ze kijkt hem wantrouwig aan, maar geeft zich uiteindelijk gewonnen door zijn vasthoudendheid en haar eigen verlangen om zich belangrijk te voelen.

Als de tijd rijp is, geeft hij haar honderd dollar en vraagt hij haar weg te gaan voor haar eigen veiligheid en op kosten van de politie van Los Angeles ergens lekker te gaan dineren. Het geld komt uit zijn eigen zak. Nonie kijkt naar het geld. 'Daar kan ik net de drankjes van betalen.'

Milo haalt meer biljetten tevoorschijn. Ze neemt ze aan met een blik alsof ze een enorm offer maakt, pakt haar Marc Jacobs-handtas, doet haar Prada-sjaal om en loopt stampvoetend naar de deur op haar Manolo-sandaaltjes.

Moe Reed begeleidt haar naar haar Prius. Wacht tot ze roekeloos rechts afslaat op de Pacific Coast Highway en ternauwernood een botsing met een SUV weet te voorkomen en vervolgens onder luid getoeter wegscheurt.

Voordat Reed terugloopt naar het huis, werpt hij een blik op het zuiden, al kan hij rechercheur Sean Binchy onmogelijk zien, die op honderdveertig meter afstand in een ongemarkeerde sedan bij een gesloten pizzatent staat. Er ligt een goedkope laptop op de stoel naast hem die dezelfde signalen ontvangt als Aaron Fox op zijn laptop. Het grootste probleem is tot nu toe geweest 'die goedkope rotzooi' aan te sluiten, en Aaron Fox zat aardig te mopperen voordat het hem eindelijk lukte. Zelfs toen de verbinding tot stand was gebracht, was de ontvangst ongelijkmatig en werd het geluid overstemd door het verkeer op de Pacific Coast Highway.

Binchy heeft de laptop om zes uur 's avonds van Milo gekregen en hij heeft het huis van de familie Vander al een uur lang in de gaten gehouden tegen de tijd dat wij bij Gordies huis arriveren. Niemand is naar binnen of naar buiten gegaan en de garagedeur staat open zoals Travis Huck heeft gezegd. Huck staat in het zand.

Het wordt acht uur. De tijd gaat voorbij.
Vijf over acht, tien over acht, twaalf over acht... We vragen ons af of dit wel iets wordt.

Het feit dat de garagedeur open staat is een goed teken en daar houden we ons aan vast.

Kwart over acht. Huck lijkt onverstoorbaar. Dan bedenk ik dat hij geen horloge om heeft.

Het gebeurt uiteindelijk om zestien minuten over acht, onverwachts en schokkerig als een hartaanval.

Moe Reed is de eerste die het ziet. Hij wijst naar het scherm en stijgt bijna uit zijn stoel op.

Simone Vander staat op het strand. Als uit het niets.

De camera in Travis Hucks knoopje neemt waar hoe haar slanke lichaam naar voren zweeft.

Ik denk aan een zeemeermin die uit het water rijst.

Als ze dichterbij komt, krijgt de tas in haar hand vorm. Groot, van papier, met het logo van de supermarkt. Alles klopt tot nu toe.

Simones kleren zijn droog; heeft ze als een mirakel over het water gelopen?

Een mager meisje met droog haar dat wappert in de wind. Ze loopt over het strand. Blote voeten vormen voetstappen in het zand. Ze loopt vol zelfvertrouwen, een rijk meisje dat gewend is aan privézand, slenterend, slingerend met de tas, geen enkele zorg.

Huck staat daar.

Milo zegt: 'Waar komt ze verdomme opeens vandaan?'

Aaron Fox zegt: 'Geen idee. Die camera doet close-ups prima, maar voorbij een bepaalde afstand wordt hij minder scherp.'

Alsof ze het wil illustreren, komt Simone dichterbij, staart Huck aan, blijft binnen een straal van vier meter voor hem staan, en haar gelaatstrekken worden duidelijker. Misschien iets gespannener dan haar luchtige wandeling suggereerde. De groene kleuren helpen niet. Haar botten zijn scherper dan ik me herinner.

Maar nog altijd een mooi meisje.

Ze heeft de outfit van een typisch Californisch meisje gekozen: een heupjeans en een donkere, korte blouse die een strakke buik onbedekt laten, een serie armbanden, grote ronde oorbellen.

Twéé navelpiercings. De wind blaast haar donkere haar uit haar gezicht, waardoor er een diamantje glinstert in het kraakbeen. Zo goed is het beeld.

Huck staat doodstil en Simone een aantal seconden lang ook. 'Travis.' Het geluid is wat korrelig en haar stem lijkt hoog, ver weg, gedempt. Alsof ze met een mondvol slagroom praat. Of bloed.

'Simone.'

'Waar ga je naartoe?'

'Doet er niet toe.'

Simone glimlacht, komt dichterbij, zwaait met de tas. 'Arme Travis.'

'Arme Kelvin.'

Simones glimlach verstijft. 'Je vriendje.'

'Je broertje.'

'Halfbroer,' zegt ze.

'Spleetoogbroer,' zegt hij.

Ze kijkt geschrokken, knijpt haar ogen samen, lijkt te bedenken hoe hij daaraan komt.

Ze zegt: 'Ik wist niet dat je een racist was.'

'Dat heb ik jou horen zeggen, Simone.' Er is iets veranderd in Hucks stem. Hij klinkt dieper. Gespannen.

Fox hoort het ook. 'Zo te horen wint hij zich op. Als hij haar iets aandoet, zijn wij te ver weg om hem tegen te houden.'

Ze zwijgen.

Simone Vander zegt: 'Je hebt me gestalkt.'

'Ja.'

Ze lacht om deze schaamteloze bekentenis. 'We neuken vier keer en dat kan je niet vergeten.'

'Vijf keer.'

'Vier keer, loser. De eerste keer stelde niks voor. Je moet hem er echt ín stoppen voordat je spuit, om het neuken te noemen.' Ze lacht nog harder. Haar wrede humor wordt verzacht door het geluid van een golf.

Ze komt dichter naar Huck toe.

'Je bent zo'n debiele loser, Travis.'

'Weet ik.'

Zijn monotone inschikkelijkheid maakt haar kwaad en haar

ogen worden vlijmscherp als messen. Ze blijft staan, zakt een beetje weg in het zand, verschuift en zoekt een stevige stand. De tas zwaait nog meer. 'Je denkt dat je aan je sukkelige leven kunt ontsnappen door toe te geven dat je een loser bent? Is dat een of ander gelul uit de ontwenningskliniek?'

Huck reageert niet.

'Je bent een loser, een achterlijke debiele mislukkeling. Ga nou niet denken dat je met mij kunt sollen, Travis. Ik ben hier alleen omdat ik medelijden met je heb, oké? En wat is het eerste wat je met het geld gaat doen?'

Stilte.

'Raad eens, debiel.'

Stilte.

Simone gooit haar haar naar achteren, houdt de tas in beide handen. 'Het tot op de laatste cent opsnuiven of in je aderen spuiten. Met een beetje geluk wordt het een fatale overdosis. Wat denk je, schatje? Zou dat niet voor iedereen een goede oplossing zijn?'

Huck geeft geen antwoord.

De golven rollen over het strand.

Ik vraag me af of hij zweet. Moe Reed wel. Milo ook. En er zitten donkere kringen onder de mouwen van Aaron Fox' witte zijden overhemd.

Mijn hoofdhuid is nat, mijn mond is droog.

Weer komt er een golf met een daverend geluid op het strand terecht.

Simone zegt: 'Gewoon doen, Travis. Neem een overdosis, dan is iedereen ervanaf.'

'Waarom heb je het gedaan, Simone?'

Ze lacht. 'Waarom ik met je heb geneukt? Goeie vraag, debiel.'

'Waarom heb je ze vermoord?'

Simone geeft niets toe en ontkent ook niet. Ze lijkt langs Huck heen te kijken alsof ze iemand verwacht.

Alle vier verstijven we.

Enkele ogenblikken gaan voorbij.

Huck zegt: 'Allemaal. Kelvin. Hoe ben je zover gekomen?'

Simones lach is onverwachts, schril en verontrustend. 'Je weet dat ik heel netjes ben, schatje. Er komt een tijd dat het vuil opgeruimd moet worden.'

Huck zegt niets. Misschien is hij verbijsterd. Of slim genoeg – met genoeg ervaring als therapiepatiënt – om van de stilte gebruik te maken.

Simone zwaait met de tas. Ze kromt haar rug alsof ze wil pronken met haar kleine boezem.

Aaron Fox zegt: 'Dat mens houdt niet op. De eerste keer dat ik haar zag, droop de seks ervanaf.'

Simone zegt: 'Leuk om even bij te praten, kanjer, maar laten we dit maar eens afhandelen.'

Huck zegt niets. Simone lijkt afgeleid door de oceaan. 'Dus nu ben je ook nog een stomme debiel?'

Stilte.

Fox zegt: 'Zeg iets, man, hou haar aan het lijntje.' Zijn kaak is gespannen en zijn nonchalance is verdwenen. Ik vang een glimp op van hoe hij was toen hij nog bij Moordzaken werkte.

Simone gaat op armslengte van Huck staan. Het onbeweeglijke beeld verraadt dat Huck stil blijft staan.

Hij heeft zich niet verroerd sinds we hem in het zand hebben gezet.

'Zomaar,' zegt hij.

'Zomaar wat?'

'Je geeft me geld en je bent zomaar van je zonden verlost.'

'Zonden?' vraagt Simone. 'Wat zijn dat, verdomme?'

'Het Zesde Gebod.'

'Wat... O, gij zult niet blablabla.'

'Allemaal om geld,' zegt Huck met medeleven in zijn stem.

'Iets beters is er niet.'

'Maar het was meer,' zei Huck. 'Je was jaloers op Kelvin. Dat ben je altijd geweest.'

'Jaloers,' zegt ze, alsof ze het woord niet kent.

'Hij heeft talent. Jij hebt problemen.'

Simone staart in de camera. Ze hijgt. Ze glimlacht. 'Weet je wat mijn probleem is, Travis? Het feit dat ik hier met een debiel als jij sta om je geld te geven zodat je een naald in je arm kunt steken of het naar binnen kunt snuiven. Genoeg gekletst... al dat geklets van jou altijd.'

'Je was aardig voor me zodat je me kon belazeren.'
'Aardig voor je?'
'Je deed alsof.'
'Schatje,' zei ze, 'je bent ook zo makkelijk te belazeren.'
'Zodat je schoon schip kon maken.'
'Schrobben, dweilen, boenen,' zingt ze.
'Je vader heeft je alles gegeven, Simone. Je had alles kunnen hebben zonder hem te vermoorden.'
'Echt waar?' zegt ze. 'Alles voor mij en niets voor haar? Je bent echt achterlijk.'
'Er is genoeg voor iedereen, Simone.'
Simone steekt de tas naar hem uit. 'Pak aan en hou je kop.'
Ze wordt kleiner op beeld. Huck heeft een stap naar achteren gedaan.
'Pak aan!'
Milo schiet naar voren.
Moe Reed mompelt: 'Toe nou, toe nou.'
Huck zegt: 'Alleen maar omdat je het goud voor jezelf wilde.'
Simone grijnst. 'Ik héb het goud al. Loser.'
'Een kind, Simone. Je knuffelde hem, kuste hem en speelde met zijn haar. Je omhelsde Nadine. En nu zijn het opeens spleetogen?'
'Ze waren altijd al spleetogen...'
'Je kúste ze.'
Simone lacht. 'Net als bij de maffia. *The Godfather*. Je wordt gekust voordat je overhoop wordt geschoten.'
'Was het makkelijk, Simone? Heb je ze in de ogen gekeken? Heb je in Kelvins ogen gekeken?'
Simone lacht nog harder. 'Wat maakt het uit. Iedereen gaat op dezelfde manier dood.'
'Hou haar aan de praat,' zegt Milo.
Huck zegt: 'Je hebt in zijn ogen gekeken.'
'Ogen veranderen,' zegt Simone, en haar eigen ogen illustreren het doordat ze een dromerige blik krijgen. 'Alsof je toekijkt terwijl het licht uitgaat. Er is niets mooiers.' Ze kromt haar rug weer. 'Ik keek hoe het licht in haar ogen uitging en kwam klaar.'
Milo balt zijn vuist: 'Hébbes!'

Ze laat de tas op het zand vallen. 'Hier heb je wat je wilt. Ik hoop dat je er niet van geniet.'

Het camerabeeld beweegt niet.

'Wat, denk je dat ik je in de zeik neem? Kijk maar.'

'Wat heb je met ze gedaan, Simone?'

'Ze opgegeten,' zegt Simone. 'Met tuinbonen en chianti... Wat hebben we gedáán? We hebben dynamiet in hun reet gestopt... Wat maakt het uit? Pak aan en kruip weg als de made die je bent.'

Ze leunt naar voren, steekt haar hand in de tas en haalt een pak biljetten tevoorschijn.

Gooit het naar Huck.

Hij blijft doodstil staan. Het geld komt op het zand terecht.

Simone staart ernaar. 'Wát?'

'Het is al goed,' zegt Huck. 'Laat maar liggen en ga weg.'

Simone bekijkt hem eens goed.

'Laat maar liggen en ga weg,' herhaalt Huck. 'Leef het leven dat jij denkt te verdienen.'

'Wat is dat, een vloek of zo?' vraagt Simone. 'Een vloek van jou is een zegening.'

Ze keert Huck de rug toe. Blijft staan, draait zich weer om. Steekt haar hand in de tas en haalt iets tevoorschijn wat geen geld is.

Lang en dun; ze houdt het omhoog.

'O, shit,' zegt Fox, terwijl zij op Huck afduikt.

De camera legt haar blik vast: verhit en kil tegelijk. De onverstoorbare blik op haar gezicht als ze uithaalt.

Hucks hand schiet in beeld als hij het wapen probeert te pakken.

Simone haalt uit, draait, kreunt, bloed spuit in het rond.

Huck zegt niets als ze hem opnieuw steekt.

Milo rent naar de trap die naar het strand leidt, Reed zit hem op de hielen en haalt hem in.

Aaron Fox staart naar het scherm.

Ik zie de blik op zijn gezicht als ik achter Milo en Reed aan ren.

Je zou je niet kunnen voorstellen dat hij ooit een zelfverzekerde, elegante man was.

Het geluid van het beeldscherm, nat, bonkend, aanhoudend, vult mijn oren als mijn voeten het zand raken en ik allang buiten gehoorsafstand ben en horen niet langer relevant is.

42

Als we op de plek komen waar Simone Travis Huck heeft aangevallen, zit hij als een yogaleraar in het zand met zijn benen over elkaar. Zijn blik is kalm als hij naar het bloed kijkt dat uit zijn handen, armen en borst stroomt.
Simone ligt een paar meter verderop languit, enkele centimeters van de oceaan, met haar platte buik naar de maan. Haar twee piercings glinsteren.
Het mes steekt uit haar nek. Een lang lemmet, houten heft, keukengereedschap. Haar lichaam ligt gedraaid alsof ze wil ontsnappen. Haar ogen zijn wit en dof.
Moe Reed laat zich als een honkbalcatcher op zijn knieën in het zand vallen. Zoekt tevergeefs een polsslag.
Hij staat op, schudt het hoofd en gaat naast Milo bij Travis Huck zitten.
Milo hijgt van het hardlopen. Terwijl hij worstelde om Reed bij te houden, was hij erin geslaagd een ambulance te bellen. Hij en Reed zorgen voor Huck, scheuren hun eigen overhemden aan repen om als tourniquets te gebruiken. Binnen enkele seconden zitten Milo's hemd en Reeds brede blote borst onder het bloed.
Huck lijkt al de drukte amusant te vinden.
Twee pakjes geld liggen op het strand. Later ontdekken we dat het bundeltjes biljetten van één dollar zijn met aan beide uiteinden briefjes van twintig.
Elk zeventig dollar.
Aaron Fox verschijnt en bekijkt het tafereel. Hij loopt naar Simones lichaam, en zijn blik lijkt te zeggen dat ze iets buitenaards en slijmerigs is wat met het getijde is aangespoeld.
Een golf valt over haar heen, laat een laag schuim achter op

haar gezicht, die vervliegt als de bubbels een voor een knappen in de warme avondlucht.

In de huizen in de buurt zijn geen lichten aangegaan. Dit is een toevluchtsoord voor weekendgasten. Tegen de tijd dat de zon opkomt, zal de oceaan al het bloed weggewassen hebben, maar nu is het zand nog kleverig.

Fox en ik staan er een beetje bij, terwijl Milo en Reed in stilte en harmonie samenwerken tot het spuitende bloed begint te sijpelen. Huck wordt bleek, dan grijs en begint weg te zakken.

Milo houdt hem vast en Reed houdt zijn handen vast. 'Hou vol,' zegt de jongere rechercheur.

Huck kijkt naar het lichaam van Simone. Beweegt zijn lippen. 'Eh... ah... eh...'

Milo zegt: 'Zeg maar niets, jongen.'

Hucks blik blijft op Simone gericht. Hij haalt zijn schouders op. Begint weer te bloeden.

'Niet bewegen,' zegt Moe Reed.

Huck mompelt iets.

'Sst,' zegt Milo.

Hucks hoofd zwabbert. Zijn ogen vallen dicht.

Hij dwingt zichzelf de woorden te vormen.

'Heb het weer gedaan,' zegt hij.

Ik denk hierover na als er iets bij het strandhuis mijn aandacht trekt.

Een korte beweging onder het huis, waar een peertje onder de veranda een zwak schijnsel geeft over de palen en het houten schot onder het huis.

Er beweegt iets. Niemand ziet het. Ik loop ernaartoe.

Een opblaasboot hangt aan een ketting aan een dakspant. Achter de boot staat een deur op een kier, evenwijdig aan het triplex van het schot.

Geen slot, een soort opslagruimte, waarschijnlijk opengewaaid.

Maar er staat vanavond helemaal geen wind. Misschien staat hij al een tijd open.

Ik loop tussen de palen door, ruik zout en teer en nat zand. Door de overhangende veranda doet het aan als een grot. De opblaasboot is opgepompt. Er hangen andere dingen aan de spanten alsof het worsten bij de slager zijn. Een kleine metalen roeiboot, twee paar roeispanen. Een oud Coca-Colabord, helemaal verroest, dat tegen een scheef hangende, vervormde steunbalk is gespijkerd.

Ik kom bij de deur. De kier is nauwelijks groot genoeg om doorheen te kunnen. Geen beweging, geen licht binnen, en de ruimte kan niet veel meer dan een halve meter diep zijn.

Opengewaaid, wie weet hoe lang geleden al.

Voor de zekerheid duw ik de deur wat verder open.

En ik kom oog in oog te staan met een zwarte achtvorm.

Een dubbelloops jachtgeweer. Boven de dodelijke buis, een gezicht, hier en daar slaphangend en op andere plaatsen onnatuurlijk strak.

Geen haar. Geen wenkbrauwen, geen wimpers.

Een gelaat dat bijna een masker lijkt door het weinige indirecte licht.

Een kaal hoofd, bleke ogen. Een donker t-shirt, een donkere joggingbroek, donkere gympen.

Een grote diamanten ring aan een van de vingers rond de trekker.

Voor zover ik kan zien is de geweerlade glimmend en van hout. Gegraveerd metaal verheft het wapen tot kunst. Van een heel ander kaliber dan mijn vaders vogeldoder.

Een van de kostbare wapens die Simon Vander op verzoek van zijn nieuwe vrouw had weggedaan.

Buddy Weirs diamanten ring beweegt op het moment dat hij zijn vingers spant.

'Rustig aan,' zeg ik.

Weir ademt door zijn mond. Het is zijn beurt om te zweten.

Een ogenschijnlijk zachtaardige man met afhangende schouders die stonk naar helse angst.

Gevaarlijker dan woede.

Bleke ogen kijken langs me heen naar het tafereel op het strand. Het lijkt wel of hij moet huilen.

De ring begint weer te wiebelen. De loop komt dichterbij, blijft centimeters voor mijn neus hangen.

Een merkwaardig, heerlijk verdoofd gevoel overvalt me als ik mezelf hoor praten.

Ik zeg: 'Verkeerde oog.'

Weirs hand verstijft door zijn verwarring.

'Je bent rechtshandig, maar misschien is je linkeroog dominant. Doe eerst het ene dicht en dan het andere om te zien bij welk oog mijn gezicht het meest verspringt. En je moet niet worstelen met het wapen, daar houdt een wapen niet van, je moet een beetje naar voren leunen, er één mee worden... Ga je gang, knipper maar eens met je ogen, test ze.'

Weir kijkt spottend, superieur, maar zijn ogen doen onbewust wat hun gezegd is en het jachtgeweer zwaait een beetje heen en weer.

Ik duik weg, sla hem zo hard mogelijk laag in de buik, gevolgd door de gemeenste trap die ik weet op te brengen. In zijn kruis. Hij hapt naar adem, klapt voorover. Het wapen wijst omhoog.

Een oorverdovende knal.

Hout versplintert.

Weir heeft nog steeds pijn op het moment dat ik hem met alles wat ik in me heb met twee handen een klap in zijn nek geef. Hij valt in het zand. Nog steeds heeft hij het jachtgeweer vast.

Ik trap op zijn arm, breek enkele botten, trap het wapen weg. Een prachtig geweer voor het schieten van kleiduiven, gemaakt van walnotenhout en metaal waarin taferelen zijn gegraveerd van renaissancejagers die jagen op mythische wezens.

Weir kreunt van de pijn. Later hoor ik dat zijn ellepijp versplinterd is en nooit meer helemaal zal herstellen.

Ik kijk hoe hij kronkelt van de pijn, gun mezelf een ogenblik van voldoening, wat ik nooit aan iemand zal toegeven.

Milo heeft het schot gehoord en arriveert met zijn dienstwapen in zijn hand.

Als de ambulance uit Malibu arriveert, is hij net bezig Weir om te draaien en bindt hij diens polsen en enkels vast met plastic bandjes.

Eén wagen, één brancard. Travis Huck krijgt voorrang.

Weir lijdt.

Tijdens de korte stiltes tussen zijn gejammer door hoor ik iets.

Vanachter het schot.

Een licht bedeesd gebonk. Als het water hoger had gestaan zouden we het niet gehoord hebben.

Milo hoort het ook. Hij houdt zijn wapen in zijn hand, wijst naar de deur, stopt, tuurt om een hoekje, verdwijnt.

Ik volg.

De jongen zit tegen een betonblok. De stank van uitwerpselen en urine en braaksel is overweldigend. Hij zit in zwarte vuilniszakken gewikkeld, als een braadstuk vastgebonden met stukken nylontouw. De blinddoek is van zwart katoen. De rubberbal in zijn mond is feloranje. Zijn neusvleugels zijn niet afgedekt, maar zitten vol snot. Zijn hoofd is kaalgeschoren.

Hij trapt met kleine, blote voeten tegen de voorste triplex wand van de opslagruimte.

Een halve vierkante meter; veroordeelde moordenaars hebben meer ruimte.

Milo en ik rennen naar hem toe om hem los te maken. Milo is er het eerst, noemt hem bij zijn naam, zegt hem dat hij veilig is, dat alles goedkomt. Als de blinddoek van zijn donkere, amandelvormige ogen wordt getrokken, kijkt Kelvin Vander naar ons op.

Met droge ogen.

In een andere wereld.

Ik leg mijn hand tegen zijn wang. Hij krijst als een wasbeer in het nauw.

Milo zegt: 'Alles is goed, jongen, maak je geen zorgen, je bent nu veilig.'

De ogen van de jongen priemen in de zijne. Strak, bedachtzaam. Op zijn wangen zitten vingerafdrukken, striemen en snijwonden. Hij heeft beide handen nog.

Milo zegt: 'Het komt wel goed, jongen.' Hij wendt zijn hoofd af.

Zodat het kind de leugen niet ziet.

43

Zaak gesloten. Een grote zaak. De hoofdcommissaris was blij.
Of iets wat daarop leek.

Het werk van hulpofficier van justitie John Nguyen was nog
maar net begonnen, maar ook hij had een glimlach rond de
mond. Door al het plannen smeden hadden Simone Vander
en Buddy Weir een prachtige reeks bewijsmateriaal achtergelaten: telefoontjes van een jaar lang, plus een tweede gehuurde opslagruimte, deze keer in het centrum van West-L.A.,
keurig betaald met cheques van Weir.

In de opslagruimte lagen nog meer bordspelen en papieren
die aantoonden dat Weir landelijk hoog scoorde op het gebied van Scrabble, backgammon en bridge. Creditcardgege-
vens toonden maandelijks tripjes naar Las Vegas aan, vaak
samen met Simone. Weirs speelwinsten met blackjack en po-
ker waren schijnbaar groter dan zijn verliezen – hoewel Nguyens personeel dat nog steeds diep in Weirs financiën aan het
graven was, nog niet alle informatie boven tafel had.

Een aardig detail: de schoenafdrukken aan de westkant van
het moeras kwamen overeen met een paar Legnani's van zeshonderd dollar die in de kast van Weirs huis in Encino waren gevonden.

In de opslagruimte lagen ook drie gepolijste houten dozen die
leken op het doosje waar de botjes in hadden gezeten. In de
drie dozen zat een schat aan foto's.

Weir en Simone in complete sm-uitdossing.

Vrouwen, vijf stuks, deels gekleed, daarna naakt. Drie van
hen waren makkelijk te herkennen door de politiefoto's van
Sheralyn Dawkins, Lurlene 'Big Laura' Chenoweth en De-
Maura Montouthe. De andere twee kwamen qua uiterlijke
kenmerken overeen met de botten die aan de westkant van
het moeras waren gevonden, maar het zou langer duren om
hen te identificeren. Met hulp van Zedenzaken wisten Milo
en Moe Reed ze uiteindelijk te identificeren als Mary Juani-
ta Thompson (29), en June 'Junebug' Paulette (32). Beiden
prostituee in de buurt van het vliegveld. Dit nieuws wist de

media niet te boeien, en het hoofdbureau koos ervoor geen persconferentie te houden.

De beschrijving van de betrokkenheid van de slachtoffers bij Weir en Simone was een opeenvolging van zulke stereotypen dat het wel in scène gezet moest zijn: aanvankelijk seks in ruil voor geld, gewillige medewerking, en gaandeweg een overgang naar geknevelde en vastgebonden seks, daarna wurgseks tot de dood erop volgde. Postmortale close-ups van een heggenschaar, soms in Weirs handen, andere keren in Simones handen.

Botten.

Milo was te intelligent om 'eind goed, al goed' te denken, maar na een telefoontje van de hoofdcommissaris met het verzoek om vijf oude moordzaken te herzien, zat hij een tijdje te piekeren en te mopperen.

Moe Reed vroeg overplaatsing naar bureau-West-L.A. aan, maar een bevel van hogerhand om iets te doen aan de verdwijning van Caitlin Frostig hield hem op bureau-Venice.

Hij belde me en vroeg of ik hem kon helpen.

Ik was bereid de zaak met hem door te nemen, maar mijn gedachten waren elders.

Op een dag, toen ik naar het bureau reed om mijn verklaring met betrekking tot de moerasmoorden na te lezen, zag ik Reed hand in hand lopen met dokter Liz Wilkinson. Ze lachten allebei. Tot dan toe had ik de jonge rechercheur nog nooit hardop horen lachen.

Die avond nam ik Robin mee uit eten in Hotel Bel-Air.

Ze droeg haar parel.

Travis Huck lag twee maanden in Cedars-Sinai. De meeste snijwonden hadden spieren geraakt en er waren enkele zenuwen beschadigd, wat had geleid tot krachtvermindering en pijn. Diepe wonden in zijn linkerarm betekenden dat de arm waarschijnlijk niet meer te gebruiken was en dat hij vatbaar was voor infecties. Zijn artsen brachten op een gegeven moment het schrikbeeld van een mogelijke amputatie ter sprake, iets wat dokter Rick Silverman, hoofd van Spoedeisende Hulp, bevestigde.

Rick, die van Milo opdracht had gekregen Hucks vooruitgang te volgen, zei dat de patiënt lichamelijk goed genas.

'Maar op het psychische vlak krijg ik maar geen hoogte van hem, Alex. Een soort ongepast affect, hè?'

Ik zei: 'Dat glimlachen.'

'Precies. Altijd. Zelfs als hij pijnmedicatie weigert.'

'Dat zou voor hem wel eens de beste keus kunnen zijn.'

'Dat zal wel, maar het moet toch pijn doen.'

Toen ik bij Huck op bezoek ging, trof ik hem in alle rust aan. Zijn gezicht was zo ontspannen en sereen dat de scheve mondhoek bijna verdwenen was. Het verpleegkundig personeel noemde hem hun favoriete patiënt. Op een drukke afdeling betekende dat 'volgzaam'.

Hij keek veel tv, las en herlas alle zeven delen van *Harry Potter*, at wat fruit en snoep dat Debora Wallenburg hem had laten bezorgen en gaf het meeste weg.

Wallenburg bood aan te assisteren bij de vervolging van Buddy Weir. John Nguyen sloeg het aanbod beleefd af. Hij vertelde mij in vertrouwen dat hij daardoor waarschijnlijk al zijn kansen om bedrijfsjurist te worden verkloot had.

Een keer liep ik naar Hucks kamer en kwam ik Kelly Vander en Larry Brackle tegen die net weggingen. Toen Kelly me zag, bloosde ze van schaamte en liep ze snel langs me. Brackle aarzelde, leek iets te willen zeggen.

Ik glimlachte.

Hij liep achter Kelly aan.

De beveiligingsbeambte van het ziekenhuis die bij Hucks kamer zat als hij daar tijd voor had, kwam naar me toe. 'Dag, dokter. Toen ze me haar naam gaf, wilde ik ze niet binnenlaten.' Hij wees met zijn duim. 'Meneer Huck zei dat het goed was, dus heb ik haar tas doorzocht, niets verdachts.'

'Hoe lang zijn ze binnen geweest?'

'Twintig minuten,' zei de bewaker. 'Ik heb meegeluisterd, dokter, er waren geen problemen. Eén keer heb ik om een hoekje gekeken, zonder dat ze me zagen. Ze had meneer H's hand vast. Tegen het einde zat ze heel erg te huilen en volgens mij vroeg hij haar of ze het hem kon vergeven of zoiets,

en zij zei van niet, omdat zij degene was die om vergeving moest vragen. Toen werd er een heleboel gehuild.'
'Wat deed de andere man?'
'Die zat daar maar.'
Ik bedankte hem en deed voorzichtig de deur open.
Huck lag op zijn rug vredig te slapen. Tegen de tijd dat ik zijn medische gegevens had bekeken en met de fysiotherapeut had gesproken, was hij nog niet wakker. Ik vertrok en ging naar een ander ziekenhuis.

Op de revalidatieafdeling van Western Pediatric lag Kelvin Vander op een eenpersoonskamer, vierentwintig uur per dag omgeven door privédetectives, ingehuurd door Aaron Fox. Een derde van alle gedeclareerde uren van de freelancers ging regelrecht naar Fox' bankrekening.
Kelvins nieuwe advocaten betaalden grif. Hun eigen uren werden betaald met geld van een rekening met daarop de opbrengsten van de boedel van de familie Vander. De waarde van hun bezittingen was geschat op meer dan honderdzeventig miljoen. Een kinderrechter die was aangewezen om Kelvin te beschermen, had beloofd een oogje in het zeil te houden. Als de boel uit de hand liep, zou hij het jaarinkomen van de advocaten limiteren tot een miljoentje of twee.
Gedurende drie weken bracht ik meer dan honderd uur door met Kelvin, en ik zou uiteindelijk mijn eigen rekening wel sturen, maar voorlopig had ik andere dingen aan mijn hoofd.
De eerste keer had de jongen me recht aangekeken.
Het was nu een maand later. Maar nog steeds geen woord.
Ik probeerde tekenen, spelletjes, gewoon zitten.
Mijn eigen welwillende stilte.
Ten einde raad belde ik de rechter en diende een verzoek in.
Hij zei: 'Mmm. Erg creatief, dokter. Denkt u dat het werkt?'
'Ik had verwacht dat ik inmiddels wel tot hem zou zijn doorgedrongen. Ik durf niets te beloven.'
'Dat begrijp ik. Ik ben zelf ook bij hem langs geweest. Een leuk jongetje, maar net een standbeeldje. Prima, ik keur het goed.'

De volgende dag zat ik op Kelvins kamer toen een spinet en bijpassend krukje werden afgeleverd. Onder de klep van het krukje lagen mappen bladmuziek die ik bij de Steinway-vleugel had gevonden in de slaapkamer van de jongen in het huis aan Calle Maritimo.

Ik haalde wat bladmuziek tevoorschijn en spreidde die uit op zijn ziekenhuisbed.

Hij deed zijn ogen dicht.

Ik wachtte een tijdje, liep toen de kamer uit. Ik stond bij een van de balies een dossier bij te werken toen de muziek begon, eerst aarzelend, toen luider. De klanken zweefden door de deur en de privébewaker die dienst had ging rechtop zitten.

Iedereen luisterde.

'Wat is dat?' vroeg een verpleegkundige. 'Mozart?'

Ik zei: 'Chopin.' Een van de etudes, dacht ik.

Steeds weer opnieuw.

Ik reed naar huis en haalde een doos cd's tevoorschijn.

Tien minuten later had ik het gevonden: Opus 25, nummer 2 in *f* kleine terts.

Technisch uitdagend, soms levendig, soms triest.

Later vertelden de verpleegkundigen me dat hij het de hele dag en tot laat in de avond had gespeeld.